La grammaire allemande

Gérard Cauquil
Inspecteur pédagogique régional

François Schanen
Agrégé de l'Université
Professeur de linguistique allemande
à l'Université Paul Valéry de Montpellier

HATIER

Avant-propos

Cet ouvrage présente la grammaire de l'allemand contemporain.

Elle privilégie les groupes qui fonctionnent directement dans les énoncés et dans les textes ; il s'agit donc d'une grammaire de groupes syntaxiques.

Les chapitres, classés alphabétiquement, regroupent morphologie, syntaxe, fonctions et sens. Ils développent les notions et faits importants de la grammaire allemande.

Destinée à un large public, la *Grammaire allemande Bescherelle* est :

1. Une **grammaire** de **réception** et de **production** : elle doit permettre à l'utilisateur de découvrir les formes et structures de l'allemand afin qu'il puisse produire lui-même une langue correcte.

2. Une **grammaire** de **réflexion** plus qu'une grammaire normative : elle s'attache à faire comprendre les mécanismes de la langue, plutôt que de faire appliquer des règles apprises.

3. Une grammaire qui, grâce à son découpage en chapitres cohérents, invite l'utilisateur à une **lecture en continu** aussi bien qu'à une **consultation ponctuelle**, facilitée par l'**index** de la fin du livre.

4. Une grammaire qui **veut réconcilier description et explication** en rappelant au début de chaque chapitre l'essentiel "à savoir" pour comprendre l'ensemble.

5. Une grammaire qui tient compte de la réforme de l'orthographe proposée en 1995 et dont les règles seront obligatoires à partir de 2005.

Conception maquette : **Yvette Heller**

Mise en page : **Triptyque**

ISSN 0990 3771 – ISBN 2-218-72210-0

Sommaire

Rubriques

 « **Pour aller plus loin** » : réflexion linguistique

 « **Attention !** » : erreur fréquente

 « **Contrastif** » : comparaison allemand / français

À retenir **Information essentielle**

Petit glossaire

° placé devant une syllabe : accent de groupe ou accent d'insistance, voire de contraste

' placé devant la syllabe d'un mot isolé : accent de mot hors contexte

1 L'accentuation

À savoir

L'allemand, une langue fortement accentuée

• En français, l'accentuation est peu marquée. Le francophone accentue habituellement la dernière syllabe prononcée d'un mot, d'un groupe ou d'un énoncé :

Ce type m'é°nerve.

sauf lorsqu'il veut exprimer une intention particulière :

Il m'é°nerve, ce °type !

• L'allemand est en revanche une langue fortement accentuée. Chaque mot de plus d'une syllabe a potentiellement un accent qui porte en général sur la **première syllabe**.

Le signe ' indique que cet accent est **potentiel**, c'est-à-dire considéré hors contexte, sur le mot pris isolément.

'Vater : père / *'Großvater* : grand-père

'Urgroßvater : arrière-grand-père

Quand il est réalisé en contexte, cet accent **met en relief une syllabe** par un changement de rythme, accompagné d'une montée ou d'une descente de la mélodie et souvent (mais pas toujours) par un renforcement du volume sonore.

Le signe ° devant une syllabe indique que l'accent est réalisé en contexte.

der °Vater : le père / *der °Großvater* : le grand-père

der °Urgroßvater : l'arrière-grand-père.

Trois types d'accent

C'est en fonction de leur portée, et non par les moyens de réalisation (changement de hauteur, de rythme, de volume sonore) que l'on distingue trois accents :

• L'accent de **mot,** c'est-à-dire d'unité lexicale.

'Vater : père / *'Schule* : école / *Gym'nasium* : lycée

• L'accent de **groupe syntaxique**.

das Haus des °Vaters : la maison du père (groupe nominal)

sehr °gut : très bien (groupe adjectival)

zur °Schule gehen : aller à l'école
groupe infinitif

kurz ge°sagt : en bref
groupe participe II

[eine Reise] nach °Wien : un voyage à Vienne
groupe prépositionnel

• L'accent d'**insistance** ou de **contraste**.
°Einer für °alle, °alle für °einen. Un pour tous, tous pour un.

À savoir

1 L'accent de mot

A L'accent de mot est prévu par la langue. Non libre, il n'est qu'un accent **potentiel**. Il n'est réalisé en contexte que s'il est accent de groupe syntaxique.

• Le mot ***'Haus*** a un accent potentiel de mot.

Dans ***zu °Haus[e]***, cet accent est réalisé comme accent d'un groupe **prépositionnel**.
Dans ***zu °Haus[e] bleiben***, il fonctionne comme accent d'un groupe **infinitif**.
Dans ***das Haus meines °Vaters***, l'effet de l'accent du groupe nominal qui est sur ***°Vaters*** réduit l'accent potentiel de ***Haus*** à un simple effet rythmique.

• Il faut donc connaître les accents potentiels des unités lexicales, mais aussi et surtout les accents des groupes syntaxiques. Ces accents sont **démarcatifs**, c'est-à-dire qu'ils permettent de délimiter des ensembles de construction ou de sens.

B L'accent des mots allemands porte en général sur la **première syllabe** et, plus rarement, dans les mots dérivés, sur la **2e** ou **3e syllabe**.
das °Leben / er°leben / über°leben : la vie / vivre (un événement) / survivre

LES MOTS DÉRIVÉS

Les mots dérivés sont des **unités lexicales** qui peuvent être décomposées dans la langue d'aujourd'hui en un radical lexical et, au moins, un préfixe ou suffixe qui ne fonctionne pas seul.

[be	+ 'nachricht	+ ig]	en	: informer
préfixe	radical lexical	suffixe	marque de l'infinitif	
[Ver	+ 'anstalt	+ ung]	en	: manifestations
préfixe	radical lexical	suffixe	marque du pluriel nominatif	

A Dans les mots dérivés allemands, l'accent porte, sauf exceptions, sur la **syllabe accentuable du radical**.

L'accent ne porte donc pas sur :

• Les **préfixes verbaux** (particules verbales inséparables) ***be-***, ***emp-***, ***ent-***, ***er-***, ***ge-***, ***ver-***, ***zer-***.

'gehen : aller / *be'gehen* : commettre (un crime) / *ver'gehen* : passer (temps).

• Les **particules verbales mixtes** quand elles sont inséparables : ***durch-***, ***hinter-***, ***über-***, ***um-***, ***unter-***, ***voll-***, ***wi[e]der-***.

jn hinter'gehen : rouler qqn / *etw. über'gehen* : sauter (par exemple, un passage en lisant) / *etw. um'gehen* : contourner qqch. / *unter'halten* : entretenir / *voll'bringen*, *-'enden*, *-'führen*, *-'strecken*, *-'ziehen* : accomplir, exécuter.

• Les **suffixes allemands** comme ***-bar***, ***-chen***, ***-e***, ***-el***, ***-en***, ***-er***, ***-ern***, ***-haft***, ***-ig***, ***-isch***, ***-heit***, ***-keit***, ***-lein***, ***-lich***, ***-nis***, ***-sal***, ***-sam***, ***-schaft***, ***-tum***, ***-ung***.

'fahrbar : carrossable / *das °Mädchen* : la fille / *die °Gabel* : la fourchette / *das °Leben* : la vie / *'lebhaft* : vivace / *die °Lebhaftigkeit* : la vivacité / *die °Freiheit* : la liberté / *'Fräulein* : Mademoiselle / *'neulich* : récemment / *das °Schicksal* : le destin / *'langsam* : lentement / *der °Reichtum* : la richesse / *die Be°kanntschaft* : la connaissance / *die Be°deutung* : la signification.

• Les **terminaisons grammaticales *-e***, ***-em***, ***-en***, ***-er*** ou ***-es***.

die [Zer	+ °stör	+ ung]	en	: les destructions
préfixe	radical radical du dérivé	suffixe	terminaison marque du pluriel nominatif	

*die Sta°tut**en** des Ver°band**es*** : les statuts de l'association.

B Contrairement au français, les mots **étrangers** gardent en allemand l'accentuation de leur langue d'origine.

'Badminton / 'Cocktail / differen'ziell / Ex'zess / 'bravo

• Certains suffixes d'origine **latine** ou **romane**, voire **française**, portent toujours l'accent, comme par exemple : *-'age*, *-ei*, *-'ier [i:r]*, *-ier [je]*, *-'ier[en]*, *-'tät*, *-'tion*, *-'tiv*, *-'ur*.

Bla'mage / Par'tei / Kla'vier [i:r] / Ban'kier [je] / re'gieren / Re'gierung / Universali'tät / Na'tion / na'iv / Na'tur

• L'**addition d'un suffixe** (y compris de plusieurs syllabes comme les suffixes inaccentués ***-iker***, ***-ikus***, ***-ika***) ou d'une terminaison allemande à un mot étranger d'origine latine ou romane ou parfois d'une autre origine entraîne, suivant le mot dérivé, **le déplacement de l'accent** sur la syllabe qui précède ce suffixe ou cette terminaison.

Mu'sik / 'Musiker / musi'kalisch : musique / musicien / musical

Demo'krat / Demokra'tie [t] / demo'kratisch :
démocrate / démocratie / démocratique

Eu'ropa / Euro'päer / euro'päisch : Europe / Européen / européen

A'merika / Ameri'kaner / ameri'kanisch / amerikani'sieren :
Amérique / Américain / américain / américaniser

'Luther / 'lutherisch / Luthe'raner : Luther / luthérien / Luthérien

• Ce déplacement d'accent se fait parfois **quand on passe du singulier au pluriel**.

Di'rektor - Direk'toren : directeur(s) / *Pro'fessor - Profe'ssoren* : professeur(s)
'Doktor - Dok'toren : docteur(s) / *'Atlas - At'lanten* : atlas / *Par'tei - Par'teien* : parti(s)

LES MOTS COMPOSÉS

Les mots composés sont des **unités lexicales** qui se décomposent, dans la langue d'aujourd'hui en, au moins, deux termes pouvant fonctionner seuls.

das °Feuerwerk : *[das] 'Feuer* (nom) + *[das] Werk* (nom) : le feu d'artifice

taubstumm : *taub* (adjectif) + *stumm* (adjectif) : sourd-muet

A L'accent d'un mot composé du type **déterminant + déterminé** porte sur le déterminant (avec la possibilité de faire ressortir par le rythme l'accent du déterminé).

die Zuckerdose = *'Zucker* (déterminant) + *dose* (déterminé) : la boîte à sucre / le sucrier

Stu'dentenzimmer : chambre d'étudiant / *'Fernsehappa(')rat* : appareil de télévision / *'Krankenhausperso(')nal* : personnel d'hôpital / *Ge'burtstags'feier* : fête d'anniversaire / *'Fahrkostener'stattung* : remboursement des frais de déplacement.

B Certains mots composés ne portent pas l'accent sur le premier terme. Ils présentent une structure différente qui peut être :

• Une structure **additionnelle**.

Süd'westen : Sud-Ouest / *schwarz-weiß-'rot* : noir-blanc-rouge
he'rein : entrez / *vo'ran* : en avant / *da'hin* : vers là-bas

• La structure d'un **groupe lexicalisé**.

[Das Fest] Aller'heiligen : la Toussaint

Aller'heiligen est un groupe nominal figé au génitif : l'accent est celui du groupe nominal.

Apfel'sine = Apfel aus China : orange

Ce groupe lexicalisé porte l'accent d'un groupe prépositionnel dont ***aus*** a disparu.

Autres exemples :

Einmal'eins : tables de multiplication / *Mutter'gottes* : mère de Dieu / *wo'rauf* : sur quoi / *neben'an* : à côté, voisin / *sowie'so* : de toute façon

Une accentuation différente permet parfois de marquer une différence de sens :

'Abteilung : segmentation	*un'möglich* : impossible (pas croyable)
Ab'teilung : département	*'unmöglich* : impossible (qui ne peut exister)

C Les particules verbales séparables (voir le chapitre 27, pages 321 et suivantes) comme ***ab-***, ***an-***, ***auf-***, ***aus-***, ***bei-***, ***ein-***, ***nach-***, ***wieder-***, ***zu-*** ont un accent, même quand elles ne sont pas séparées du radical verbal.

'anfangen / Er fängt früh °an. : commencer / Il commence tôt.

'einfahren / die °Einfahrt : entrer / l'entrée (pour les véhicules)

• Les particules mixtes ***durch-***, ***über-***, ***um-***, ***unter-***, ***voll-*** portent l'accent quand elles sont **séparables**.

'durchschneiden : couper en deux / *der °Durchschnitt* : la moyenne
'überlaufen : déborder / *'umwerfen* : renverser
'untergehen : se coucher (soleil) / *'volltanken* : faire le plein (d'essence)

• Si la particule verbale séparable est elle-même composée de plusieurs termes, son accent de démarcation porte sur le **dernier**.

hin'ab / hin'ein / her'aus / her'unter

vor'aussagen : prédire (mais *im °Voraus* : par avance) /
vor'an / vor'bei / da'ran / da'rauf / zu'vor / zu'recht / zu'sammen

2 L'accent de groupe

► Pour la liste et la dénomination des groupes syntaxiques, voir le chapitre 16.

LE GROUPE VERBAL

A Le groupe verbal est un groupe syntaxique dont **la base est un verbe**. Nous l'entendons ici au sens de proposition grammaticale, sujet grammatical compris (voir la définition page 185).

Le groupe verbal porte toujours au moins un accent qui est, sauf intention particulière, l'**accent principal du prédicat verbal**, également appelé **rhème** (voir le chapitre 25, pages 293-294) et dont la limite gauche est figurée par // dans les exemples.

Wir hatten °damals // einen °Wagen gekauft.
Nous avions à l'époque acheté une voiture.

..., *[weil] wir °damals // einen °Wagen gekauft hatten.*
...parce que nous avions à l'époque acheté une voiture.

• Dans l'exemple ci-dessus le groupe verbal a comme base ***kauf-*** qui, avec l'auxiliaire ***hatten***, porte les marques de catégories caractéristiques de la forme du plus-que-parfait. Le **prédicat du groupe verbal** correspond à ce qui reste quand les marques de catégorie sont enlevées. Ici, c'est : ***einen °Wagen kauf-***.

La structure sémantique du prédicat est **régressive**, c'est-à-dire qu'elle se lit de droite à gauche à l'inverse de la structure progressive du français.

einen °Wagen kauf[en] ↔ acheter une voi°ture

On comparera aussi par exemple le nom composé allemand (où le déterminant précède le déterminé) avec sa traduction française où c'est l'inverse (voir le chapitre 25, pages 288-289) :

die °Gartentür ↔ la porte du jar°din

• **L'accent principal du prédicat** verbal porte sur la syllabe accentuée du groupe membre qui, dans la structure régressive, détermine en premier la base verbale. Ici, il porte donc sur le groupe nominal ***einen °Wagen*** qui détermine ***kauf[en]***.

• Si le prédicat verbal ne comprend pas de membre, l'accent porte sur la base verbale elle-même, c'est-à-dire sur le verbe principal et non pas sur les auxiliaires.

Er °schwieg. Il se taisait. / *°Schweigen Sie!* Taisez-vous !
Sie haben ge°schwiegen. Ils se sont tus.

• Après avoir enlevé les marques de catégories et avoir placé le verbe principal (sous forme d'infinitif) au départ de la structure de détermination régressive, on dégage le prédicat verbal

Par exemple, dans :

°Fußball und Com°puterspiele liebte er // °leidenschaftlich.
Il avait une grande passion pour le football et les jeux informatiques.

Le prédicat verbal est ***leidenschafflich lieb[en]***. L'accent du groupe verbal porte sur le premier groupe qui détermine la base verbale

lieb[en]. Les exemples suivants permettent d'identifier différents types de prédicats verbaux :

Exemples	Prédicats verbaux
°Dann gehen wir // zur °Schule. Alors nous irons à l'école.	*zur °Schule geh[en]*
Er fängt °an. Il commence.	*°anfang[en]*
Er fängt // °heute an. Il commence aujourd'hui.	*°heute anfang[en]*
Er fängt °heute // sehr °früh an. Il commence aujourd'hui aux aurores.	*sehr °früh anfang[en]*
Er fängt °morgen // mit seiner neuen °Arbeit an. Il commence demain dans son nouveau travail.	*mit seiner neuen °Arbeit anfang[en]*

B Pour les groupes infinitifs, participes I et II, mais aussi pour le groupe verbal membre du groupe conjonctionnel et pour les autres groupes verbaux dépendants, la règle de l'accent de groupe est la même que celle énoncée précédemment.

Bitte °aussteigen. Tout le monde descend.
groupe infinitif

..., weil er das nicht // a°llein schaffen konnte.
groupe infinitif (prédicat verbal : *a°llein schaff[en]*)
..., parce qu'il était incapable de réussir cela tout seul.

Wir stürzten ihnen °nach, den °Mann // seinem °Schicksal überlassend.
groupe participial I (prédicat verbal : *seinem °Schicksal überlass[en]*)
Nous nous précipitâmes à leur suite, abandonnant l'homme à son sort.

Ich weiß, dass er // aus der °Stadt stammt. Je sais qu'il vient de la ville.
groupe conjonctionnel

Ich °weiß nicht, wo du // °wohnst. Je ne sais pas où tu habites.
groupe verbal interrogatif indirect

die (°) Bank, auf der er // °saß, ... le banc sur lequel il était assis...
groupe verbal relatif

Denkst du °nicht, er könnte das // a°llein schaffen?
groupe verbal avec forme variable en 2e position, membre objet de *denk-*
Ne penses-tu pas qu'il pourrait y arriver tout seul ?

Es wäre °schön, könnte er das // a°llein schaffen.
groupe verbal avec forme variable en 1e position
alternative de construction à un groupe conjonctionnel avec *wenn*
Ce serait bien, s'il pouvait y arriver tout seul.

LE GROUPE NOMINAL

A Le groupe nominal est le groupe syntaxique dont la base lexicale est :

- Un **nom**.

°Apfel / das Wort °Apfel / der rote °Apfel / der Apfel der Er°kenntnis / der (°)Apfel, dem wir unser °Leben verdanken : pomme / le mot pomme /

la pomme rouge / la pomme de la connaissance / la pomme à laquelle nous devons notre vie...

• Une **nominalisation**.
das Hin und Her : le va et vient

B Le groupe nominal a au moins un accent, qui, sauf intention contrastive, est celui du **dernier groupe** qui le constitue. Ainsi :

in den guten (°) Händen seiner °Eltern : aux bons soins de ses parents
est un groupe prépositionnel dont la base est *in*, dont le membre est le groupe nominal *den guten Händen seiner Eltern*, dont la base lexicale est à son tour *Händ–*.
Ce groupe nominal a, en plus de ses marques de catégories, deux membres : l'un à gauche (c'est l'adjectif *gut-*) et l'autre à droite, qui est lui-même un groupe nominal au génitif : *seiner Eltern*.
Ce groupe nominal complément du nom a un accent qui sert de démarcation à l'ensemble : *den guten Händen seiner °Eltern*.

À défaut de ces groupes constituants à droite, c'est la base nominale elle-même qui est accentuée.

Er ist in guten °Händen. Il est en bonnes mains.

LES AUTRES GROUPES

A Le **groupe prépositionnel** (voir le chapitre 15, page 166) est accentué normalement sur le groupe qui en est membre.

Er eilte nach °Hause. Il se dépêcha de rentrer à la maison.
C'est l'accent du membre nominal ***Hause*** qui est l'accent de tout le groupe prépositionnel.

Mais quand le membre est un **pronom**, l'accent du groupe prépositionnel est généralement sur la base prépositionnelle.

Sie kam °zu uns. Elle vint chez nous.
Si l'accent portait sur °***uns***, il s'agirait d'un accent contrastif : « chez °nous, et pas chez d'autres ».

B Le **groupe adjectival** (voir le chapitre 4, page 33) porte un accent démarcatif sur le dernier constituant à droite.

Der auf seine (°)Kinder sehr °stolze Vater...
groupe adjectival épithète

Der °Vater, der auf seine (°)Kinder sehr °stolz war, ...
groupe adjectival attribut

Der °Vater, sehr (°)stolz auf seine °Kinder, ...
groupe adjectival apposé

Le père [qui était] très fier de ses enfants...

C Pour le **groupe adverbial** qui se caractérise par une base lexicale invariable, l'accent porte sur le constituant le plus à droite ou à défaut sur la base lexicale.

sehr °gern : très volontiers

oben °links : en haut à gauche (et non pas *°oben*, *°links* : deux groupes)

morgen °früh : demain matin (et non pas *°morgen*, *°früh* : deux groupes)

links im °Schlafzimmer : à gauche dans la chambre à coucher

im (°) Schlafzimmer °links : dans la chambre à coucher à gauche

L'accent peut aussi porter sur les différents éléments du groupe de l'adverbe en fonction du mot sur lequel on veut insister. Il devient alors accent d'**insistance**.

im Zimmer neben°an : dans la chambre voisine (et non pas *neben(°)an(,) im °Zimmer)* : à côté [,] dans la chambre

3 L'accent d'insistance ou de contraste

A Contrairement aux accents d'unités lexicales ou de groupes qui ne sont pas libres, l'**accent d'insistance** ou **de contraste** peut porter sur n'importe quel élément même si celui-ci est habituellement inaccentué. Cette accentuation permet d'insister sur un élément ou de le mettre en contraste avec d'autres éléments possibles. Elle a donc une fonction distinctive et prime sur les autres accents proches qu'elle réduit le plus souvent à un effet rythmique.

• Ainsi dans :

Ins °Tor sollst du schießen!
C'est au but qu'il faut tirer (et non dans les tribunes) !

Il s'agit d'un accent d'**insistance** et de **contraste** qui porte sur l'accent du groupe prépositionnel (dont l'unité nominale ***Tor*** porte déjà l'accent).

• Dans :

Aufge°schoben ist nicht aufge°hoben. Ajourné n'est pas supprimé.

Il s'agit d'un accent d'**insistance** et de **contraste** qui met en relief la différence entre les deux termes alors que les accents des unités lexicales seraient ***'aufgeschoben*** et ***'aufgehoben***.

• Autres exemples :

°***Er*** *ist es gewesen*. C'est lui le coupable (pas un autre : exclusion implicite).

°***Du*** *gehst ins (°)Kino, wenn du (°)willst, °ich bleibe hier.*
Toi, va au cinéma, si tu veux, moi, je reste ici.

*Der °**eine** geht, der °**andere** kommt*. L'un s'en va, l'autre vient.

°***Alle*** *reden vom Wetter, °**wir** nicht*. Tous parlent de la météo, pas nous.

*Kompo°**niert** ist schon alles, aber ge°schrieben ist noch nichts.*
Tout est composé, mais rien n'est écrit.`

*°Freikarten gibt es hier zu Lande °**keine.*** Des places gratuites, il n'y en a pas ici.

L'article défini marqué par un accent contrastif a la valeur d'un démonstratif.

°***Die*** *Hose möchte ich* (=°***die****se Hose*). C'est **ce** pantalon que je veux.

4 L'intonation

Les accents de mots et de groupes comme les accents de contraste et d'insistance ont un rôle clé dans le tracé mélodique que l'on appelle **intonation**.

L'intonation permet d'exprimer et de structurer l'information et **renseigne** notamment à la fin d'un énoncé sur l'**attitude de communication** : simple énonciation, déclaration, question, injonction, exclamation.

• La voix descend en fin de phrase : c'est une déclaration.

Ich gehe °mit ins °Kino. Je t'/ vous accompagne au cinéma.

• La voix monte en fin de phrase : c'est une question.

Gehst du °mit ins °Kino? Tu m'/ nous accompagnes au cinéma ?

• La voix descend puis remonte pour rester en quelque sorte suspendue : c'est une exclamation, question étonnée ou une demande de confirmation.

W°as? °Du gehst mit ins °Kino?! Comment ? Tu nous accompagnes au cinéma ?!

2 L'accord dans le groupe nominal

À savoir

Définition du groupe nominal

• Le groupe nominal est un **groupe syntaxique** dont la base est un nom ou une nominalisation. Par exemple dans ***das Beste*** (le meilleur) la base est une nominalisation.

• Le groupe nominal a quatre catégories :

– **le défini et l'indéfini**, marqués essentiellement par le déterminant ou son absence (**Ø** = vide majuscule) :
das Kind - ein Kind - Ø Kinder : l'enfant - un enfant - des enfants,
– **le genre** (masculin, féminin, neutre),
– **le nombre** (singulier, pluriel),
– **le cas** (nominatif, accusatif, datif, génitif).

• Dans le groupe nominal, les catégories du genre, du nombre et du cas sont caractérisées par une **succession de marques**. Ces marques portent sur les déterminants, sur le ou les éventuels adjectifs ou participes épithètes et sur la base. Cette succession de marques horizontales, qui existe aussi en français, est appelée **accord**.

le-ø	petit-ø	cheval
déterminant	adjectif	base

défini (+ succession de marques du genre et du nombre)
(= séquence de marquage horizontal : ***-ø -ø -al***)

le-s	petit-s	chev-aux
déterminant	adjectif	base

défini (+ succession de marques du genre et du nombre)
(= séquence de marquage horizontal : ***-s -s -aux***)

d-as	*klein-e*	*Pferd-ø*
déterminant	adjectif	base

défini (+ succession de marques du genre, du nombre et du cas)
(= séquence de marquage horizontal : ***-as -e -ø***)

*d-**ie***	*klein-**en***	*Pferd-**e***
déterminant	adjectif	base

défini (+ succession de marques du genre, du nombre et du cas)
(= séquence de marquage horizontal : ***-ie -en -e***)

• Les membres éventuels placés à droite de la base (les compléments de nom) ne sont pas concernés par l'accord du groupe nominal d'accueil.

groupe nominal d'accueil

d-as klein-e Pferd-ø	*meiner Eltern*
partie soumise à l'accord	+ membre à droite (complément de nom)

Mit dem kleinen Pferd-ø — partie soumise à l'accord
meiner Eltern, das uns begleitete — + membre à droite (complément de nom)

Avec le petit cheval de mes parents, qui nous accompagnait...

Le groupe nominal ***meiner Eltern*** est bien marqué par ***mein*** (défini) + ***-er*** (génitif pluriel) + **Ø** sur ***Eltern***. Mais ce marquage est celui du groupe nominal complément de nom, membre à droite dans le groupe nominal dont la base est ***Pferd***. Il ne concerne pas le marquage du groupe nominal d'accueil qui est ***d-*** (défini) + ***-em*** + ***-en*** + ***ø*** et qui s'arrête donc à ***Pferd-ø***.

L'accord de l'épithète

Dans le groupe nominal allemand, l'accord de l'adjectif et/ ou du participe épithète ne se fait avec la base nominale à laquelle il se rapporte que si cet adjectif et/ou ce participe **précède** cette base.

*d-**ie** bestanden-**en** Prüfung-**en*** : l-es examen-s réussi-s
participe épithète à gauche — participe épithète à droite

Mais :

Forelle blau : truite au bleu
adjectif non décliné à droite de la base

Die Kinder, nicht dumm, steckten das Geld in die Tasche.
groupe adjectival non décliné apposé à droite de la base

Les enfants, pas bêtes, empochèrent l'argent.

- Contrairement au français, l'**adjectif attribut** du sujet et de l'objet reste **invariable** en allemand.

Das Lied ist schön. La chanson est belle.
attribut du sujet

Diese Lieder sind schön. Ces chansons sont belles.
attribut du sujet

Ich finde diese Lieder schön. Je trouve ces chansons belles.
attribut de l'objet

- L'adjectif en fonction d'**adverbe** reste lui aussi invariable.

*Sie singt **schön***. Elle chante bien.

Les marques

- L'accord dans le groupe nominal allemand est souvent présenté comme complexe. Pourtant, les déterminants et les adjectifs ou participes épithètes placés à gauche de la base ne peuvent prendre que les **cinq terminaisons** suivantes qui sont, par ordre alphabétique : ***-e***, ***-(e)m***, ***-(e)n***, ***-(e)r***, ***-(e)s.***

• L'éventuelle absence de déterminant est marquée par **Ø** (vide **majuscule**) et l'absence de terminaison est notée par **ø** (vide **minuscule**).

groupe nominal sujet — *Ø Peter-ø* — marques -Ø + -ø
ist
groupe nominal attribut — *ein-ø römisch-er Name-ø.* — marques -ø + -er + -ø

Pierre est un nom romain

*In dies**em** klein**en** Garten-ø stehen **Ø** viel**e** Bäum**e**.*

groupe nominal marques : -em -en -ø — groupe nominal marques : -ø -e ¨-e

Dans ce petit jardin, il y a beaucoup d'arbres.

A savoir

1 Les marques premières

A Les cinq terminaisons ***-e***, ***-(e)m***, ***-(e)n***, ***-(e)r***, ***-(e)s*** se regroupent en **marques premières**. Elles sont appelées ainsi parce qu'elles apparaissent toujours, dans le groupe nominal, en premier lieu, c'est-à-dire dès que possible. Traditionnellement, on parle aussi de marques **fortes**.

CAS	MASCULIN	NEUTRE	FÉMININ	PLURIEL
Nominatif	*-[e]r*	*-[a/e]s*	*-e*	*-e*
Accusatif	*-[e]n*	*-[e]s*	*-e*	*-e*
Datif	*-[e]m*	*-[e]m*	*-[e]r*	*-[e]n*
Génitif	*-[e]s*	*-[e]s*	*-[e]r*	*-[e]r*

B Les marques premières varient en fonction du genre, du nombre et du cas. Elles sont portées par les déterminants du type ***d-*** ou ***dies-*** et, avec quelques variantes (**ø** au masculin nominatif ainsi qu'au neutre nominatif et accusatif) également sur les déterminants du type ***ein*** ou ***kein***.

*Die Kinder spielen mit **dem** Hund.* Les enfants jouent avec le chien.
*Ich habe ein**en** Hund.* J'ai un chien.

*Dies**er** Hund heißt Schnuppi.* Ce chien s'appelle Schnuppi.
*Geben Sie doch dies**en** Kindern ein**en** Ball.*
Donnez donc un ballon à ces enfants.

Dans les exemples suivants, les marques premières sont portées par le déterminant :

*D**er** Pet**er**. Welcher Peter?* Pierre. Quel Pierre ?
*D**as** Obst. Welch**es** Obst?* Les fruits. Quels fruits ?
*D**ie** Anna. Welch**e** Anna?* Anna? Quelle Anna ?
*D**ie** Pilze. Kein**e** Pilze. Mein**e** Pilze. Welch**e** Pilze?*
Les champignons. Pas de champignons. Mes champignons. Quels champignons ?

C À défaut de terminaison sur le déterminant *(ø)* ou à défaut de déterminant *(Ø)*, la marque première est portée par l'**adjectif** ou le **participe épithète**.

*ein-**ø*** (absence de terminaison) *gebraten**es** Hähnchen* (marque 1re) : un poulet rôti

*unser-**ø*** (absence de terminaison) *klein**er** Garten* (marque 1re) : notre petit jardin

*Ø-Lieb**er** Peter!* Cher Pierre ! / *Ø-Frisch**es** Obst* : des fruits frais
*Ø-Lieb**e** Anna!* Chère Anna ! / *Ø-Giftig**e** Pilze* : des champignons vénéneux
*[mit]-Ø groß**em** Erfolg* : avec beaucoup de succès
*[mit]-Ø gut**en** Freunden* : avec de bons amis
*ein-**Ø** gebraten**es** Hähnchen* : un poulet rôti
*mein-**Ø** klein**er** Garten* : mon petit jardin
*[ein Gericht] von würzig**em** Geschmack* : un plat au goût épicé
*[der Einbruch] kälter**er** Luftmassen* : l'entrée de masses d'air plus froides

D Dans d'autres groupes nominaux, les marques premières sont aussi portées par l'adjectif ou le participe épithète, parce que les éléments qui les précèdent n'ont pas de marque première :

Claudias (génitif antéposé) *neu**es** Kleid* : la nouvelle robe de Claudia

*etwas/ nichts Nützlich**es*** (adjectif nominalisé) : quelque chose/ rien d'utile

mit zwei (nombre cardinal) *sehr gut**en** Freunden* : avec deux très bons amis

kein (article négatif) *einzig**es** Kleid* : pas une seule robe

Welch ein (exclamatif non décliné) *schön**er** Tag!* Quelle belle journée !

So ein (exclamatif non décliné avec *ein* + Ø) *groß**es** Glück!* Quelle chance inouïe !

Les marques premières peuvent donc se retrouver dans la succession horizontale des éléments du groupe nominal soit sur le déterminant, soit, s'il n'y a pas de déterminant ou de terminaison au déterminant, sur l'adjectif ou le participe épithète.
Il s'agit donc de terminaisons « mobiles », qui ne constituent pas à proprement parler une déclinaison verticale de l'adjectif ou du participe épîthète :

der Mann - Ø armer Mann - der arme Mann ein-ø armer Mann
marque 1re marque 1re marque 1re marque 1re

l'homme - pauvre homme - le pauvre homme - un pauvre homme

mit den Kindern - mit ø kleinen Kindern - mit den kleinen Kindern
marque 1re marque 1re marque 1re

avec les enfants - avec des petits enfants - avec les petits enfants

2 Les marques secondes

Les deux terminaisons ***-e*** et ***-en*** se regroupent aussi en **marques secondes** ainsi appelées parce qu'elles n'apparaissent, dans la succession horizontale des éléments du groupe nominal, qu'en second lieu, **après la marque première**. Traditionnellement, on parle de marques **faibles** :

-e aux trois nominatifs singuliers et, donc, aux deux accusatifs neutre et féminin,

-en à tous les autres cas.

CAS	MASCULIN	NEUTRE	FÉMININ	PLURIEL
Nominatif	*-[e]*	*-[e]*	*-e*	*-[e]n*
Accusatif	*-[e]n*	*-[e]*	*-e*	*-[e]n*
Datif	*-[e]n*	*-[e]n*	*-[e]n*	*-[e]n*
Génitif	*-[e]n*	*-[e]n*	*-[e]n*	*-[e]n*

der arme Mann - mit dem armen Mann :
1re 2e 1re 2e

le pauvre homme - avec le pauvre homme

das verwöhnte Kind - mit den verwöhnten Kindern :
1re 2e 1re 2e

l'enfant gâté - avec les enfants gâtés

eine ergreifende Rede : un discours émouvant / *den ganzen Tag* : toute la journée
1re 2e 1re 2e

jeder dritte Passant : un passant sur trois
1re 2e

3 Les règles d'accord dans le groupe nominal

L'ordre d'apparition des marques dans la partie variable du groupe nominal est très simple (voir Annexe 1, page 348).

• Au cas, genre et nombre exigés, la **marque première *-e*** ou ***-(e)m***, ***-(e)n*** ou ***-(e)r*** ou ***-(e)s*** apparaît en premier, le plus tôt possible, c'est-à-dire soit sur le déterminant, soit sur l'adjectif ou le participe épithète si le déterminant est absent ou s'il ne porte pas de marque.

• La marque seconde ***-e*** ou ***-(e)n*** n'apparaît qu'en second, après la marque première, s'il y a un mot susceptible de la porter.

• Si le groupe nominal comprend plusieurs adjectifs ou participes épithètes devant le nom, ils sont le plus souvent marqués de la même façon.

• Dans les possessifs ***unser*** et ***euer***, le ***-er*** fait partie du radical.

unser-ø schöner kleiner Garten : notre beau petit jardin

mais :

in unserer schönen Gegend : dans notre belle région
(unser**er** : 1re ; schön**en** : 2e)

• Les adjectifs au degré 1 se terminent par ***-er*** :

älter - größer - schöner : plus vieux - plus grand - plus beau

La marque du cas-genre-nombre s'ajoute donc éventuellement à la marque du degré :

mein-ø älter-er Bruder : mon frère ainé / *meine ältere Schwester* : ma sœur ainée.
(älter-**er** : 1re ; mein**e** : 1re ; älter**e** : 2e)

• Les **nombres cardinaux** qui ne se déclinent presque plus comptent comme **ø** quand ils ne sont pas marqués.

zwei/ fünf schöne Kleider : deux/ cinq belles robes
(zwei/ fünf : ø ; schön**e** : 1re)

mais :

die zwei/ fünf schönen Kleider : les deux/ cinq belles robes
(di**e** : 1re ; zwei/ fünf : ø ; schön**en** : 2e)

*mit zwei schönen Kleider**n*** (datif)
(schön**en** : 1re)

mais :

*mit den zwei schönen Kleider**n***
(d**en** : 1re ; schön**en** : 2e)

*zwei**er** schön**er** Kleider* (génitif)
(zwei**er** : 1re ; schön**er** : 1re)

mais :

meiner zwei schönen Kleider
(mein**er** : 1re ; zwei : ø ; schön**en** : 2e)

Exemples des règles d'accord

CAS	DÉTERMINANT(S)	ÉPITHÈTE(S)	BASE NOMINALE
Nom./Acc.	das (1re)	Ø	Obst
Nom./Acc.	Ø	frisches (1re)	Obst
Nom./Acc.	dieses (1re)	frische (2e)	Obst
Nom./Acc.	kein-ø	Ø	Glück
Nom./Acc.	Welch-ø [ein-ø]	groß-es (1re)	Glück
Nom./Acc.	kein-ø	einzig-es (1re)	Mal
Nom./Acc.	ein-ø	gebraten-es (1re)	Hähnchen
Nom./Acc.	Ø	herrlich-es (1re)	Wetter
Nom./Acc.	euer-ø	alt-es (1re)	Landhaus
Nom./Acc.	nichts (ø)	Ø	Interessant-es (1re)
Nom./Acc.	etwas	Ø	Nützlich-es (1re)
Nom.	der (1re)	arm-e (2e)	Mann
Nom.	[Du,] ø	arm-er (1re)	Mann
Nom.	unser-ø	schön-er klein-er (1re)	Garten
Nom.	Welch ein-ø	schön-er (1re)	Tag!
Nom.	Annas (Gén. antéposé)	rot-er (1re)	Mantel
Nom./Acc.	Ø	gereinigt-e (1re)	Luft
Acc.	Welch-en (1re)	wichtig-en (2e)	Grund
Nom./Acc.	die (1re)	best-en rot-en (2e)	Weine
Nom./Acc.	unser-e (1re)	lieb-en (2e)	Verwandten
Nom./Acc.	die (1re)	zahlreich-en (2e)	Touristen
Nom./Acc.	Ø	zahlreich-e (1re)	Touristen
Nom./Acc.	ein paar-ø	frisch-e (1re)	Brötchen
Nom./Acc.	die (1re) zwei-ø	gut-en (2e)	Freunde
Nom./Acc.	ø zwei-ø	sehr gute (1re)	Freunde
Dat.	(mit) den (1re) zwei-ø	gut-en (2e)	Freunden
Dat.	(mit) zwei-ø	sehr gut-en (2e)	Freunden
Dat.	in dies-en (1re)	schön-en alt-en (2e)	Häusern
Dat.	in kein-em (1re)	bekannter-en (2e)	Fall
Dat.	in eur-em (1re)	alt-en (2e)	Landhaus
Dat.	zur (1re)	allgemein-en (2e)	Überraschung
Dat.	im (1re)	eigentlich-en (2e)	Sinn
Dat.	bei Ø	schlechtem (1re)	Wetter
Dat.	mit Ø	großem (1re)	Erfolg
Dat.	mit Ø	frischer (1re)	Luft
Gén.	trotz des	wertvollen (2e)	Steins
Gén.	eine Reihe ø	bedeutender (1re)	Schrifsteller
Gén.	ein Gefühl Ø	tiefer (1re)	Zufriedenheit

5 Quatre particularités des règles d'accord

Contrairement aux règles générales de la répartition des marques premières et secondes dans le groupe nominal, il faut tenir compte des quatre particularités suivantes.

A Les adjectifs ou participes qui précèdent la base nominale dans un groupe **nominal** au **génitif singulier masculin** ou **neutre** portent des marques **irrégulières** lorsque la base nominale se termine par la marque ***-s***, ***-es*** ou ***-ens***. Ces adjectifs ou participes épithètes prennent alors les marques **Ø** + ***-en*** au lieu de **Ø** + ***-es***. Par exemple :

- Terminaison **régulière**.

ein Gefühl Ø tiefer Zufriedenheit : un sentiment de profonde satisfaction
génitif féminin singulier

- Terminaison **irrégulière**.

*Anfang **Ø** nächst-**en** Jahres / **Ø** nächst-**en** Monat-s*
génitif neutre et masculin singulier
au début de l'année prochaine / du mois prochain

*ein Mensch **Ø** gut**en** Willens* : un homme de bonne volonté
génitif masculin singulier

B En règle générale, quand il y a plusieurs adjectifs et/ ou participes devant la base nominale, ils prennent la même marque.

*Sie reisten durch ein**e** wunderschön**e**, schneebedeckt**e** Winterlandschaft.*
adj. épithète — gr. participe II épithète
1re — 2e — 2e

Ils voyageaient à travers un merveilleux paysage d'hiver recouvert de neige.

Mais un **marquage différent** indique que les éléments ne se rapportent pas à la même base.

Dieses alte, frisch renovierte Haus ist gestern verkauft worden.
1re — 2e — 2e

Cette vieille maison, récemment rénovée, a été vendue hier.

L'adjectif ***alt-*** et le groupe participe II ***frisch renoviert-*** sont épithètes membres du groupe nominal ***Haus*** : ils sont marqués de la même façon. En revanche, l'adjectif ***frisch*** est membre du groupe participe ***renoviert***. En tant qu'adverbe, il n'est donc pas marqué.

Autres exemples :

ein-ø schon lange erwartet-er Brief-ø : une lettre attendue depuis longtemps

(Les marques de l'accord du groupe nominal sont ***-ø -er -ø***. Le groupe participe épithète est ***schon lange erwartet-***.)

d-er schon lange erwartet-e Brief-ø : la lettre attendue depuis longtemps

(Les marques de l'accord du groupe nominal sont ***-er -e -ø***. Le groupe participe épithète est ***schon lange erwartet-***.)

ein-ø moderner deutscher Film-ø : un film allemand moderne

(Les marques de l'accord du groupe nominal sont ***-ø -er -er ø***. Les deux groupes adjectifs épithètes sont ***modern-*** et ***deutsch-***.)

C Plusieurs déterminants au début d'un groupe nominal prennent la même marque première quand il s'agit de :

• ***All-*** (tout/ chaque) qui peut également rester invariable dans ce cas.

*all**[e]** meine alt**en** Freunde* : tous mes anciens amis.

• Des démonstratifs ***der /das /die***, ***dies-***, ***jen-*** (ce... ci/ ce... là).

• Des possessifs.

diese unsere guten Freunde : ces bons amis qui sont les nôtres

Exceptions aux nominatifs masculin et neutre :

*dies-**er** mein-**ø** best-**er** Freund* : cet ami, le meilleur que j'aie
*dies-**es** unser-**ø** schön-**es** Land* : ce beau pays qui est le nôtre.

D ***all-***, ***ander-***, ***beid-***, ***einig-***, ***welch-***, ***folgend-***, ***irgendwelch-***, ***jeglich -*** , ***manch-***, ***mehrer-***, ***sämtlich-***, ***solch-***, ***viel-***, ***[et]welch-*** et ***wenig-*** sont, au début d'un groupe nominal, soit des déterminants, soit des adjectifs épithètes. Ils peuvent être suivis par des **adjectifs** ou des **participes épithètes** au comportement variable.

• Au **pluriel**, quand ils désignent une **quantité partielle indéfinie**, l'épithète qui les suit prend la marque première.

*Viel**e**/ einig**e**/ manch**e**/ mehrer**e**/ wenig**e**/ ander**e**/ folgend**e** ausländisch**e** Freunde*
Beaucoup/ quelques/ plus d'un/ plusieurs/ peu de/ d'autres amis étrangers/ les quelques amis étrangers qui suivent/ dont il est question par la suite

• Mais lorsque ces mêmes éléments sont employés comme **adjectif après un déterminant**, la terminaison prend la marque seconde.

*D**ie** viel**en**/ wenig**en**/ ander**en**/ folgend**en** ausländisch**en** Freunde*

• Quand ces éléments renvoient à une **quantité totale** (« pleine ») ou **nulle** (« vide »), l'épithète qui les suit prend la **marque seconde**.

*All**e**/ sämtlich**e**/ beid**e**/ solch**e**/ welch**e**/ kein**e** ausländisch**en** Gäste*
Tous les/ l'ensemble des/ les deux/ de tels/ quels hôtes étrangers/ aucun/ pas un hôte étranger

Mit sämtlichem schweren Gepäck : avec tous les lourds bagages

Welches goldene Armband gefällt dir am besten?
Quel est le bracelet en or qui te plaît le plus ?

3 L'accord du verbe avec le sujet grammatical

A savoir

Comme en français, dans un groupe verbal, l'accord de la forme variable du verbe allemand se fait avec le groupe qui est sujet grammatical.

Il faut distinguer :

– les cas où il n'y a qu'un groupe en fonction de sujet grammatical,
– ceux où il y en a plusieurs,
– ceux où il n'y en a aucun.

Contrairement au français, il n'y a pas, en allemand, d'accord pour le participe II (participe passé) qu'il soit conjugué avec l'auxiliaire ***sein*** ou ***haben***.

*Der Sänger, dem wir **zugehört** haben,...*	Le chanteur que nous avons écouté...
*Die Sängerin, der wir **zugehört** haben,...*	La chanteuse que nous avons écoutée...
*Die Sänger, denen wir **zugehört** haben,...*	Les chanteurs que nous avons écoutés...
*Die Kinder haben sich **amüsiert**.*	Les enfants se sont amusés.
*Die Buchhandlung ist **geöffnet**.*	La librairie est ouverte.

A savoir

1 Un groupe en fonction de sujet grammatical

A Le verbe se met à la même personne et au même nombre que le groupe nominal ou le pronom en fonction de sujet grammatical.

Ich schreibe einen Brief. J'écris une lettre.
1re pers. du singulier

Ihr habt einen Brief geschrieben. Vous avez écrit une lettre.
2e pers. du pluriel

B Si le sujet grammatical n'est pas un groupe nominal ou un pronom, la forme variable du verbe est à la 3e personne du singulier.

Dass sie reich ist, ist jedem bekannt. Es ist jedem bekannt, dass sie reich ist.
groupe conjonctionnel sujet
Le fait qu'elle soit riche est connu de tous. Chacun sait qu'elle est riche.

Damals stand (es) schon fest, dass sie heiraten würden.
groupe conjonctionnel avec ou sans pronom ***es*** qui l'annonce
À l'époque, il était déjà décidé qu'ils se marieraient.

Versprochen ist versprochen. Promis, c'est promis.
groupe participial II

C Comme en français, lorsque le groupe nominal sujet grammatical comporte une **indication de quantité**, c'est celle-ci qui détermine normalement l'accord. C'est, par exemple, le cas pour *zwei / drei Pfund / Kilo / Liter / Dutzend...* ; *die Hälfte, die Mehrheit...*

Das Pfund *Tomaten kost**et** eine Mark.* La livre de tomates coûte 1 DM.

Zwei Pfund *Tomaten kost**en** eine Mark fünfzig.*
Deux livres de tomates coûtent 1, 50 DM.

Die Hälfte/ die Mehrheit *der Bevölkerung lebt vom Tourismus.*
La moitié/ la plus grande partie de la population vit du tourisme.

D Lorsque le groupe nominal qui est sujet grammatical représente un ensemble collectif d'éléments, la forme variable du verbe peut se mettre **au singulier** ou **au pluriel**.

Ein °Dutzend *Angestellte hatt**e** die Arbeit niedergelegt.*
Ein Dutzend ***°Angestellte*** *hatt**en** die Arbeit niedergelegt.*
Une douzaine d'employés avait/ avaient cessé le travail.

Tausend Mark *ist/ sind viel Geld.* Mille Mark, c'est beaucoup d'argent.

• Dans certaines structures, il faut bien identifier le **sujet grammatical** et l'**attribut**.

Das Schönste waren die Ferien. Le plus beau, c'étai(en)t les vacances.
attribut — sujet grammatical au pluriel

Der Lügner bin ich! C'est moi qui suis le menteur ! Le menteur, c'est moi !
attribut — sujet grammatical à la 1re pers.

Wer ist der *beste Spieler? Wer sind die besten Spieler?*
Qui est / sont le(s) meilleur(s) joueur(s) ?

Wer attribut est au nominatif. Le sujet grammatical est au singulier ou au pluriel.

Welches ist der *Vorteil? Welches sind die Vorteile?*
Quel est l'avantage ? Quels sont les avantages ?

Welches, au neutre singulier invariable, est attribut.

• Dans une structure avec un ***es* explétif** qui n'a pas de fonction et qui n'apparaît qu'en première position devant la forme variable du verbe, **l'accord se fait avec le sujet grammatical**.

*Es haben sich **viele Unfälle** ereignet.*
sujet grammatical au pluriel
Il s'est produit beaucoup d'accidents. / Beaucoup d'accidents se sont produits. / Il y a eu beaucoup d'accidents.

*Es wurd**en** damals **viele neue Häuser** gebaut.*
On construisait à l'époque beaucoup de nouvelles maisons.

2 Plusieurs groupes en fonction de sujet grammatical

A Dans le cas de **groupes coordonnés qui s'ajoutent**, la forme variable du verbe se met au pluriel.

*Peter **und** Martina geh**en** ins Kino.* Pierre et Martine vont au cinéma.
singulier singulier

***Sowohl** die Regierung **als auch** die Opposition begrüßt**en** den Vorschlag.*
Le gouvernement aussi bien que l'opposition saluèrent le projet.

Les **appositions** ne comptent pas comme sujets.

*Seine gesamte Ausrüstung, zwei Kameras und mehrere Objektive, **war** weg.*
sujet grammatical apposition au sujet grammatical
Tout son équipement, deux caméras et plusieurs objectifs, avait disparu.

Plusieurs groupes **nominaux coordonnés adjoints** peuvent former une unité de sens et entraîner l'accord au singulier.

*Das Laufen und Springen **machte** den Kindern Spaß.*
groupes nominaux coordonnés adjoints
Courir et sauter amusait les enfants.

Dans le cas d'une **énumération**, on peut avoir la marque du pluriel comme en français, mais il est aussi possible de faire l'accord avec le dernier élément.

*(Die) Mutter, (der) Sohn und (die) Tochter **war**/ **waren** verschwunden.*
(La) mère, (le) fils et (la) fille avaient disparu.

B Dans le cas de **groupes coordonnés** par *oder* (ou), *entweder... oder...* (ou bien... ou bien...), *weder... noch...* (ni... ni ...), *nicht... sondern...* (ne... pas... , mais...), la forme variable du verbe s'accorde généralement avec le nombre du deuxième groupe nominal.

*Nicht ich, sondern **ihr habt** das so gewollt.*
Ce n'est pas moi mais vous qui l'avez voulu ainsi.

C Lorsque les groupes nominaux et/ ou les pronoms qui sont en fonction de sujets grammaticaux adjoints sont des **personnes différentes**, la forme variable du verbe se met **au pluriel**, mais :

- La première personne l'emporte sur les deux autres.

Du und ich, wir bleiben zusammen. Toi et moi, (nous) restons ensemble.
2e 1re 1re pluriel

Ihr, Michaela und ich (, wir) sind einkaufen gegangen.
2e 3e 1re 1re pluriel
Vous, Michèle et moi (, nous) sommes allés faire les courses.

- La deuxième personne l'emporte sur la troisième.

Du, ihr und er (,ihr) könnt mir helfen. Toi, vous et lui, (vous) pouvez m'aider.
2e 2e 3e pers. 2e pers. pluriel

> Dans le **groupe verbal relatif** suivant :
>
> *Ich, der auf der Maschine schreibt. / Ich, der ich auf der Maschine schreibe.*
> 1re 3e pers. 3e 1re 3e 1re pers. 1re pers.
>
> Moi qui écris à la machine.
> 1re pers.
>
> ***der*** est une troisième personne du singulier et détermine la forme variable du verbe. Mais la répétition de ***ich*** entraîne un accord à la première personne du singulier. Le français n'autorise que la première personne.

3 Absence de sujet grammatical

Le sujet grammatical est absent quand il s'agit d'un groupe verbal avec :

- Un impératif de la deuxième personne du **singulier**.

Komm! Entschuldige! Störe mich nicht! Werde nicht frech! Arbeite!
Viens ! Excuse-moi ! Ne me dérange pas ! Ne sois pas impertinent ! Travaille !

- Un impératif de la deuxième personne du **pluriel**.

Kommt! Entschuldigt! Stört mich nicht! Werdet nicht frech! Arbeitet!
Venez ! Excusez-moi ! Ne me dérangez pas ! Ne soyez pas impertinents ! Travaillez !

• Un passif en ***werden***.

Werden est, dans ce cas, à la troisième personne du singulier. Cette structure peut avoir une double valeur :

– **déclarative**, **interrogative** ou **exclamative**. Cette structure fonctionne alors à tous les temps :

*Heute abend **wird** getanzt. Gestern abend **wurde** getanzt.*
Ce soir, on danse(ra). Hier soir, on a dansé.

Es ist schon viel zu lange gezögert worden!
On a déjà beaucoup trop tergiversé !

– **injonctive**. Dans ce cas, cette structure ne fonctionnne qu'à l'indicatif présent :

*Hier **wird** gearbeitet und nicht geraucht!* Ici, on travaille et on ne fume pas !

4 L'adjectif et le groupe adjectival

A savoir

Définition

Comme en français, on appelle **adjectif** :

• **Certains déterminants du groupe nominal** (voir les chapitres 9 et 24) :

– les possessifs : *mein, meine ; Ihr, Ihre ; ...*

– les démonstratifs : *dieser, dieses, diese, ...*

– les indéfinis : *einige, mehrere, ...*

– les numéraux cardinaux : *zwei, drei, fünf, sechzehn, ...*

– les numéraux ordinaux : *die erste / zweite / dritte / zehnte Seite,*

– les interrogatifs et exclamatifs : *welch-, solch-, was für [ein].*

• **Les qualificatifs**, qui apportent une information sur la qualité ou la situation (temps, lieu, ...) du terme auquel ils se rapportent.

das ***schöne*** *Auto* : la belle voiture

der ***linke*** *Flügel* : l'aile gauche

die ***dortige*** *Zeitung* : le journal local

Dans ce chapitre, il ne sera question que des **adjectifs qualificatifs**.

Fonctions

L'adjectif seul ou le groupe adjectival, c'est-à-dire la base adjectivale avec ses compléments, peut avoir **quatre fonctions grammaticales**.

• **Adjectif épithète**, à gauche dans un groupe nominal.

En allemand, contrairement au français, **l'adjectif épithète accordé** ne peut pas se trouver à droite de la base nominale. Il se trouve toujours à sa gauche.

ein ***schnelles*** *Auto* : une voiture rapide

• **Mis en apposition** à un groupe nominal.

• **Attribut du sujet** ou **de l'objet** dans un groupe verbal d'attribution avec ***bleiben, finden, scheinen, sein, werden,...***

• **Adverbe**, c'est-à-dire membre d'un groupe verbal autre qu'un groupe verbal d'attribution.

Adjectif accordé	Adjectif invariable
das schnelle Auto adjectif épithète	*Das Auto ist sehr schnell.* groupe adjectival attribut du sujet *Das Auto, sportlich und schnell, gefiel mir.* groupe adjectival en apposition
das sehr schnelle Auto groupe adjectival épithète à gauche de la base nominale	*Das Auto fährt viel zu schnell.* groupe adjectival en fonction d'adverbe

L'allemand n'a pas de suffixe adverbial caractéristique comme **-ment** en français. L'adjectif allemand sert d'adverbe, alors que cela reste exceptionnel en français.

Er spricht ***laut***/ ***leise***. Il parle fort/ bas.
Sie laufen ***schnell.*** Ils courent vite.
Sie atmet ***schwer***. Elle respire avec difficulté/ difficilement.
Sie hat das ***absichtlich*** *getan.* Elle a fait cela intentionnellement/ exprès.

A savoir

1 La formation de l'adjectif

Du point de vue de sa forme, l'adjectif peut être :

• **Simple**. On ne peut le décomposer dans la langue d'aujourd'hui en unités de sens plus petites.

schön : beau / *lieb* : cher / *schnell* : rapide / *krank* : malade...

• **Dérivé**. Il est constitué d'un radical lexical et au moins d'un élément qui ne fonctionne pas seul (préfixe ou suffixe).

glücklich : glück lich : heureux
radical + suffixe

unglücklich : *un glück lich* : malheureux
préfixe + [radical + suffixe]

• **Composé**. Il est constitué de plusieurs éléments lexicaux qui fonctionnent aussi seuls.

helldunkel : clair-obscur / *wasserdicht* : étanche / *bildhübsch* : joli comme un cœur

LES ADJECTIFS DÉRIVÉS

A On reconnaît la plupart des adjectifs dérivés à leur suffixe. Celui-ci est :

- Le plus souvent ***-ig***, ***-isch***, ***-lich***.
- Moins souvent ***-bar***, ***-e***, ***-en/-ern***, ***-er***, ***-haft***, ***-sam***.

B Le suffixe s'accroche à des radicaux :

- **Verbaux**, éventuellement avec inflexion ***(Umlaut)*** et/ou d'autres modifications, par exemple : une adjonction de ***-t*** ou de ***-er***.

abhängig : dépendant / *zappelig* : remuant / *möglich* : possible
lesbar : lisible / *trinkbar* : buvable / *sparsam* : économe
*läch**er**lich* : ridicule / *erkenn**t**lich* : reconnaissable / *regn**er**isch* : pluvieux…

- **Nominaux**, éventuellement avec inflexion ***(Umlaut)*** et/ou d'autres modifications.

dreckig : sale
furchtsam : craintif
germanisch : germanique
gläsern : en verre
herzlich : cordial
mächtig : puissant
mangelhaft : médiocre
tierisch : animal/ bestial
*wöchen**t**lich* : hebdomadaire
wunderbar : merveilleux
die sechziger Jahre : les années soixante
ein sechsundneunziger Wein : un crû de 1996

- **Simples** (de type adverbial, adjectival ou numéral).

dort → *dortig* : de là
heute → *heutig* : d'aujourd'hui
damals → *damalig* : de cette époque
link- → *links* → *linkisch* : maladroit
krank → *krankhaft* : morbide
krank → *kränklich* : maladif
ein → *einsam* : solitaire

- **Complexes** (structures syntaxiques, groupes nominaux…).

jene Seite → *jenseitig* : de l'autre côté
zwei Monate → *zweimonatig* : de deux mois
schwer hören → *schwerhörig* : dur d'oreille
kurze Frist → *kurzfristig* : à court terme
unter der Erde → *unterirdisch* : souterrain
nahe liegen → *naheliegend* : proche
gleichberechtigt : égal en droits

Certains suffixes d'adjectifs empruntés sont accentués.

-'abel : *akzep'tabel*
-'al : *ide'al*
-'an : *spon'tan*
-'ant : *ele'gant*
-'än : *souve'rän*
-'är : *popu'lär*
-'at : *adä'quat*
-'ent : *intelli'gent*
-'esk : *gro'tesk*
-'ibel : *sen'sibel*
-'il : *sta'bil*
-'iv : *defini'tiv*
-'os : *rigo'ros*
-'ös : *reli'giös*

C **Certains éléments simples** comme ***-arm***, ***-eigen***, ***-frei***, ***-leer***, ***-los***, ***-reich***, ***-wert*** ou **dérivés** comme ***-artig***, ***-fähig***, ***-mäßig***, ***-selig***, ***-widrig*** fonctionnent comme des suffixes.

*industrie***arm** : pauvre en industrie / *betriebs***eigen** : qui appartient à l'entreprise / *koffein***frei** : décaféiné / *arbeits***los** : au chômage / *erfolg***reich** : couronné de succès / *bemerkens***wert** : remarquable / *groß***artig** : grandiose / *begeisterungs***fähig** : capable d'enthousiasme / *berufs***mäßig** : sur le plan professionnel / *arm***selig** : misérable / *rechts***widrig** : contraire au droit...

D Il existe relativement **peu de préfixes d'adjectifs** en allemand.

• L'emploi de ***un-*** (qui inverse le sens de l'adjectif) est fréquent.

angenehm → ***un****angenehm* : agréable → désagréable
denkbar → ***un****denkbar* : pensable → impensable
schädlich → ***un****schädlich* : nuisible → inoffensif

Un- sert aussi à exprimer un **degré**.

nicht ***un****klug* : pas sot/ qui ne manque pas de finesse
un*heimlich schwer* : horriblement difficile/ terriblement lourd

• On rencontre également :

– ***erz-*** (archi) :
erz*dumm* : archibête,

– ***miss-*** :
miss*gestimmt* : de mauvaise humeur,

– ***ur-*** (pour marquer l'origine et l'état primitif) :
ur*christlich* : qui concerne le christianisme primitif,

– et des préfixes plus recherchés, par exemple :
a*politisch* : apolitique / ***hyper****modern* : hypermoderne / ***pro****arabisch* : proarabe...

E Certains éléments fréquents qui constituent le premier terme d'un adjectif composé peuvent être considérés comme des **préfixes**.

grund*falsch* : complètement faux / ***grund****verschieden* : fondamentalement différent / ***hoch****intelligent* : très intelligent / ***über****ernährt* : suralimenté / ***unter****ernährt* : sous-alimenté / ***wohl****bekannt* : bien connu

LES ADJECTIFS COMPOSÉS

A Du point de vue de sa forme, le premier terme de l'adjectif composé peut être :

• **Un nom**.

sieges*sicher* : sûr de la victoire / ***abgrund****tief* : profond comme un gouffre

• **Un verbe** (à l'infinitif ou non).

lebens*müde* : las de vivre / ***treff****sicher* : sûr de son coup

• **Un adjectif**.

dunkel*grün* : vert foncé / ***taub****stumm* : sourd-muet

• **Un autre élément.**

selbst*sicher* : sûr de soi / ***selbst****bewußt* : conscient de soi

B Les deux termes peuvent être reliés :

• **Sans joncture** (sans élément de liaison).

*feder****leicht*** : léger comme une plume

• **Avec joncture.**

-e- : *hund**e**müde* : « fatigué comme un chien »
-en- : *bär**en**stark* : « fort comme un ours » / *stund**en**lang* : qui dure des heures
-ens- : *herz**ens**gut* : d'une grande bonté (« de cœur »)
-er- : *kind**er**leicht* : « facile comme un jeu d'enfant »
-(e)s- : *geist**es**krank* : fou (« malade d'esprit »)

La joncture ***-(e)s-*** est obligatoire après les suffixes ***-heit, -keit, -schaft, -ung, -ion.***

*wahrheit**s**getreu* : fidèle à la vérité / *funktion**s**bereit* : prêt à fonctionner

C Du point de vue du sens, l'adjectif composé peut être :

• De type **déterminatif** (C'est le cas le plus fréquent.) : le terme de gauche détermine celui de droite.

stundenlang : qui dure des heures / *dunkelgrün* : vert foncé / *schamrot* : rouge de honte / *pflegeleicht* : facile à entretenir / *eiskalt* : d'un froid glacial

• De type **additionnel.**

deutsch-französisch : franco-allemand / *rot-weiß-blau* : bleu-blanc-rouge / *taubstumm* : sourd-muet…

La **structure déterminative** peut représenter un rapport **syntaxique** comme dans ***stundenlang*** où ***lang*** est précédé de son complément à l'accusatif.
Elle peut également exprimer différents rapports **sémantiques** :
– sélectif (on sélectionne une variété par rapport à une espèce) :
dunkelgrün : vert foncé (une variété de vert),
– de cause :
schamrot : rouge de honte,
– de but :
pflegeleicht : facile à entretenir,
– et, très souvent, de comparaison. Celui-ci s'exprime souvent sous forme de **métaphore** :
blitzschnell : rapide comme l'éclair / *riesengroß* : gigantesque
steinhart : dur comme la pierre /*strohdumm* : bête à manger du foin /
schneeweiß : blanc comme neige

2 Le classement des adjectifs d'après leur sens

A Les **adjectifs** de **qualité** et de **dimension** sont employés de façon absolue ou relative.

• **Dans un sens absolu**, ils ne peuvent être mis ni au comparatif (degré 1) ni au superlatif (degré 2) (voir le chapitre 8, pages 87-88).

Dieser Platz ist viereckig. Cette place est carrée.

der viereckige Platz : la place carrée.

• **Dans un sens relatif**, ils peuvent être mis au comparatif (degré 1) et au superlatif (degré 2).

Die Kellerstraße ist eng, die Kellergasse noch ***enger***.
La rue est étroite, la ruelle encore plus étroite.

• Suivant le contexte, un même adjectif peut être employé de façon :

– **absolue** : *die* ***goldene*** *Uhr* : la montre en or,

– **relative** : *das* ***goldene*** *Zeitalter* : l'âge d'or

Wir hatten schon ***goldenere*** *Zeiten.* Nous avons déjà eu des temps meilleurs.

B Les **adjectifs** de **relation** et de **situation** sont dérivés :

• De **noms**.

Arzt → *ärztlich* : médical
Beruf → *beruflich* : professionnel

• D'**adverbes** de **temps** et de **lieu**.

heute → *heutig* : d'aujourd'hui
dort → *dortig* : de là

Alors qu'en français l'adjectif de relation ou de situation est placé après le nom, en allemand, il fonctionne le plus souvent comme **épithète** et ne peut être attribut.

das ärztliche Gutachten → *das Gutachten eines Arztes/ von Ärzten* :
le certificat médical

Das Gutachten ist ärztlich est incorrect, mais dans ***ärztlich behandeln*** (traiter médicalement) ***ärztlich*** fonctionne en tant qu'adverbe.

betriebliche Angelegenheiten → *Angelegenheiten eines / des Betriebs :*
affaires d'entreprises

die heutige/ damalige deutsche Jugend → *die deutsche Jugend von heute/ von damals :* la jeunesse allemande d'aujourd'hui / de jadis

*der hie**s**ige Wein : der Wein von hie**r***

Mais ***Die Jugend ist heutig*** est incorrect et l'adverbe est ***heute*** et non pas ***heutig***.

C On peut distinguer d'autres catégories d'adjectifs :

• Les adjectifs dérivés de noms **géographiques** ou de noms **d'habitants de pays** :

*die Berlin**er** Messe* : la foire de Berlin / *das Brandenburg**er** Tor* : la porte de Brandenbourg / *die deutsch-französische Freundschaft* : l'amitié franco-allemande

• Les adjectifs **dérivés de noms propres**.

*die Mahler**schen** Symphonien* : les symphonies de Mahler

• Les adjectifs de **matière** en ***-ern/-en***.

*ein silbern**er** Löffel* : une cuillère en argent

• Les adjectifs **ordinaux** (noter le suffixe ***-t*** jusqu'au nombre 19 et le suffixe ***-st-*** à partir de 20).

das erste / siebte / achte / einundzwanzigste Haus
la première / septième / huitième / vingt et unième maison

• Quelques autres **adjectifs situatifs** (qui définissent un élément par rapport à un autre) et qui ne fonctionnent que comme épithètes.

ein besonderes Angebot : une offre particulière / *eine andere Lebensweise* : un style de vie différent / *das linke/ rechte Bein* : la jambe gauche/ droite

Certains épithètes ont la forme d'adjectifs. Mais ce sont en réalité des adverbes qui déterminent un verbe nominalisé :

stark rauchen → ein starker Raucher : un gros fumeur
leidenschaftlich spielen → ein leidenschaftlicher Spieler :
un joueur passionné/ invétéré
fein beobachten → ein feiner Beobachter : un observateur perspicace

3 Le groupe adjectival

L'adjectif peut être déterminé lui-même par des éléments et constituer ainsi un **groupe adjectival**.

groupe adjectival épithète
*Ein [auf seine Leistung sehr] **stolzer** Schüler stand*
*vor einem [ziemlich] **verunsicherten** Lehrer.*
groupe participial épithète

Un élève [très] fier [de ses résultats] se trouvait devant un professeur qui manquait [passablement] d'assurance.

LE GROUPE ADJECTIVAL AVEC ÉLÉMENTS INVARIABLES

A Les éléments invariables sont placés devant la base adjectivale et ont une fonction :

• **De gradation** (voir le chapitre 8, pages 89 et suivantes).

sehr / gar / durchaus / ziemlich / fast / [all]zu schön
très / bien / tout à fait / assez / presque / trop beau

• **D'appréciation** au sens large (voir le chapitre 5, pages 54-56 et le chapitre 22).

wohl / vielleicht / womöglich krank : sans doute/ peut-être malade

vermutlich / sicher / bestimmt / wahrscheinlich falsch
de façon supposée / certainement / sûrement / vraisemblablement faux

leider krank : malheureusement malade

hoffentlich/ normalerweise gesund : j'espère/ normalement en bonne santé

eben / schon / noch / überhaupt fabelhaft : justement / déjà / encore / de toute façon fabuleux

B Ces membres peuvent être également, en ce qui concerne la forme, des **adjectifs** ou des **participes**.
vollkommen richtig : tout à fait juste

wesentlich/ bedeutend schwerer : sensiblement/ beaucoup plus difficile

brennend heiß : brûlant / *verdammt schwer* : bigrement difficile

ausgesprochen nett : particulièrement gentil

LES MEMBRES COMPLÉMENTS DE L'ADJECTIF

Les compléments de l'adjectif sont toujours placés à gauche de la base nominale, devant l'adjectif épithète. Cependant, quand le groupe adjectival est en fonction d'attribut, ou plus rarement, d'apposition, l'adjectif peut aussi parfois précéder ses compléments.

ein auf seine Leistung sehr stolzer Schüler
membres compléments base adjectivale

ein Schüler, der auf seine Leistung ***sehr stolz*** *war*
membres compléments base adjectivale

der ***sehr stolz*** *auf seine Leistung war*
membre + base + membre complément

un élève très fier de ses résultats

Les compléments de l'adjectif peuvent être :

• Un groupe nominal de mesure **à l'accusatif**, toujours placé devant les adjectifs de dimension.

breit : large / *dick* : épais / *groß* : grand / *hoch, hoh* : haut / *lang* : long / *schwer* : lourd / *weit* : éloigné de...
eine zwei Meter hohe Mauer : un mur d'une hauteur de deux mètres
Die Mauer ist zwei Meter hoch. Le mur a une hauteur de deux mètres.

Er sprang anderthalb Meter hoch. Il sauta à une hauteur d'un mètre et demi.

• Un groupe nominal **au génitif** (peu fréquent).

gewiss, sicher : sûr de / *bewusst* : conscient de / *fähig* : capable de
verdächtig : soupçonné de / *würdig* : digne de

*Ich war mir **meines** Fehler**s** bewusst.* J'avais conscience de ma faute.

• Un groupe nominal **au datif** (très fréquent).

ähnlich : semblable / *bekannt* : connu / *dankbar* : reconnaissant / *gleichgültig* : égal / *günstig* : favorable / *lieb* : cher / *möglich* : possible / *neu* : nouveau / *nützlich* : utile / *schwer* : difficile / *teuer* : cher / *überlegen* : supérieur / *wichtig* : important / *zuvorkommend* : prévenant

*Ich bin **dir** für dein Verständnis sehr dankbar.*
Je te suis très reconnaissant de ta compréhension.

• Un groupe **prépositionnel**. C'est surtout le cas quand le groupe adjectival est en fonction d'attribut. Par exemple : ***an*** + **acc.** : *an etwas/ jn gewöhnt sein* (être habitué à qqn/ qq ch.)

*Der Hund ist **an seinen neuen Herrn** gewöhnt.*
Le chien est habitué à son nouveau maître.

*der **an seinen neuen Herrn** gewöhnte Hund*
le chien qui est habitué à son nouveau maître

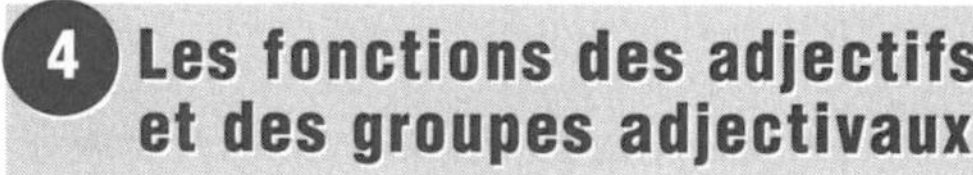

4 Les fonctions des adjectifs et des groupes adjectivaux

EN FONCTION D'ATTRIBUT

A Lorsque le groupe adjectival a la fonction d'attribut du sujet et de l'objet ou celle d'adverbe circonstanciel, il est membre d'un groupe verbal et l'adjectif reste invariable.

B Le nombre de verbes d'attribution qui entraînent un attribut du sujet ou de l'objet est limité. On trouve notamment :

• Les verbes d'attribution avec un **attribut du sujet**.

aussehen : avoir l'air de / *bleiben* : rester / *scheinen* : paraître / *sein* : être / *werden* : devenir / *wirken* : avoir un effet

• Les verbes d'attribution avec un **attribut de l'objet**.

machen : faire / *finden* : trouver / *fühlen* : sentir / *glauben* : croire / *sich benehmen wie* : se comporter comme

Das Haus ist sehr schön, (groupe adjectival attribut du sujet ***das Haus***) *aber wir finden es viel zu teuer.* (groupe adjectival attribut de l'objet ***es***)

La maison est très belle, mais nous la trouvons beaucoup trop chère.

Die Situation bleibt kritisch (adjectif attribut du sujet ***Die Situation***) *und das macht ihn krank* (adjectif attribut de l'objet ***ihn***)

La situation reste critique et cela le rend malade.

Certains verbes d'attribution entraînent un groupe nominal ou un groupe prépositionnel comme **attribut**.

befördern zu : promouvoir / *ernennen zu* : nommer / *wählen zu* : choisir / *betrachten, bezeichnen als* : considérer comme / *behandeln wie* : traiter de / *sich benehmen wie* : se comporter comme

Ich betrachte ihn als meinen Freund. Je le considère comme mon ami.

C Certains adjectifs ne se trouvent qu'en **fonction d'attribut**.

Das ist mir egal. Cela m'est indifférent.

Das ist ja schade! C'est bien dommage !

Das finde ich aber sehr schade! Je trouve cela bien dommage.

Daran sind wir schuld! Là, c'est nous qui avons tort !

EN FONCTION D'ÉPITHÈTE

En fonction d'épithète, le groupe adjectival est placé à gauche de la base nominale et s'accorde.

Das sehr schöne, aber viel zu teure Haus …
groupes adjectivaux en fonction d'épithète

La maison, très belle mais beaucoup trop chère, …

EN FONCTION D'APPOSITION

En fonction d'apposition, le groupe adjectival est juxtaposé au groupe nominal et dès lors sa base est invariable.

Das Haus, sehr schön aber viel zu teuer, stand schon monatelang leer.
groupes adjectivaux en fonction d'apposition

La maison, très belle mais beaucoup trop chère, était vide depuis des mois.

Le groupe adjectival juxtaposé à droite peut être transformé en **relative**.

Das Haus, sehr schön, aber viel zu teuer, ...

→ *Das Haus,* ***das sehr schön, aber viel zu teuer war****, ...*

Suivant le contexte, la relative peut exprimer une nuance circonstancielle, par exemple la cause, et, dans ce cas, la transformation en **groupe conjonctionnel** est, elle aussi, possible :

Das Haus, weil / da es sehr schön, aber viel zu teuer war, ...

Lorsque le groupe adjectival est à gauche du groupe nominal, il ne peut pas se transformer en relative. En revanche, la transformation en **groupe conjonctionnel** est toujours possible.

Sehr schön*,* ***aber viel zu teuer****, stand das Haus schon monatelang leer.* Très belle, mais beaucoup trop chère, la maison était vide depuis des mois.

→***Weil / Da es sehr schön, aber viel zu teuer war****, stand das Haus schon monatelang leer.* Parce que/ comme elle était très belle, mais beaucoup trop chère, la maison restait vide depuis des mois.

AUTRES FONCTIONS DE L'ADJECTIF

Quelques adjectifs peuvent exceptionnellement :

A **Déterminer un groupe prépositionnel**. Ils expriment dès lors une **dimension**.

kurz *um die Ecke* : juste au coin / ***dicht*** *am Wasser* : tout près de l'eau

tief *ins/ im Wasser* : profondément dans l'eau

lange *vor/ nach Sonnenuntergang* : longtemps avant/ après le coucher du soleil

C'est également le cas pour l'adverbe ***mitten*** et les groupes nominaux à l'accusatif de mesure.

mitten *auf dem Platz* : au milieu de la place

zwei Kilometer *vor dem Dorf* : deux kilomètres avant le village

B **Marquer une intervention du locuteur** (voir le chapitre 22, les particules interactives, page 257).

Jetzt gehst du mal bitte ***schön*** *ins Bettchen.*
Sois gentil et va au lit, s'il te plaît.

Bleiben Sie ***ruhig*** *sitzen.* Ne vous dérangez pas. Restez assis.

Sie können ***unmöglich*** *hier bleiben.* Vous ne pouvez en aucun cas rester ici.

5 Les adverbes

A savoir

Dans ce chapitre, il est question de la formation, des fonctions et des classes des adverbes. L'ensemble que l'on appelle **les particules** est traité au chapitre 22.

Les caractéristiques des adverbes

• Du point de vue de leur **forme**, les adverbes sont des éléments **invariables**, c'est-à-dire ni déclinables, ni conjugables. Ils ne s'accordent donc pas avec les unités sur lesquelles ils portent.

• Du point de vue de leur **rôle** ou de leur **fonction**, ils permettent de modifier, préciser ou situer le sens d'un verbe.

Er kommt ***heute***. Il vient/ viendra aujourd'hui.
Sie tanzt ***gern***. Elle aime danser.
Er liebt sie ***sehr***. Il l'aime beaucoup.

Mais ils modifient aussi d'autres éléments que les verbes :

– des **adjectifs** : ils sont alors membres du groupe adjectival. Ainsi ***sehr*** détermine ***schön*** et forme avec lui un groupe adjectival dans :

ein ***sehr*** *schöner Tag* : une très belle journée
groupe adjectival

– des **adverbes** : ils sont alors membres d'un groupe adverbial.

Sie tanzt ***sehr*** *gern*. Elle aime beaucoup danser.
groupe adverbial

– des **énoncés** :

Vielleicht *ist er zu Hause und spielt mit seinem Computer.*
Peut-être est-il à la maison en train de jouer avec son ordinateur.

• Du point de vue de leur comportement **syntaxique**, les adverbes sont **autonomes**, ce qui permet de les distinguer :

– des prépositions (voir le chapitre 15, pages 165 et suivantes) et des conjonctions de subordination (voir le chapitre 12, page 130), qui sont des bases de groupe,
– des particules et des conjonctions de coordination (voir le chapitre 22, page 252), qui ne fonctionnent pas en 1re position,
– des particules verbales (voir le chapitre 26, page 321).

Le critère d'autonomie

L'adverbe présente la caractéristique de pouvoir être déplacé seul en première position devant la forme conjuguée du verbe. Ainsi on peut dire :

*Du hörst **bald** von mir.* Tu auras bientôt de mes nouvelles.

ou bien :

***Bald** hörst du von mir*. Bientôt tu auras de mes nouvelles.

Bald est donc bien un adverbe.

A savoir

1 La formation de l'adverbe

Il existe des adverbes simples, composés et dérivés.

A **Les adverbes simples** peuvent être :

• Des adverbes **courants** sans forme spécifique.

bald : bientôt / *gern* : volontiers / *gestern* : hier / *heute* : aujourd'hui / *immer* : toujours / *kaum* : à peine / *noch* : encore / *schon* : déjà...

• Des adverbes **spécifiques** en :

w- qui peuvent être interrogatifs.

wann? quand ? / *wo?* où ? / *wie?* comment ?...

d- qui marquent la détermination.

dann : puis / *da* : là, alors / *dort* : là-bas...

n- qui sont des négateurs.

nicht : ne... pas / *nie*, *niemals* : ne... jamais

B **Les adverbes composés** sont d'une grande diversité. On distingue :

• Les adverbes formés à l'aide des éléments ***hin*** ou ***her*** qui indiquent une direction.

'daher : à partir de là / *wo'hin :* vers où / *'hierher* : par ici / *He°rein!* Entrez ! / *'bisher* : jusque-là

• Des groupes figés (= ensemble invariable écrit en un mot) comprenant une préposition :

darüber : au-dessus de cela / *darum* : c'est pourquoi / *womit* : avec quoi / *trotzdem* : malgré tout, pourtant / *daraufhin* : à la suite de quoi, peu après / *demnach* : en conséquence / *beinahe* : presque / *beiseite* : de côté / *zweifelsohne* : sans aucun doute / *geradeaus* : tout droit...

• D'autres adverbes, écrits en un mot, ou parfois des locutions adverbiales, écrites en plusieurs mots.

also : donc / *dennoch* : pourtant / *sobald* : tout de suite, dès que...
vor allem (locution adverbiale) : avant tout / *zum Glück* (locution adverbiale) : par chance, heureusement ...

C **Les adverbes dérivés** sont fréquents dans la langue actuelle. Il s'agit :

• D'éléments simples auxquels a été ajouté **-s**.

abends : le soir / *links* : à gauche / *nachts* : la nuit...

• D'unités complexes figées auxquelles a été ajouté **-s**.

*[viel + mal]+ s → viel**mals*** : souvent
*[unter + weg] + s → unterweg**s** :* en route
*[einer Seit(e)] + s → einerseit**s*** : d'un côté
*[best + en] + s → besten**s*** : au mieux

• D'adverbes qui sont en réalité des groupes figés se terminant par :

-falls :

jedenfalls (génitif figé du groupe *jeder Fall)* : en tout cas / *allenfalls* : tout au plus,

-mal :

einmal : une fois / *keinmal* : jamais,

-maßen :

einigermaßen (génitif pluriel figé) : dans une certaine mesure,

-wärts :

vorwärts : en avant / *rückwärts* : en arrière,

-weise :

ausnahmsweise (génitif singulier figé) : exceptionnellement / *glücklicherweise* (adjectif au génitif figé) : heureusement / *kiloweise* (nom + suffixe *weise*) : par kilo, au kilo...

2 Les fonctions de l'adverbe

L'adverbe peut être accompagné de compléments. Il constitue alors un **groupe adverbial**.

*sehr **früh**, ganz **früh*** : très tôt / *morgen **früh*** : demain matin
***früh** am Morgen, **früh** morgens* : tôt le matin

LES FONCTIONS SYNTAXIQUES

Le groupe adverbial – avec ses membres ou réduit à sa seule base – a des fonctions syntaxiques diverses. Il peut :

• Constituer à lui seul un énoncé.

Wann kommt er? – ***Morgen*** *[früh]*. Quand arrivera-t-il ? – Demain [matin].

• Être membre d'un énoncé verbal, c'est-à-dire porter sur toute l'information de l'énoncé (adverbe d'énoncé).

Hoffentlich *kommt er bald*. J'espère qu'il viendra bientôt.

• Être membre d'un autre groupe qu'il modifie ou complète. Ainsi, il peut être membre d'un groupe :

– **verbal** :

Ich werde morgen ***etwas länger*** *bleiben.*
groupe adverbial complément de temps

Je resterai un peu plus longtemps demain.

– **infinitif** :

Er konnte nicht ***allein*** *in die Stadt fahren*. Il ne pouvait pas se rendre seul en ville.
groupe infinitif objet

– **participial** :

anders *ausgedrückt* : autrement dit
groupe participial

– **nominal** :

Das weiß nur Gott ***allein***. Dieu seul le sait.

Der Minister ***selbst*** *war gekommen*. Le ministre lui-même était venu.

– **prépositionnel** :

seit ***vorgestern*** : depuis avant-hier / ***mitten*** *auf dem Platz* : au milieu de la place

Draußen *vor der Tür* : dehors (devant) la porte (W. Borchert)

Oben *auf dem Berg* : là-haut sur la montagne

– **adverbial** :

*dort °**oben*** : là en-haut / *morgen °**früh*** : demain matin / ***unten*** *im °Keller* : en bas dans la cave

– **adjectival** :

Für eine Wanderung ist es ***nicht*** *warm* ***genug.***
Il ne fait pas assez chaud pour une randonnée.

LES FONCTIONS SÉMANTIQUES ET COMMUNICATIVES

Dans l'échange de la communication, le rôle de l'adverbe est de :

• **Fournir une information sur une circonstance**, situer le lieu, préciser le temps, la manière, marquer l'opposition...

*Leben Sie °**wohl!*** (*wohl* est accentué) Adieu ! Portez-vous bien !

• **Marquer une intervention ou un jugement du locuteur**. L'adverbe donne alors une appréciation qui module l'information globalement ou partiellement.

Er wird mir ***wohl*** *°böse sein.* (*wohl* n'est pas accentué) Il va sans doute m'en vouloir.

3 Le classement des adverbes

Suivant le contexte, un même élément invariable peut avoir des fonctions et des sens différents. Ainsi ***da*** peut être :

• **Partie d'une base verbale** (particule séparable).

Wir sind nicht ***da*** (base verbale : *da sein*). Nous ne sommes pas là.

• **Démonstratif de lieu**, que l'on peut remplacer par ***dort*** ou ***hier***.

In München, ***da****/ dort lebt es sich gut.* À Munich, on vit bien.

• **Adverbe de temps**.

Keiner wollte ihm helfen, ***da*** *kam er zu uns.*
Personne ne voulait l'aider, alors il vint chez nous.

• **Conjonction de subordination**. Il a alors le sens causal de « puisque/ comme ».

Da *wir sehr müde waren, gingen wir gleich ins Bett.*
Comme nous étions très fatigués, nous nous sommes couchés tout de suite.

Les adverbes peuvent donc être classés selon leur **forme** (voir La formation de l'adverbe, pages 46-47), leur **fonction** (voir Les fonctions de l'adverbe, pages 47 et suivantes) ou leur **sens**. Ce dernier critère permet de distinguer les adverbes :
– de lieu,
– de temps,
– de manière,
– connecteurs,
– qui expriment une appréciation.

LES ADVERBES DE LIEU

Les adverbes et locutions adverbiales de lieu peuvent exprimer trois relations : la relation **locative**, la relation **directive** et la relation **de provenance** (voir le chapitre 10, page 113).

• **La relation locative**.

hier / da / dort / vorn / hinten…
ici / là / là-bas / devant / derrière…
Hier *hat Mozart gewohnt.* Mozart a habité ici.

• **La relation directive.**

hierhin / dahin / hinaus / vorwärts...
ici / là / dehors / en avant...

Er ist schon auf dem Weg ***dahin****.* Il est déjà en route pour aller là-bas.

• **La relation de provenance.**

von hier [aus] / heraus / von vorn...
à partir d'ici / de dehors / de devant...

Von vorn *sieht das Haus unbewohnt aus.*
De devant la maison semble inhabitée.

• **La relation de passage** (***wodurch***, ***worüber?*** par où ?) n'est marquée que par des groupes prépositionnels, essentiellement par ***durch*** et ***über***, et par des particules verbales comme ***vorbei-***, ***durch-***, ***herüber-***, ***hinüber-.***

Wir fuhren ***durch*** *die Stadt und dann* ***über*** *die Grenze.*
Nous avons traversé la ville et puis la frontière.

Der Faschingszug zieht hinten ***an*** *unserem Haus* ***vorbei****.*
Le cortège de carnaval passe(ra) derrière notre maison.

LES ADVERBES DE TEMPS

Les adverbes et locutions adverbiales de temps peuvent être classés d'après plusieurs critères.

A Le degré de détermination ou de précision.

• ***Wann****?* (quand ?) est l'interrogatif pour un moment précis ou imprécis.

Wann *kommt er? – Jeden Samstag. / Am [nächsten] Samstag. / Ich weiß es nicht.*
Quand vient-il ? – Chaque samedi. / Samedi prochain. / Je ne sais pas.

• ***Jemals*** (jamais) et ***nie[mals]*** (ne... jamais) sont indéterminés.

Hast du ***jemals*** *so etwas gesehen? – Nein,* ***niemals****.*
As-tu jamais vu une telle chose ? – Non, jamais ! (Je n'ai jamais vu une telle chose.)

B L'unicité opposée à la répétition.

• ***Einmal*** (une fois), ***eines Tages*** (un jour) indiquent un moment unique.

Einmal *ist keinmal.* Une fois n'est pas coutume.

• D'autres adverbes et locutions adverbiales, quant à eux, renvoient à des **moments répétés**.

jedesmal : chaque fois / *dann und wann*, *ab und zu*, *mitunter* : de temps en temps / *immer wieder* : sans cesse, à nouveau / *manchmal* : parfois /

meistens : la plupart du temps / *oft* : souvent / *selten* : rarement / *montags* : le lundi / *werktags* : les jours ouvrables / *morgens* : le matin / *vormittags* : au cours de la matinée / *nachts* : la nuit...

***Jedesmal**, wenn er kommt, freuen wir uns.*
Chaque fois qu'il vient, nous sommes contents.

Le suffixe **-s** ne renvoie pas toujours à un moment répété.

Wettervorhersage für morgen, den 11. Januar.
*Morgen**s** : Nebelschwaden und leicht bewölkt; vormittag**s** : Sonnenschein; nacht**s** : Tieftstemperaturen zwischen 5 und minus 5 Grad.*

Prévision météorologique pour demain 11 janvier.
Le matin : brouillard et légèrement nuageux ; au cours de la matinée : soleil ; la nuit : températures minimales entre plus 5 et moins 5 degrés.

C **Le datage** avec comme références possibles :

- **Le moment de l'énonciation** (le moment où l'on parle).

– ***jetzt*** (maintenant) opposé à ***früher*** (naguère/ jadis/ autrefois) pour le passé et ***bald*** (bientôt) pour le futur,

– ***heute*** (aujourd'hui) opposé à ***gestern*** (hier) pour le passé et à ***morgen*** (demain) pour l'avenir.

***Früher** fuhr man mit der Kutsche. **Heute** verbringt man seine Zeit im Auto. Und **morgen**?*
Autrefois, on voyageait en calèche. Aujourd'hui on passe son temps en voiture. Et demain ?

- **Un autre moment passé ou futur**, différent de celui de l'énonciation.

Nun (maintenant) opposé à ***damals*** (à cette époque là), ***unterdessen*** (entre-temps), ***zuvor/ vorher*** (auparavant/ avant), ***später*** (plus tard), ***hinterher*** (après coup/ après)...

***Damals** gab es noch keine Autobahn.*
À l'époque il n'y avait pas encore d'autoroute.

D **La successivité ou le découpage d'un événement ou d'un texte en étapes** (pour énumérer, regrouper, ordonner chronologiquement, ajouter une information ou un argument, expliquer ou justifier...).

***Zuerst** konnte ich seine Handschrift nicht lesen, aber **dann** gewöhnte ich mich daran.* D'abord je ne pouvais pas lire son écriture, mais par la suite je m'y suis habitué.

E La durée.

immer : toujours / *immer noch* : qui continue à durer / *immer weiter* : qui continue sa route, qui se prolonge

*Das ist **immer** noch so.* Il en est toujours ainsi.

immer noch nicht : toujours pas

lange, nicht lange, zu lange : [pas/trop] longtemps...

*Dauert der Film nicht **zu lange**?* Est-ce que le film ne dure pas trop longtemps ?

F La simultanéité.

unterdessen, währenddessen : pendant ce temps

inzwischen : entre-temps

*Sie hatte die Stadt lange nicht mehr gesehen, **unterdessen** hatte sich vieles geändert.* Elle n'avait pas vu la ville depuis longtemps, entre temps beaucoup de choses avaient changé.

LES ADVERBES DE MANIÈRE

Les adverbes de manière indiquent **comment** ou **par quel moyen se déroulent l'action** ou **le procès**.

***Anders** geht es nicht.* Ça ne va pas autrement.

Fährt er immer so schnell?	*– Ja, so fährt er immer.*
so schnell : groupe adjectival de manière	*so* : substitut du groupe adjectival de manière
Conduit-il toujours aussi vite ?	– Oui, il conduit toujours comme ça.

L'allemand n'a pas de suffixe adverbial caractéristique comme « -ment » en français, qui permet de former un adverbe à partir d'un adjectif : « rapide → rapidement ». C'est généralement l'adjectif invariable qui sert d'adverbe (voir le chapitre 4, page 34).

Er ist vorsichtig. Il est prudent. *Er fährt vorsichtig.* Il conduit prudemment.
(*vorsichtig* : adjectif attribut / *vorsichtig* : adverbe)

*Sie spricht **laut**.* Elle parle fort.

*Sie atmet **schwer**.* Elle respire avec difficulté.

LES ADVERBES CONNECTEURS

A Les adverbes connecteurs servent à **organiser un texte et à structurer l'argumentation**. Ils explicitent des liens logiques entre énoncés et assurent souvent une fonction relevant de la cohérence textuelle. Fréquemment, ils reprennent une information déjà donnée et relient donc les énoncés. Ils occupent généralement la première position de l'énoncé déclaratif, devant la partie conjuguée du verbe. On peut leur adjoindre les interrogatifs qui permettent de poser des questions sur la relation concernée.

***Warum** ist er nicht weggefahren?* Pourquoi n'est-il pas parti ?
*Er hatte keine Lust und **außerdem** [hatte er] kein Geld.*
Il n'avait pas envie et en outre (il n'avait) pas d'argent.
*Ich war krank. **Deshalb** konnte ich nicht mitspielen.*
J'étais malade. Voilà pourquoi je n'ai pas pu participer au match.

B La plupart des adverbes connecteurs ont une **fonction de cohésion textuelle** plus ou moins explicite. On peut distinguer :

• Les adverbes qui découpent le texte pour en **faciliter la réception**.

erstens / zweitens / drittens :
premièrement / deuxièmement / troisièmement
zum ersten Mal / zum zweiten Mal / zum letzten Mal :
pour la première fois / pour la deuxième fois / pour la dernière fois
einerseits... , and[e]rerseits... : d'une part..., d'autre part...
bald... bald... : tantôt... tantôt...
teils... teils... : (en) partie

• Les adverbes qui découpent le texte **en hiérarchisant les parties**.

anfangs / zuerst / zunächst / dann / danach / darauf / endlich (fin attendue) :
au début / d'abord / d'emblée / ensuite / après / là-dessus / enfin
schließlich / zum Schluss / letzten Endes / nicht zuletzt :
finalement / pour finir / au bout du compte / notamment

• Les adverbes qui introduisent :

– un **accroissement** (« de plus, en outre ») :
auch : aussi / *außerdem* : en outre / *daneben* : en plus / *darüber hinaus* : au-delà / *ebenfalls* : également / *ferner* : de plus / *gleichfalls* : également / *überdies* : en outre / *übrigens* : d'ailleurs / *zudem* : de surcroît / *zusätzlich* : en plus,

– une **restriction** :
nur : seulement / *bloß* : simplement,

• Les adverbes qui marquent :

– une **disjonction** :
andernfalls, *sonst*, *ansonsten* : sinon,

– une **opposition** :
dagegen : par contre / *hingegen* : en revanche / *vielmehr* : au contraire.

C Du point de vue du sens, les adverbes connecteurs peuvent être classés selon qu'ils expriment :

• Un **rapport logique de cause** répondant à la question « pourquoi ? ».

Warum *in aller Welt hat er sich so schnell entschieden?*
Pourquoi diable s'est-il décidé si vite ?

Die Busfahrer streikten. ***Deshalb/ Deswegen*** *mußte ich zu Fuß in die Schule gehen*. Les chauffeurs de bus étaient en grève. C'est pourquoi j'ai dû me rendre à l'école à pied.

• Une **circonstance** mise en relation avec une autre qui la nuance ou la restreint.

Ich weiß nicht, ob er kommt. ***Jedenfalls*** *habe ich ihn eingeladen*.
Je ne sais pas s'il viendra. En tout cas, je l'ai invité.

Die Reise war schön. ***Allerdings*** *war sie auch anstrengend.*
Ce fut un beau voyage. Mais fatigant aussi.

• Une **opposition** ou une **concession.**

Er ist nicht sehr begabt, ***dagegen*** *hat er ein gutes Gedächtnis.*
Il n'est pas très doué, en revanche il a une bonne mémoire.

Sie ist nicht zu seinem Geburtstag gekommen, hat ihm aber ***immerhin*** *eine Karte geschickt.* Elle n'est pas venue à son anniversaire, mais elle lui a tout de même envoyé une carte.

• Une **conséquence** et une **finalité.**

Er war nicht vorbereitet. ***Also*** *fiel er durch.* Il n'était pas préparé. Donc il échoua.
Wozu *tust du das?* Dans quel but fais-tu cela ?

LES ADVERBES D'APPRÉCIATION

Les adverbes d'appréciation permettent à celui qui parle ou qui écrit d'émettre une appréciation ou un jugement sur la totalité ou une partie de l'information communiquée.

Es ist ***ausgesprochen/ wirklich*** *schlecht*. C'est franchement/ vraiment mauvais.
Er wird ***wahrscheinlich/ wohl*** *nicht kommen.*
Il ne viendra probablement/ sans doute pas (à ce que j'estime).

Ces éléments se trouvent normalement au milieu de l'énoncé quand ils portent sur toute l'information. Cependant, ils peuvent aussi, pour des raisons de mise en évidence, apparaître ailleurs et notamment en première position.

***Wahrscheinlich** kommt er nicht.* Il ne viendra vraisemblablement pas.

On distingue plusieurs types d'adverbes d'appréciation selon qu'ils expriment :

A **Une certitude** ou **un degré d'assurance** (on parle de jugement de vérité). On appelle souvent **modalisateurs** les mots qui assurent cette fonction.

zweifellos : sans aucun doute / *sicher*, *bestimmt*, *gewiss* : certainement / [*höchst*] *wahrscheinlich* : [très] vraisemblablement / *vermutlich* : probablement (de *vermuten* : supposer) / *vielleicht* : peut-être

***Vielleicht** kann ich dir helfen?* Je peux peut-être t'aider ?

Le choix de l'adverbe peut indiquer différents critères de jugement :

– une apparence ou un phénomène extérieur :

*Er hat **offensichtlich** nichts verstanden.* Visiblement, il n'a rien compris.

– une évaluation de la source dont émane l'information :

*Er war **vorgeblich** krank.* Il prétexta qu'il était malade.

Ces adverbes peuvent aussi faire partie d'une construction d'argumentation et exprimer :

– une confirmation ou une demande de confirmation :

Er ist da. – [Ist er]wirklich [schon da]? Il est là. – Est-il vrai qu'il soit déjà là ?

– une infirmation ou rectification :

*Sie erklärte, ihr Mann sei noch nicht da. **In Wirklichkeit** aber war er schon wieder weggegangen.* Elle déclara que son mari n'était pas encore là. Mais en réalité, il était déjà reparti.

– une concession :

*Er ist **zwar** noch jung, aber er ist hochbegabt.*
Certes, il est encore jeune, mais il est très doué.

Les différents degrés d'assurance et de certitude dans l'expression du jugement de vérité peuvent aussi s'exprimer par l'emploi subjectif des verbes de modalité (voir le chapitre 27, page 335).

*Er **muß** schon längere Zeit krank sein, sonst wäre ich ihm bestimmt auf dem Markt begegnet.* Il doit déjà être malade depuis longtemps, sinon je l'aurais certainement rencontré au marché.

B **Une appréciation de la conformité ou non à une norme** : jugement de normalité ou d'anormalité. Ce jugement entraîne souvent l'idée d'évidence ou de non-évidence.

*Das geht **natürlich** immer so.*
Cela se passe naturellement/ évidemment toujours comme ça.

*Man kann ja **selbstverständlich** nicht alles wissen.*
Il va de soi qu'on ne peut pas tout savoir.

Pour la non-évidence, lorsqu'il s'agit d'un élément complexe, c'est le premier terme qui fournit le critère du jugement.

erstaunlicherweise : il est étonnant que, d'une manière étonnante

komischerweise, *seltsamerweise* : il est étrange que, de façon étrange

merkwürdigerweise : curieusement

paradoxerweise : il est paradoxal que (de), paradoxalement

Merkwürdigerweise *hat er von der Feier nichts erzählt.*
Curieusement il n'a pas parlé des festivités.

L'expression d'autres appréciations est plus difficile à cerner. Il en va ainsi par exemple du :

– jugement « moral » qui est souvent à la base de l'expression d'une émotion :

Leider *kann ich nicht mitkommen.*
Malheureusement je ne peux pas vous accompagner.

Zum Glück *kommt er mit.* Heureusement il viendra avec nous.

– jugement qui fait appel à la notion de plaisir :

Bitte*, bringen Sie mir ein Vanilleeis.*
Apportez-moi, s'il vous plaît, une glace à la vanille.

6 Les cas, déclinaisons et fonctions du groupe nominal

A savoir

Le marquage du genre, du nombre et du cas

Contrairement au français, le groupe nominal allemand a des variations en cas, dont les marques sont amalgamées avec celles du nombre et du genre. Ainsi dans ***des** klein**en** Junge**n***, la séquence de marques ***-es -en -n*** fournit des indications à la fois sur le genre masculin, le nombre singulier et le cas du génitif.

Dans ce chapitre, il n'est question que de la **déclinaison de la partie du groupe nominal** appelée **base nominale**.

► Pour les règles qui régissent la séquence des marques dans le groupe nominal, voir le chapitre 2.

► Pour les pronoms déclinables, voir le chapitre 23.

La déclinaison de la base nominale

A quelques exceptions près (par exemple les noms qui, au pluriel, remplacent la terminaison du singulier par une autre : *das Epos*, *die Epen* : le poème épique) il n'existe que trois types de déclinaisons pour la base nominale :

– le type de déclinaison féminin singulier et pluriel,

– le type de déclinaison masculin en ***-en*** ou ***-n*** dit « masculin faible »,

– le type masculin et neutre avec un génitif singulier en ***-s*** ou ***-es***.

Ces trois types de déclinaisons sont très incomplets. Ils n'ont que **deux à cinq formes différentes**, si bien que l'on peut se passer aisément des tableaux, paradigmes ou colonnes verticales.

Les classes du pluriel

Pour décrire ces déclinaisons, on distingue quatre classes de marquage pour le pluriel en fonction de la fréquence d'emploi :

– la classe A prend ***-en*** ou ***-n***,

– la classe B prend ***-ø*** (pas de marque/ invariable) ou ***-̈ø*** (inflexion), ***-e*** ou -̈ ***e***,

– la classe C prend -̈ ***er*** ou ***-er***,

– la classe D prend ***-s***.

Dans les classes B et C, les bases nominales prennent en plus un ***-n*** au datif pluriel.

Les quatre cas

Le **nominatif**, l'**accusatif**, le **datif** et le **génitif** indiquent la fonction que les groupes nominaux membres assurent dans un groupe d'accueil ou dans un énoncé indépendant. Ces groupes peuvent être :

• Membres d'un **groupe verbal d'accueil**.

Die Kinder (sujet) *schenkten der Mutter* (objet II au datif) *Blumen.* (objet I à l'accusatif)

Les enfants offrirent des fleurs à leur mère.

• En fonction d'**énoncé indépendant**.

Lieber Hans : Cher Jean / *Achtung!* Attention !

La distinction faite en français entre le complément d'**objet direct** et le complément d'**objet indirect** (ou complément d'attribution) n'est guère pertinente en allemand. On peut la remplacer par celle d'objet à l'accusatif, au datif ou au génitif et celle de complément prépositionnel.

A savoir

1 Les trois types de déclinaison des noms communs

LA DÉCLINAISON DES FÉMININS

A **Au singulier, tous les noms féminins restent invariables à tous les cas**. Seule change donc, dans le groupe nominal, la terminaison des éventuels déterminants et/ou épithètes.

Nom.	*Die [kleine]* ***Tür*** *ist auf.*	La [petite] porte est ouverte.
Acc.	*Mach die [kleine]* ***Tür*** *auf.*	Ouvre la [petite] porte.
Dat.	*Ich stehe vor der [kleinen]* ***Tür***.	Je suis devant la [petite] porte.
Gén.	*Die Klinke der [kleinen]* ***Tür*** *ist kaputt.*	La poignée de la [petite] porte est fichue.

B **Au pluriel**, on distingue **trois classes** (voir le chapitre 13, page 143).

- La classe A regroupe les noms qui ont, à tous les cas, ***-en*** ou ***-n***.
- La classe D regroupe les noms qui ont, à tous les cas, ***-s***.
- La classe B regroupe les noms qui ont, à tous les cas, **¨ø** ou **¨e** et ajoutent ***-n*** au datif pluriel. Par exemple :

die rechte ***Hand*** : la main droite / *die beiden* ***Hände*** : les deux mains
mit beiden ***Händen*** : des deux mains.

C Tous ces noms n'ont donc pour la plupart que **deux formes**, sauf ceux de la classe B qui en ont trois, puisqu'ils ajoutent un ***-n*** au datif pluriel.

Classe A		
pluriel en ***-n***	*[die/ der] Frau*	*[die/ den/ der] Frau-****en*** : la femme
ou ***-en***	*[die/ der] Tafel*	*[die/ den/ der] Tafel-****n*** : le tableau
Classe D		
pluriel en ***-s***	*[die/ der] Oma*	*[die/ den/ der] Oma-****s*** : la grand-mère
	[die/ der] Saison	*[die/ den/ der] Saison-****s*** : la saison
Classe B		
pluriel en **¨e**	*[die/ der] Maus*	*[die/ der] Mäuse ; [den] Mäuse-****n*** (datif) : la souris
pluriel en **¨**	*[die/ der] Tochter*	*[die/ der] Töchter; [den] Töchter-****n*** (datif) : la fille

D Le tableau suivant résume le fonctionnement des différentes classes de bases nominales dans la déclinaison de type féminin.

	Singulier		Pluriel			
Cas	**Art.**	**Toutes classes**	**Art.**	**Cl. A**	**Cl. D**	**Cl. B**
N A	} *d-**ie***	*Tür / Uni / Mutter / Hand*	*d-**ie***	*Tür-**en***	*Uni-**s***	*Mütter-**n** Hände-**n***
D G	} *d-**er***		*d-**en*** *d-**er***			

LA DÉCLINAISON DES MASCULINS EN *-EN* OU *-N*

A Le nominatif singulier des noms masculins faibles a souvent une finale caractéristique, comme ***-e***, ***-ant***, ***-graph***, ***-ist***, ***-nom***, ***-soph***, etc.

Sauf au nominatif singulier, ils ont, à tous les cas du singulier et du pluriel, ***-en***, réduit à ***-n*** après une finale en ***-el***, ***-er***, ***-e***. Au pluriel, ils font donc tous partie de la classe A.

B Les masculins faibles ne présentent donc que **deux formes**, sauf cas exceptionnels comme ***der Herr*** qui en a trois.

Nom.	**Acc. - Dat. - Gén.**	
*[der] Herr-**ø*** (le monsieur)	*[den/ dem/ des] Herr-**n***	*[die/ den/ der] Herr-**en***
[der] Mensch (l'être humain)	*[den/ dem/ des] Mensch-**en***	*[die/ den/ der] Mensch-**en***
[der] Löwe (le lion)	*[den/ dem/ des] Löwe-**n***	*[die/ den/ der] Löwe-**n***
[der] Franzose (le Français)	*[den/ dem/ des] Franzose-**n***	*[die/ den/ der] Franzose-**n***
[der] Tourist (le touriste)	*[den/ dem/ des] Tourist-**en***	*[die/ den/ der] Tourist-**en***

C Le tableau suivant résume le fonctionnement des bases nominales dites masculins faibles.

	Classe A			
Cas	**Singulier**		**Pluriel**	
N	*d-**er***	*Mensch / Löw**e** / Tour**ist***		
A	*d-**en***	} *Mensch-**en*** *Löw-**en*** *Tourist-**en***	*d-**ie***	} *Mensch-**en*** *Löw-**en*** *Tourist-**en***
D	*d-**em***		*d-**en***	
G	*d-**es***		*d-**er***	

LA DÉCLINAISON DES MASCULINS ET NEUTRES AVEC UN GÉNITIF SINGULIER EN *-S* OU *-ES*

C'est le type de déclinaion **le plus complexe** en raison des différentes formes possibles du pluriel (voir le chapitre 13, pages 143 et suivantes). Il concerne **deux genres** : le masculin et le neutre. Il présente **trois à cinq formes différentes**.

A **Au singulier**, toutes les bases nominales restent invariables à tous les cas, sauf bien sûr au génitif singulier qui prend ***-s*** ou ***-es***.

B **Au pluriel**, on distingue quatre classes :

- La classe A regroupe les noms qui prennent ***-en*** ou ***-n***.
- La classe D regroupe les noms qui prennent ***-s***.
- La classe B regroupe les noms qui ont ***-ø***, **¨**, ***-e*** ou **¨ *e***.
- La classe C regroupe les noms qui prennent **¨ *er*** ou ***-er***.

Dans les classes B et C, les noms ajoutent en plus un ***-n*** au datif pluriel.

CLASSE A : pluriel en ***-en*** ou ***-n*** (relativement rares)

*[der/ den/ dem] Staat-**ø**, [des] Staat**[e]s***	*[die/ den/ der] Staat-**en*** : l'état
*[der/ den/ dem] Muskel-**ø**, [des] Muskel-**s***	*[die/ den/ der] Muskel-**n*** : le muscle
*[das] Herz-**ø**, [dem] Herz-**en**, [des] Herz**ens***	*[die/ den/ der] Herz-**en*** : le coeur
*[das/ dem] Ende, [des] Ende-**s***	*[die/ den/ der] Ende-**n*** : la fin
*[das] Bett-**ø**, [des] Bett-**[e]s***	*[die/ den/ der] Bett-**en*** : le lit

CLASSE D : pluriel en ***-s***

*[der/ den/ dem] Park-**ø**, [des] Park-**s***	*[die / den / der] Park-**s*** : le parc
*[der/ den/ dem] Trend-**ø**, [des] Trend-**s***	*[die/ den/ der] Trend-**s*** : la tendance

CLASSE B : pluriel en ***-ø*** ou **¨**

*[der/ den/ dem] Wagen-**ø**, [des] Wagen-**s***	*[die/ den/ der] Wagen* : la voiture
*[das/ dem] Mädchen-**ø**, [des] Mädchen-**s***	*[die/ den/ der] Mädchen* : la jeune fille
*[der/den/ dem] Vater-**ø**, [des] Vater-**s***	*[die/ der] Väter, [den] Väter-**n*** : le père

CLASSE B : pluriel en **-e** ou **¨-e**

*[der/ den/ dem] Abend-**ø**,* *des Abend-**s***	*[die/ der] Abend**e**, [den] Abend**en** :* le soir
*[das/ dem] Jahr-**ø**, [des] Jahr-**[e]s***	*[die/ der] Jahr**e**, [den] Jahr**en*** : l'année
*[der/ den/ dem] Sohn-**ø**,* *[des] Sohn-**[e]s***	*[die/ der] Söhn-**e**, [den] Söhn-**en*** : le fils

CLASSE C : pluriel en **¨-er** ou **-er** (peu de noms masculins)

*[das/ dem] Loch-**ø**, [des] Loch-**s***	*[die] Löch-**er**, [den] Löch-**ern*** : le trou
*[der/ den] Wald-**ø**, [in dem] Wald-**[e]**,* *[des] Wald-**[e]s***	*[die/ der] Wäld-**er**, [den] Wäld**ern*** : la forêt
*[der/ den] Geist-**ø**, [dem] Geist-**[e]**,* *[des] Geist-**[e]s***	*[die/ der] Geist-**er**, [den] Geist-**ern*** : l'esprit

Quelques noms sont des anciens nominatifs en **-e**. Ils se déclinent comme :

*der Name[**n**], [den/dem] Namen, [des] Nam**ens**, [die/den/der] Name-**n** :* le nom

Ces noms sont :

der Buchstabe : la lettre / *der Friede* : la paix / *der Funke* : l'étincelle
der Gedanke : l'idée / *der Glaube* : la foi / *der Wille* : la volonté
der Haufen : le tas / *der Samen* : la semence.

C Le tableau suivant résume le fonctionnement des différentes classes du type de déclinaison des noms masculins et neutres. Le terme de base y désigne le radical du nominatif singulier. Les remarques qui suivent concernent le datif pluriel et le génitif.

	Singulier		Pluriel		
Cas	**Art.**	**Masc / neutre**	**Art.**	**Cl. A et D**	**Cl. B et C**
N	*d-**er*** ⟩ *d-**as***		*d-**ie***	***-(e)n***	***(¨)(e)***
A	*d-**en***				
		base		base ou	base ou
D	*d-**em***	***-(e)***[2]	*d-**en***		***-n***[1]
G	*d-**es***	***-(e)s***[3]	*d-**er***	***-s***	***(¨)er***

1. **Au datif pluriel**, tous les noms des classes A, B et C se terminent par ***-n*** soit parce qu'ils l'ont déjà, soit parce qu'ils l'ajoutent.

2. **Au datif singulier**, les noms qui ne se terminent pas par une voyelle ni par une syllabe atone (***-el***, ***-em***, ***-en***, ***-er***) peuvent prendre ***-e*** dans une langue très soignée ou dans des locutions figées :

nach/ zu Hause : à la maison / *dem Sohn(e)* : le fils
im Sinne von... : dans le sens de...

3. **Au génitif singulier** des noms masculins et neutres du troisième type, ***-es*** est ajouté régulièrement après ***-s***, ***-ß***, ***-tsch***, ***-tz***, ***-x***, ***-z***, ***-zt*** (donc après une sifflante) :

des Hauses : de la maison / *des Bildnisses* : du portrait.

Dans le deuxième exemple, le redoublement du **s** marque que le ***i*** qui précède reste bref. La même raison explique le redoublement dans *der Bus, des Bus**s**es* (le bus) et au pluriel *die Lehrer**in**, die Lehrer**inn**en* (le professeur).

En revanche, ne prennent que ***-s*** les noms qui se terminent par une voyelle, une diphtongue ou une syllabe inaccentuée :

des Opas : le grand-père / *des Vaters* : le père.

La terminaison ***-es*** est fréquente dans une syllabe accentuée après ***-d***, ***-t***, ***-sch***, ***-st***, ***-ch***.

*die Farben des Bild**es*** : les couleurs de l'image / *das Auto des Gast**es*** : la voiture de l'invité.

Le génitif des noms propres est marqué par **-s** si le nom est seul et même si celui-ci est un nom féminin :

*Peter**s**/ Claudia**s** Geburtstag* : l'anniversaire de Pierre/ Claudia
*die Wohnung Anna**s*** : l'appartement d'Anne.
Il ne prend pas la marque **-s** si le nom propre fait partie d'un groupe où le cas est indiqué par ailleurs :

die Legende des Heiligen Florian : la légende de Saint Florian.

En revanche, le génitif des noms masculins faibles est toujours marqué :

*Herr**n** Abgeordnet**en** Müller**s** Kinder* : les enfants de monsieur le député Müller.

2 L'emploi des cas et les fonctions du groupe nominal

La séquence de marques du groupe nominal (voir le chapitre 2, pages 16 et suivantes) renseigne à la fois sur le **genre**, le **nombre** et le **cas**, c'est-à-dire sur la **fonction du groupe**. Le groupe nominal peut être :

- Directement en fonction **d'énoncé**.
- En fonction **d'apposition**.

• En fonction de membre constituant d'un **groupe syntaxique** et notamment en fonction de membre constituant d'un **groupe verbal d'accueil**.

A **En fonction d'énoncé indépendant**, le groupe nominal est :

• **À l'accusatif**. Il s'agit le plus souvent de groupes verbaux réduits, d'un emploi courant dans la vie de tous les jours :

Guten Tag! Bonjour. (= *Ich wünsche/ sage einen guten Tag.*)
Vielen Dank! Merci beaucoup. (= *Haben Sie vielen Dank.*)
Ein Bier [bitte]! Une bière, s'il vous plaît ! (= *Ich möchte ein Bier.*)

• **Au nominatif.** Il peut s'agir d'un terme d'adresse.

Lieber Hans! Cher Jean !

Vorsicht! Attention ! *Letzte Mahnung!* Dernier avertissement !

Mein Gott! Mon Dieu ! *Du meine Güte!* Bonté divine !

B **En fonction d'apposition**, le groupe nominal est :

• **Au même cas que l'apposé**, quand il représente une alternative pour une même fonction syntaxique.

*Wir haben auch Herr**n** Müller, de**n** Bäcker, getroffen.*
Nous avons aussi rencontré Monsieur Müller, le boulanger.

*Er überreichte ihr, seine**r** Freundin, den kostbaren Ring.*→
Er überreichte ihr den kostbaren Ring.
objet II au datif

Er überreichte seiner Freundin den kostbaren Ring.
objet II au datif

Il lui remit à elle, son amie, la précieuse bague.

• **Au nominatif**, dans presque tous les autres cas.

*Er bekam den zweiten Preis. Ein glänzende**r** Erfolg!*
Il eut le deuxième prix. Un brillant succès !

On trouve rarement le **datif** pour des appositions à des groupes nominaux au génitif :

Was bisher geschehen ist, läßt sich am besten am Beispiel Brasiliens, ***dem*** *größ**ten** Land des Subkontinents, zeigen.*
Ce qui s'est passé jusqu'ici peut s'illustrer le mieux par l'exemple du Brésil, le plus grand pays du sous-continent.

C **En fonction de membre constituant d'un groupe syntaxique**, le groupe nominal est :

• **Au génitif** quand il est constituant d'un groupe nominal.

das Motorrad ***meines Freundes*** : la moto de mon ami

(Le complément de nom est **à droite** de la base nominale.)

***Claudias** Geburtstag* : l'anniversaire de Claudia

(Le génitif préposé est **à gauche** de la base nominale.)

• **À l'accusatif**, **au datif** ou **au génitif**, quand il est complément d'un **adjectif**.

zehn Meter lang : dix mètres de long
groupe nominal à l'accusatif

[das ist] den Einwohnern gleichgültig : [cela laisse] les habitants indifférents
groupe nominal au datif

des Lebens müde [sein] : [être] las de vivre
groupe nominal au génitif

• **À l'accusatif**, **au datif**, **au génitif**, ou plus rarement **au nominatif**, quand il est membre d'un groupe prépositionnel.

*mit meine**n** Freunde**n*** : avec mes amis

laut Paragraph 14 : d'après le paragraphe 14

D Le groupe nominal **membre d'un groupe verbal d'accueil** peut assurer toutes les fonctions des groupes qui se rattachent de près ou de loin à une base verbale :

• En fonction de **sujet grammatical**, le groupe nominal est habituellement au **nominatif**.

***Die Ferien** sind bald vorbei*. Les vacances sont bientôt passées.
***Die Glocke** läutet*. La cloche sonne.

• En fonction de complément d'**objet premier**, le groupe nominal est le plus souvent à l'**accusatif**, mais aussi avec certains verbes au **datif** ou au **génitif**.

– à l'accusatif :

*Wir brauchen **ihn***. Nous avons besoin de lui.

– au datif (personne concernée) :

*Ich helfe **dir***. Je t'aide(rai).

– au génitif (rare) :

*Sie nahm sich **seiner** an*. Elle s'occupa de lui.

• En fonction de complément d'**objet second**, le groupe nominal est, le plus souvent, au **datif**, mais aussi (plus rarement) au **génitif** ou à l'**accusatif**.

- au datif (+ objet I à l'accusatif) :

*Ich glaube es **dir***. Je te crois.

– au génitif (+ objet I à l'accusatif ; combinaison rare) :

*Sie klagten ihn **des Devisenschmuggels** an*.
Ils l'accusèrent de trafic de devises.

– à l'accusatif (+ autre objet à l'accusatif ; combinaison très rare) :

*Ich frage **ihn** etwas*. Je lui demande quelque chose.

Exemple de combinaison :

Onkel Jürgen kaufte uns ein Eis. Oncle Jürgen nous acheta une glace.
sujet grammatical — objet II au datif — objet I à l'accusatif

• Le groupe nominal peut être **attribut du sujet** (au nominatif) ou **de l'objet** (à l'accusatif). Il fonctionne alors avec les verbes dits d'attribution comme ***sein***, ***werden***, ***scheinen***, ***finden***…

*Sie ist **eine beliebte Sängerin.*** C'est une chanteuse appréciée.

*Er ist **der beste Mittelstürmer***. Il est le meilleur centre-avant.

*Er gilt als **bester Spieler***. Il passe pour le meilleur joueur.

*Er nannte **ihn** einen Feigling*. Il le traita de lâche.
attribut de l'objet

• Quand il est **complément circonstanciel**, le groupe nominal est au **génitif figé** ou à l'**accusatif.**

***Eines Tages** kam er zu mir*. Un jour, il vint me voir.

*Ich habe **den ganzen Tag** gearbeitet*. J'ai travaillé toute la journée.

***Den Knüppel in der Hand**, lief er davon*. Le gourdin à la main, il s'enfuit.

• **Complément libre**, le groupe nominal est notamment au **datif** :

– de la personne concernée (ou qui feint de l'être) :

*Fall **mir** nur nicht die Treppe hinunter*. Ne (me) tombe surtout pas dans l'escalier.

*Du bist **mir** vielleicht einer*. T'es un drôle de type (à mes yeux).

– de « l'avantage » ou du « désavantage » :

*Die Schüssel ist **der Frau** runtergefallen*.
La femme a laissé tomber la soupière/ le plat.

– « d'appartenance » :

*Sie fiel **dem Jungen** um den Hals*.
Elle sauta au cou du garçon./ Elle lui sauta au cou.

Du point de vue du sens, le groupe nominal a aussi la fonction de **dénommer** et de **désigner**, de référer à des objets du discours ou du monde. Cette fonction est également celle de quelques groupes verbaux. Par exemple :

wer mich liebt : quiconque m'aime / *wo er wohnt* : là où il habite / *was er sagt* : ce qu'il dit

***Die mich kennen**, wissen, daß ich die Wahrheit* sage.
Ceux qui me connaissent savent que je dis la vérité.

3 Rection et valence

Une base impose parfois ses compléments. Ainsi ***es gibt*** (il y a) est obligatoirement suivi d'un groupe nominal à l'accusatif.

Pour construire un énoncé correct, il faut se poser trois questions :

• **Combien de membres** la base prévoit-elle obligatoirement pour constuire un groupe verbal, nominal ou adjectival minimal correct ?

Par exemple ***Das hängt ab*** (Ça dépend !) est incomplet ; pour que l'énoncé soit correct, il faut ajouter le groupe prépositionnel ***von*** (**+ dat.**) en complément :

Das hängt von den Argumenten ab. Cela dépend des arguments.

• **Quelle forme** ces membres doivent-ils avoir et, s'il s'agit de groupes nominaux, à **quel cas** faut-il les mettre ?

Par exemple ***gratulieren*** impose le datif / ***beglückwünschen*** l'accusatif :

*Er gratuliert **ihr**. Er beglückwünscht **sie**.* Il la félicite.

Mais ***Er fragt nach dir*** (Il demande où tu es./ Il te demande.) à la place de ***Er fragt dich*** (Il te pose une question./ Il te demande.) est une confusion grave.

• **Quelle fonction** assurent ces membres ?

Un même verbe peut, en effet, avoir des sens différents suivant le nombre, la forme et/ou la fonction des membres qui l'entourent.

On appelle **rection** les cas et/ou les prépositions avec cas qui sont prévus pour la construction correcte d'une base verbale, nominale ou adjectivale. Plus largement, on parle de **valence** quand on tient compte non seulement de la quantité des membres prévus (combien ?), mais aussi de leur qualité (quelle forme ?) et de leur sens (sélection sémantique).

Pour chaque emploi de base verbale, nominale ou adjectivale on peut donc établir une sorte de **programme de construction** avec l'essentiel (les compléments indispensables) et l'accessoire (les suppléments libres).

7 Les conjugaisons

A savoir

On appelle **conjugaison** l'ensemble des variations que peut subir une base lexicale verbale du point de vue des catégories grammaticales du temps, du mode, de la personne, du nombre, de l'aspect et de la voix. Ces variations, analysables en marques, sont présentées de façon systématique dans les tableaux de conjugaison (voir annexes pages 349 et suivantes).

Ainsi dans :

Dann gab er mir einen Apfel. Alors il me donna une pomme.

la base verbale ***geb-*** présente les marques des catégories suivantes :

– le temps : le prétérit (*geb* → *gab*),

– le mode : l'indicatif (marque ***Ø*** ; au subjonctif II, on aurait ***gäbe***),

– la personne : 3e personne du singulier (*gab-**Ø*** au lieu de *gab-**en*** à la 3e personne du pluriel),

– l'aspect : processuel (opposé, par exemple, à ***hat gegeben*** : bilan),

– la forme active : ***gab*** s'oppose à la forme passive ***gegeben wird***.

En allemand comme en français, il existe des formes verbales (complexes verbaux) simples et composées : ***ging*** est une forme simple, ***gegangen war*** une forme composée.

Comme en français, le verbe se conjugue au singulier et au pluriel à trois personnes grammaticales.

Mais, à la différence du français, la forme de vouvoiement dite de politesse est, en allemand, la 3e personne du pluriel : ***Sie*** avec une majuscule.

Rappelons qu'en allemand aucun accord du participe II n'est exigé dans les formes verbales composées du parfait (de l'accompli) et du passif.

A savoir

1 Le classement des verbes

On classe les verbes d'après leur comportement dans la conjugaison.

A **Les verbes faibles** font leur prétérit en ***-[e]te-*** et leur participe II en ***[ge]...[e]t***.

er fragte : il interrogea → *gefragt* : interrogé

er studierte : il faisait des études → *studiert* : étudié

Parmi eux, se trouvent les nombreux **verbes réguliers** qui gardent le même radical tout au long de leur conjugaison et quelques **verbes irréguliers** qui changent de radical (voir ci-dessous).

B Il existe environ **170 radicaux de verbes dits forts** (beaucoup plus si l'on compte leurs composés avec préfixes et préverbes). Ils font leur prétérit **sans l'addition** du suffixe ***-[e]te***, mais **modifient leur voyelle radicale**. Leur participe II est en ***[ge]...[e]n***.

Parmi eux, on a, selon la voyelle radicale de l'infinitif, des **séries régulières** :

fliegen, *flog*, *geflogen*, *fliegt* : voler / *finden*, *fand*, *gefunden*, *findet* : trouver

et des verbes **hors-série irréguliers** ou **isolés** :

ziehen, *zog*, *gezogen*, *zieht* : tirer

liegen, *lag*, *gelegen*, *liegt* : être étendu/ situé.

C Huit verbes simples sont dits **faibles irréguliers** :

brennen : brûler / *kennen* : connaître / *nennen* : nommer / *rennen* : courir / *senden* (également faible) : envoyer / *wenden* (également faible) : tourner / *bringen* : apporter / *denken* : penser.

Au prétérit et participe II, ils font ***-te-*** et ***[ge]...[e]t***, mais ils changent de voyelle radicale qui devient ***-a-*** :

kennen, *k**a**nnte*, *gek**a**nnt* - *senden*, *s**a**ndte*, *ges**a**ndt*...

Deux verbes changent également une consonne :

bringen : *br**ach**te*, *gebr**ach**t*, *bringt*

denken : *d**ach**te*, *ged**ach**t*, *denkt*.

D Sept verbes simples ont, aujourd'hui, à l'indicatif présent, d'anciennes formes de prétérit. Ce sont les **prétérito-présents**, très fréquents : ***wissen*** (savoir) et les verbes de modalité :

können, *dürfen* : pouvoir / *müssen*, *sollen* : devoir / *wollen*, *mögen* : vouloir

(plus les verbes complexes : *bedürfen* : avoir besoin de / *vermögen* : pouvoir, réussir).

E ***Sein*** (être) est tout à fait irrégulier, du fait qu'il a plusieurs radicaux.

Haben (avoir), faible, et ***werden*** (devenir), fort, ont des formes qui fusionnent (on dit qu'elles sont amalgamées) : ***hast/ hat***, ***wirst/ wird***. On peut donc les considérer comme des verbes irréguliers, qu'ils soient en fonction d'auxiliaires ou non (voir les tableaux en annexe, pages 349 et suivantes).

2 Les divers marquages du verbe

Le marquage des catégories du groupe verbal peut prendre **trois formes**.

• Le changement de la **voyelle du radical**.

*s**i**ngen*, *s**a**ng*, *ges**u**ngen*, *s**ä**ngen* : chanter

• Le changement de **terminaison**.

*du leb-**st***, *er leb-**t*** : tu vis, il vit

ou du **suffixe** grammatical, par exemple, ***-te-*** pour le prétérit et ***-e-*** pour les subjonctifs :

geb-e-, *geb-e-st*, *geb-e-...*

Les deux peuvent se combiner :

ich mach-te-ø, *du mach-te-st*.

Parfois les terminaisons :

– s'amalgament :

du sitzt, *er sitzt* : tu es assis, il est assis,

– se réduisent, par exemple par la chute d'un ***-e-*** :

*bast**e**ln* : *ich bastle* (bricoler),

– augmentent, par exemple par l'addition d'un ***-e-*** :

*du arbeit**e**st* : tu travailles / *er bad**e**t* : il se baigne.

• La constitution différente de la **séquence de marquage**. Par exemple :

– la discontinuité ou l'interruption au participe II :

ge**-mach-**t, ***ge**-flog-**en***, *verbot-**en***

– la composition ***haben*** ou ***sein*** + **participe II** pour les formes du parfait :

*Er **hat** gesungen*. Il a chanté.

– la composition ***werden*** + **infinitif** pour le futur :

*Er **wird** singen*. Il chantera.

– la composition ***werden/ sein*** + **participe II** pour les passifs (voir le chapitre 28, page 340) :

*Das Lied **wird/ ist gesungen***. Le chant est chanté.

A Le **radical** se détermine aisément : il suffit de retrancher à l'infinitif la marque ***-en*** ou dans certains cas ***-n*** :

mach-*en* : faire / ***begleit-****en* : accompagner / ***find-****en* : trouver / ***bleib-****en* : rester / ***fahr-****en* : conduire / ***lächel-****n* : sourire / ***kletter-****n* : grimper / ***tu-****n* : faire.

B **Les terminaisons** marquent à la fois le **mode** et le **temps**, la **personne** et le **nombre**. Ces deux derniers s'accordent avec le sujet grammatical (voir le chapitre 3, pages 26 et suivantes).

On distingue **deux séries** de terminaisons de la personne et du nombre :

• **Le type 1**, employé à l'indicatif présent de tous les verbes, à l'exception de ***sein***, ***wissen*** et des verbes de modalité.

-e, -[e]st, -[e]t, -[e]n, -[e]t, -[e]n.

• **Le type 2**, employé à tous les autres temps et à l'indicatif présent de ***wissen*** et des verbes de modalité.

-ø, -[e]st, -ø, -[e]n, -[e]t, -[e]n.

Les deux types diffèrent à la 1re et à la 3e personne du singulier qui est **ø** dans le type 2.

L'i**mpératif** (voir dans ce chapitre page 84) est **défectif** (pas de 1re ni de 3e personne du singulier) et ses terminaisons sont les suivantes :

-[e], -[e]n, -[e]t, -[e]n.

Le tableau suivant résume le système de terminaisons.

		Type 1	Type 2			
		INDICATIF PRÉSENT	PRÉTÉRIT (VERBES FORTS)	PRÉTÉRIT SUBJ.II (VERBES FAIBLES)	SUBJ. I ET II PRÉSENT (VERBES FORTS)	IMPÉRATIF
SING.	1re pers.	**-e**	**-ø**	*-te* **-ø**	*-e* **-ø**	
	2e pers.	*-[e]st*	*-[e]st*	*-te -st*	*-e -st*	*-[e]*
	3e pers.	***-[e]t***	**-ø**	*-te* **-ø**	*-e* **-ø**	
PLUR.	1re pers.	*-[e]n*	*-[e]n*	*-te -n*	*-e -n*	*-[e]n*
	2e pers.	*-[e]t*	*-[e]t*	*-te -t*	*-e -t*	*-[e]t*
	3e pers.	*-[e]n*	*-[e]n*	*-te -n*	*-e -n*	*-[e]n*

C **Les particularités phonétiques** et/ou **orthographiques**.

• La terminaison ***-en*** se réduit à ***-n*** à droite d'un ***-e-*** **atone** et d'un ***-l-*** / ***-r-***.

*sie leb-****te****-n, sie wär-****e****-n ; sie hande****l****-n, sie zitt****er****-n*

• Pour les verbes faibles, les terminaisons ***-st***, ***-t***, ***-te***, ***-ten*** ajoutent un ***-e-* intercalaire** au contact gauche d'une **dentale *-d/t-*** ou d'un groupe **nasal** autre que ***hm/ hn***, ***lm/ ln***, ***rm/ rn***.

*du leis**t**-e-st* : tu réalises / *ihr arbei**t**-e-t* : vous travaillez / *es reg**n**-e-t* : il pleut / *er zeich**n**-e-te* : il dessinait / *sie at**m**-e-ten* : ils respiraient.

► Pour les verbes forts, voir annexe, page 357.

• Les verbes en ***-eln-*** et en ***-ern-*** perdent le ***-e-*** du radical à la 1re personne du singulier de l'indicatif présent.

*ich bast-**le*** : je bricole / *ich hand-**le*** : je traite une affaire / *ich zitt[e]**re*** : je tremble

L'allemand moderne n'admet plus la séquence ***-ele-*** : *die dunk**le** Nacht.*

• Quand le radical verbal se termine par ***-ß***, ***-chs***, ***-x***, ***-z***, le ***-s-*** de la 2e personne du singulier de l'indicatif présent disparaît. Les 2e et 3e personnes, différenciées naguère par un ***-e-* intercalaire**, se prononcent et s'écrivent aujourd'hui de façon identique.

du setzt - er setzt - ihr setzt (faible) : tu poses - il pose - vous posez
du sitzt - er sitzt - ihr sitzt (fort) : tu es assis - il est assis - vous êtes assis
du reist - er reist - ihr reist : tu voyages - il voyage - vous voyagez
du lässt - er lässt : tu laisses - il laisse, mais : *ihr lasst* : vous laissez
du beißt - er beißt - ihr beißt : tu mords - il mord - vous mordez.

3 L'indicatif présent

A Les verbes faibles

Les verbes faibles ne prennent pas de marque particulière du temps ou du mode. Les terminaisons de type 1 sont directement accrochées au radical de l'infinitif.

FRAGEN / DEMANDER			
	*ich frag**e***	*du frag**st***	*er/es/sie frag**t***
	*wir frag**en***	*ihr frag**t***	*sie/Sie frag**en***

B Les verbes forts

BLEIBEN / RESTER			
	*ich bleib**e***	*du bleib**st***	*er/es/sie bleib**t***
	*wir bleib**en***	*ihr bleib**t***	*sie/Sie bleib**en***

Pour certains verbes forts la voyelle du radical de la 2e et de la 3e personne du singulier change :

a → ä : *fahren*, *du fährst* (conduire) / *schlafen*, *du schläfst* (dormir)
au → äu : *laufen*, *sie läuft* (courir/ marcher) / *saufen* (*das Tier säuft*) : boire
e → i[e] : *geben*, *du gibst* (donner) / *lesen*, *er liest* (lire)
o → ö : *stoßen* (heurter/ pousser) : *er stößt an* (il trinque [verre])
ö → i : *erlöschen* (s'éteindre) : *das Feuer erlischt* (le feu s'éteint).

• Le changement de voyelle du radical de certains verbes forts empêche l'addition d'un **-e- intercalaire** à gauche d'un radical qui se termine par une **dentale *-d/-t*** :

du hältst : tu tiens / *du rätst* : tu devines / *du lädst* : tu invites / *du trittst* : tu marches / *er hält* : il tient / *er rät* : il devine / *er lädt* : il invite / *er tritt* : il marche / *sie flicht* : elle tresse.

• Attention au changement de longueur des voyelles :

nehmen (longue) : *du nimmst*, *er nimmt* (brève)
treten (longue) : *du trittst*, *er tritt* (brève).

C Les verbes prétérito-présents

Les verbes de modalité et le verbe ***wissen*** ont, au présent, une forme ancienne de prétérit. C'est la raison pour laquelle ils ont une forme de radical au singulier et une au pluriel (à l'exception de ***sollen***). Les terminaisons sont de type 2 :

ich kann, *wir können* - *ich darf*, *wir dürfen* - *ich weiss*, *wir wissen*

mais : *ich soll, wir sollen.*

4 L'indicatif prétérit

A

Au radical des **verbes faibles** s'ajoute la terminaison ***-[e]te-*** et les marques de type 2 : ***-ø***, ***-st***, ***-ø***, ***-n***, ***-t***, ***-n***

WOHNEN	*ich wohnte-ø*	*du wohnte-st*	*er/es/sie wohnte-ø*
HABITER	*wir wohnte-n*	*ihr wohnte-t*	*sie/Sie wohnte-n*

• Les verbes faibles irréguliers changent de voyelle :

*br**ach**te* - *d**ach**te* - *k**a**nnte* - *n**a**nnte* - *r**a**nnte.*

• Attention au **-e- intercalaire** après une **dentale** ou un groupe **nasal**.

*er lande**te*** : il atterrit / *sie arbeite**te*** : elle travaillait / *es regn**e**te* : il pleuvait / *du atm**e**test* : tu respirais / *sie zeichn**e**te* : elle dessinait / *du wart**e**test* : tu attendais.

B **Les verbes forts** changent la voyelle du radical au prétérit et ont aussi, comme terminaisons, les marques de type 2 : ***-ø***, ***-[e]st***, ***-ø***, ***-[e]n***, ***-[e]t***, ***-[e]n.***

TRAGEN / PORTER			
TRAGEN	*ich trug-ø*	*du trug-st*	*er/es/sie trug-ø*
PORTER	*wir trug-en*	*ihr trug-t*	*sie/Sie trug-en*

• Comme pour le présent, on veillera au changement de longueur des voyelles :

nehmen (longue) : *du nimmst, er nimmt* (brève), *ich/er nahm* (longue)
treten (longue) : *du trittst, er tritt* (brève), *ich/er trat* (longue)
sprechen (brève) : *sie spricht* (brève), *ich/er sprach* (longue).

• Si on ajoute les formes du participe II, qui changent aussi de voyelle, on a pour chaque verbe fort deux **formes radicales** - ou trois dans certains cas - présentées le plus souvent dans l'ordre suivant :
voyelle de l'**infinitif,** voyelle du **prétérit**, voyelle du **participe II**, suivies éventuellement de la voyelle de la 2e et 3e personne du singulier de l'indicatif présent :

INFINITIF	PRÉTÉRIT	PARTICIPE II	PRÉSENT
essen (brève)	*aß* (longue)	*gegessen* (brève)	*du isst, er isst* (brève)

résumé par : ***essen (a, e, i)***

C **Les verbes prétérito-présents**

Les **verbes de modalité** et le verbe ***wissen*** ont aujourd'hui à l'indicatif prétérit une forme de verbe faible avec un radical **sans inflexion** :
*ich k**a**nn**te** - er d**u**rf**te** - du m**u**ss**test** - wir s**o**ll**ten** - ihr w**o**ll**tet** - Sie m**o**ch**ten** - er verm**o**ch**te** - ich/ er w**u**ss**te**.*

5 Les formes composées du futur

L'allemand n'a pas, contrairement au français, de forme du futur simple. Sa forme du **futur I** est constituée de ***werden*** (au présent de l'indicatif) **+ infinitif**.

SINGEN / CHANTER			
SINGEN	*ich werde singen*	*du wirst singen*	*er/es/sie wird singen*
CHANTER	*wir werden singen*	*ihr werdet singen*	*sie/Sie werden singen*

Au futur I correspond une forme beaucoup plus rare de **futur II**, appelée également futur de **l'accompli** ou futur **antérieur**. Elle est formée avec l'auxiliaire ***haben*** ou ***sein*** (au futur I) + **participe II** de la base verbale à conjuguer.

ich werde gesungen haben	*wir werden gesungen haben*
du wirst gesungen haben	*ihr werdet gesungen haben*
er/es/sie wird gesungen haben	*sie/Sie werden gesungen haben*

► Pour l'emploi des formes du futur, voir le chapitre 26, pages 309-310.

6 Les formes composées du parfait

On appelle aussi ces formes celles de **l'accompli**. Elles sont constituées de l'auxiliaire ***haben*** ou ***sein*** + **participe II** de la base verbale conjuguée.

A L'indicatif parfait

SPRECHEN / PARLER			
	ich habe gesprochen	*du hast gesprochen*	*er/es/sie hat gesprochen*
	wir haben gesprochen	*ihr habt gesprochen*	*sie/Sie haben gesprochen*

B L'indicatif plus-que-parfait

LAUFEN / COURIR			
	ich war gelaufen	*du warst gelaufen*	*er/es/sie war gelaufen*
	wir waren gelaufen	*ihr wart gelaufen*	*sie/Sie waren gelaufen*

► Pour les formes de l'accompli (du parfait ou du passé) des subjonctifs I et II, voir page 83.

7 Le choix de l'auxiliaire

HABEN

Les formes composées du parfait (de l'actif indicatif, subjonctif I et II) sont constituées avec l'auxiliaire ***haben*** pour la plupart des bases lexicales verbales, c'est-à-dire pour :

• Les verbes **transitifs**, même si le complément d'objet n'est pas exprimé.

*Er **hat** ihm einen guten Rat gegeben*. Il lui a donné un bon conseil.

***Haben** Sie schon gegessen?* Avez-vous déjà mangé ?

• Les verbes **de modalité**.

*Das **habe** ich nicht tun wollen*. Ce n'était pas mon intention de le faire.

• Les verbes **intransitifs pris dans leur durée**.

schlafen : dormir / *warten* : attendre / *wohnen* : habiter / *leben* : vivre / *studieren* : étudier / *scheinen* : paraître / *brennen* : brûler / *tanzen* : danser...
*Auf dich **haben** wir gerade noch gewartet!* Il ne manquait plus que toi !

*Heute **hat** die Sonne nicht sehr lange geschienen*.
Aujourd'hui le soleil n'a pas brillé très longtemps.

• Les verbes à **sujet impersonnel**.

regnen : pleuvoir / *schneien* : neiger / *klingeln* : sonner / *klopfen* : frapper...

*Es **hat** in dichten Flocken geschneit*. Il a neigé à gros flocons.

*Das Telefon/ Es **hat** geklingelt*. Le téléphone a sonné./ On a sonné.

• Les verbes **pronominaux réfléchis** (contrairement au français).

*Die Tür **hat** sich automatisch geöffnet*. La porte s'est ouverte automatiquement.

*Sie **hat** sich lange daran erinnert*. Elle s'en est souvenue longtemps.

Les verbes **réciproques avec objet au datif** s'emploient avec ***sein*** :

*Sie **sind** sich um den Hals gefallen*. Ils sont tombés au cou l'un de l'autre.

*Sie **sind** sich oft begegnet*. Ils se sont souvent rencontrés.

SEIN

Sont constituées avec ***sein*** les formes du parfait :

• De l'auxiliaire ***sein*** lui-même, et des verbes : ***bleiben*** (rester), ***werden*** (devenir) et leurs composés : ***stehen bleiben*** (rester debout/ s'arrêter), ***loswerden* + acc.** (se débarrasser de...).

*Ich **bin** diese Sorge endlich losgeworden*.
Je me suis enfin débarrassé de ce souci.

• Des verbes **intransitifs** qui expriment un **événement** comme : *geschehen*, *passieren*, *vorkommen* (se produire, passer).

Es ***ist*** *ein Wunder geschehen.* Un miracle s'est produit.

So etwas ***ist*** *mir noch nicht vorgekommen.*
Une chose pareille ne m'est pas encore arrivée.

• Des verbes **intransitifs** qui expriment une **mutation** ou un **changement d'état**.

wachsen : croître / *reifen* : mûrir / *schmelzen* : fondre / *platzen* : éclater / *explodieren* : exploser...

Die Knospen ***sind*** *schon geplatzt.* Les bourgeons ont déjà éclaté.

In Algier ***ist*** *eine Autobombe explodiert.* À Alger, une voiture piégée a explosé.

ou

erblühen : fleurir / *einschlafen* : s'endormir / *aufwachen* : se réveiller...

Ich ***bin*** *schnell aus der Narkose aufgewacht.*
Je suis rapidement sorti de l'anesthésie.

Der Opa ***war*** *wie immer beim Lesen eingeschlafen.*
Le grand-père s'était comme toujours endormi en lisant.

• Des verbes **intransitifs** qui expriment un **changement de lieu**, voire **de position**.

gehen : aller / *kommen* : venir / *laufen* : courir / *folgen* : suivre / *scheitern* : échouer...

Ich ***bin*** *den ganzen Tag gelaufen.* J'ai couru toute la journée.

Seine Pläne ***sind*** *gescheitert.* Ses plans ont échoué.

1. En français; les verbes intransitifs correspondants qui expriment un changement de lieu ou de position sont souvent construits avec « avoir ».

ich bin gesprungen/ gefahren : j'ai sauté/ roulé
ich bin geklettert/ geklommen : j'ai grimpé
ich bin gelaufen/ gerannt/ geschwommen : j'ai couru/ nagé
ich bin gekrochen/ gestolpert : j'ai rampé/ trébuché
ich bin gewandert/ geritten/ gerudert : j'ai marché/ chevauché/ ramé
ich bin gestartet/ geflogen/ gelandet : j'ai décollé/ volé/ atterri...

Certains de ces verbes peuvent pourtant dans certains cas - par exemple dans un emploi **transitif** - être construits avec ***haben*** :

Er ***ist*** *heute früh nach München gefahren.*
Il est parti tôt ce matin en voiture à Munich.

mais :

Haben *Sie schon mal einen Porsche gefahren?*
Avez-vous déjà conduit une Porsche ?

*Die ganze Familie **ist** nach Holland gezogen.*
Toute la famille est partie s'installer en Hollande.

mais :

*Emilie **hat** das Große Los gezogen.* Émilie a tiré le gros lot.

2. L'usage est hésitant pour ***stehen***, ***liegen***, ***sitzen***, employés avec ***haben*** (dans le Nord) et ***sein*** (dans le Sud) :

*Er **hat**/ **ist** kerzengerade da gestanden.*
Il était là debout droit comme un i/ comme un cierge.

8 Les subjonctifs I et II

Les subjonctifs I et II ont chacun :

– une forme simple (appelée présent),

– une forme dite du passé ou du parfait ou de l'accompli (construite avec ***haben***/ ***sein*** + participe II),

– une forme dite du futur (constituée de ***werden* + infinitif**).

LE SUBJONCTIF I PRÉSENT

• Les formes du subjonctif I sont toutes constituées avec le radical de l'infinitif + ***-e-*** + les marques de type 2 : ***-ø***, ***-st***, ***-ø***, ***-n***, ***-t***, ***-n***.

GEBEN	*ich gebe*	*du gebest*	*er gebe*
DONNER	*wir geben*	*ihr gebet*	*sie geben*

• Le verbe ***sein*** est irrégulier.

SEIN	*ich sei*	*du seist*	*er/es/sie sei*
ÊTRE	*wir seien*	*ihr sei[e]t*	*sie/Sie seien*

• Au subjonctif I présent, mis à part le verbe ***sein*** et les verbes prétérito-présents (***wissen*** + verbes de modalité), seules les 2e et 3e personnes du singulier ont une forme différente de celle à l'indicatif présent.

SUBJONCTIF I PRÉSENT	INDICATIF PRÉSENT
du gebest, er gebe	*du gibst, er gibt*
du tragest, er trage	*du trägst, er trägt*

• Pour les verbes demandant le **-e- intercalaire**, seule la 3e personne du singulier est distincte de l'indicatif présent :

SUBJONCTIF I PRÉSENT	INDICATIF PRÉSENT
*er red**e***	*er red**et***
du redest	*du redest*

Ce peu de différence formelle explique entre autres qu'au discours indirect marqué par le subjonctif, le subjonctif I soit souvent remplacé par la forme correspondante du subjonctif II.

LE SUBJONCTIF II PRÉSENT

A Les verbes **faibles** ont, au subjonctif II présent, exactement les mêmes formes que celles du prétérit de l'indicatif. Au radical s'ajoutent, en effet, ***-[e]te-*** et les marques du type 2 : ***-ø***, ***-st***, ***-ø***, ***-n***, ***-t***, ***-n***.

WOHNEN	*ich wohnte-ø*	*du wohnte-st*	*er/es/sie wohnte-ø*
HABITER	*wir wohnte-n*	*ihr wohnte-t*	*sie/Sie wohnte-n*

Le verbe ***haben*** fait au subjonctif II présent : *ich h**ä**tte*, le verbe ***brauchen*** : *ich brauchte* ou *ich br**ä**uchte*. Les deux verbes faibles irréguliers ***bringen*** et ***denken*** font : *ich br**ä**chte* et *ich d**ä**chte*.

B Les verbes **forts** forment leur subjonctif II présent avec le radical du prétérit de l'indicatif + ***-e-*** + les marques de type 2 : ***-ø***, **- *st***, **- *ø***, **- *n***, **- *t***, **- *n***.

GEHEN	*ich ginge-ø*	*du ginge-st*	*er/es/sie ginge-ø*
ALLER	*wir ginge-n*	*ihr ginge-t*	*sie/Sie ginge-n*

Si la voyelle du radical du prétérit est ***-a-***, ***-o-*** ou ***-u-***, celle-ci prend l'inflexion : *ich war → ich w**ä**re*.

ZIEHEN	*ich z**ö**ge-ø*	*du z**ö**ge-st*	*er/es/sie z**ö**ge-ø*
TIRER	*wir z**ö**ge-n*	*ihr z**ö**ge-t*	*sie/Sie z**ö**ge-n*

C L'inflexion différencie aussi l'indicatif prétérit du subjonctif II présent des **verbes prétérito-présents** :

INDICATIF PRÉTÉRIT	SUBJONCTIF II PRÉSENT
ich wusste	*ich wüsste*
ich konnte	*ich könnte*
ich durfte	*ich dürfte*
ich musste	*ich müsste*
ich mochte	*ich möchte*

> ***Wollen*** et ***sollen*** ont des formes identiques à l'indicatif prétérit et au subjonctif II présent : *ich wollte* et *ich sollte*.

D Cinq verbes ont, au subjonctif II présent, une autre voyelle infléchie que celle du prétérit :

werfen (jeter) :	*er warf*	→	*er würfe*
sterben (mourir) :	*er starb*	→	*er stürbe*
verderben (gâter/ pourrir) :	*er verdarb*	→	*er verdürbe*
schelten (réprimander) :	*er schalt*	→	*er schölte*
werben (rechercher qch./ faire de la publicité) :	*er warb*	→	*er würbe*

E Une quinzaine d'autres verbes ont une **double forme** :

– ***ö / ä*** : *beginnen* (commencer) : *ich begönne* → *ich begänne*...

De même : *befehlen* (commander), *empfehlen* (recommander), *gelten* (valoir), *gewinnen* (gagner), *schwimmen* (nager), *stehlen* (voler),

– ***ü / ä*** : *verstehen* (comprendre) : *ich verstünde* → *ich verstände*...

De même : *helfen* (aider),

– ***ü / ö*** : *heben* (lever) : *ich hübe* → *ich höbe*...

De même : *schwören* (jurer)...

> **1.** Les formes simples du subjonctif II présent sont remplacées de plus en plus par la forme composée ***würde* + infinitif** :
>
> *er lernte* → *er* ***würde*** *lernen / er rennte* → *er* ***würde*** *rennen*
> *sie gingen* → *sie* ***würden*** *gehen / er trüge* → *er* ***würde*** *tragen.*
>
> La raison en est, sans doute, qu'au subjonctif II présent, beaucoup de verbes (faibles réguliers, faibles irréguliers, sauf ***bringen*** et ***denken***, forts qui ont au prétérit une voyelle ou une diphtongue autre que ***-a-***, ***-o-*** ou ***-u-***) n'ont pas ou peu de formes distinctives des formes correspondantes du prétérit. Comparer le prétérit ***ich/ er ging-ø*** et le subjonctif II présent ***ich/ er ginge-ø***.

Par ailleurs, les formes en ***-ü-*** et ***-ö-*** ont tendance à être considérées comme faisant partie de la langue littéraire et, même parmi les verbes dont la forme simple du subjonctif II présent est encore courante et qui ont la marque supplémentaire de l'inflexion, on a, dans la langue courante, des modifications comme des chutes de terminaisons. Par exemple :

ich wär/ käm, du wärst/ kämst, wir/ sie wärn, ihr wärt/ kämt.

2. Restent cependant particulièrement courantes les formes simples :

– des subjonctifs II présents suivants : *er bliebe, bräuchte, fände, fiele, gäbe, ginge, käme, läge, liefe, ließe, nähme, sähe, säße, täte,*

– des auxiliaires : *hätt[e], wär[e], würde,*

– des verbes prétérito-présents : *dürfte, könnte, möchte, müßte, sollte, wollte, wüsste.*

Mais seules les formes simples des auxiliaires et des verbes prétérito-présents ne sont pas remplacées par la forme composée ***würde* + infinitif**.

LES SUBJONCTIFS I ET II PASSÉ ET FUTUR

A **Le subjonctif I passé** (encore appelé « subjonctif I parfait » ou « accompli ») est constitué de l'auxiliaire ***haben*** ou ***sein*** au subjonctif I présent + participe II :

Er ***sei*** *gekommen /* ***habe*** *gegeben.*

Le subjonctif I futur est constitué de l'auxiliaire ***werden*** au subjonctif I présent + infinitif :

Er ***werde*** *kommen / geben.*

B **Le subjonctif II passé** (encore appelé « subjonctif II parfait » ou « accompli ») est constitué de l'auxiliaire ***haben*** ou ***sein*** au subjonctif II présent + participe II :

Er ***hätte*** *gedacht. Er* ***wäre*** *gelaufen.*

Le subjonctif I futur est constitué de l'auxiliaire ***werden*** au subjonctif II présent + infinitif :

Er ***würde*** *kommen/ gehen.*

9 L'impératif

L'impératif est formé à partir du radical de l'infinitf auquel sont ajoutées les marques : ***-[e]***, ***-[e]n***, ***-[e]t***, ***-[e]n***.

sag[e] (2e personne du singulier)

sagen wir (1re personne du pluriel)

sagt (2e personne du pluriel)

sagen Sie (3e personne du pluriel forme de vouvoiement).

A Seuls les verbes forts qui changent la voyelle du radical aux 2e et 3e personnes du singulier de l'indicatif présent modifient ***-e[h]-*** en ***-i[e]-*** à la 2e personne du singulier de l'impératif :

Sprich lauter! Parle plus fort ! *Hilf ihm!* Aide-le ! *Gib!* Donne ! *Sieh!* Vois !

Sein et ***werden*** font, à la 2e personne du singulier de l'impératif, ***sei*** (sois) et ***werde*** (deviens).

B À la 2e personne du singulier, la terminaison **-*e*** est facultative et souvent omise dans la langue d'aujourd'hui :

Bleib ruhig! Reste tranquille ! *Fahr nicht so schnell!* Ne roule pas si vite !

Elle est systématiquement omise pour les verbes qui changent leur voyelle ***-e[h]-*** en ***-i[e]-***, sauf dans la lexicalisation : *s**ie**he* (confer).

Elle ne peut pas être supprimée :

• À la 2e personne du singulier des verbes en ***-el[n]/-er[n]***.

Handle! Agis ! *Klett[e]re!* Grimpe !

• Aux 2e personnes du singulier et du pluriel des verbes dont le radical se termine par une **dentale *-d/-t*** ou par un groupe **nasal** autre que ***-h/-hn***, ***-lm/-l***, ***-rm/-rn***.

Arbeite! Travaille ! *Atme tief ein!* Respire profondément ! *Zeichnet!* Dessinez !

• À la 2e personne du singulier des verbes en ***-ig[en]***.

Entschuldige ihn! Excuse-le !

8 Les degrés de qualification et d'intensité

A savoir

Le degré I et II de l'adjectif

Contrairement au français, l'allemand forme le degré 1 et le degré 2 de l'adjectif et de quelques adverbes qui acceptent une gradation en ajoutant un **suffixe au radical du mot**.

klug / klüger / der klügste / am klügsten
intelligent / plus intelligent / le plus intelligent / [être] le plus intelligent

On parle, dans ce cas, de gradation ou de degrés formés à l'aide de marques grammaticales. La forme en ***[¨]er*** est aussi appelée **comparatif** et la forme en ***-[e]st-*** **superlatif**, bien qu'on ne désigne par ces termes qu'un de leurs emplois : celui qu'ils assurent dans l'expression des degrés de la comparaison.

Le degré par moyens lexicaux

Comme en français, le degré de qualification et d'intensité peut aussi être exprimé par des moyens lexicaux, notamment par des mots invariables, adverbes ou particules, appelés **graduatifs**.

Er freut sich ***sehr***. Il se réjouit beaucoup.
Wir haben nie Geld ***genug***. Nous n'avons jamais assez d'argent.
Ce degré lexical peut aussi se combiner avec le degré 1 et 2 marqué par les suffixes grammaticaux ***[¨]er*** et ***[¨](e)st-***.

Er ist viel größer als ich. Il est beaucoup plus grand que moi.
moyen lexical (viel) – degré 1 (als)

Er ist der weitaus beste Spieler. Il est de loin le meilleur joueur.
moyen lexical (weitaus) – degré 2 (Spieler)

Les comparaisons

Pour exprimer les différentes opérations de comparaison comme l'**équivalence**, la **supériorité** ou l'**infériorité**, on combine fréquemment les moyens grammaticaux et lexicaux.

Das ist halb ***so*** *schlimm,* ***wie*** *man glaubt.*
C'est moitié moins grave qu'on ne croit.
Er ist viel ***älter***, ***als*** *er aussieht.* Il est beaucoup plus âgé qu'il n'en a l'air.

A savoir

1 Les marques du degré 1 et 2 de l'adjectif

	Degré 1 : [¨]er (comparatif)	Degré 2 : [¨]st- (superlatif)
Adjectif épithète	*ein **ält**e**r**er Freund* *ein schnell**er**es Auto*	*der **ält**e**st**e Freund* *das schnell**st**e Auto*
Adjectif attribut et adverbe	***ält**er sein* *schnell**er** fahren* *sich bess**er** fühlen*	***am** ält**e**st**en sein* ***am** schnell**st**en fahren* *sich **am** be**st**en fühlen*

A Une vingtaine d'adjectifs d'une seule syllabe prennent obligatoirement l'inflexion (*Umlaut*).

Adjectif	Degré 1	Degré 2	Degré 2 (adverbe)	
alt	*älter*	*ältest-*	*am ältesten*	vieux
arm	*ärmer*	*ärmst-*	*am ärmsten*	pauvre
dumm	*dümmer*	*dümmst-*	*am dümmsten*	bête
grob	*gröber*	*gröbst-*	*am gröbsten*	grossier
groß	*größer*	*größt-*	*am größten*	grand
hart	*härter*	*härtest-*	*am härtesten*	dur
jung	*jünger*	*jüngst-*	*am jüngsten*	jeune
kalt	*kälter*	*kältest-*	*am kältesten*	froid
krank	*kränker*	*kränkst-*	*[am kränkesten]*	malade
kurz	*kürzer*	*kürzest-*	*am kürzesten*	court
lang	*länger*	*längst-*	*am längsten*	long
oft	*öfter*	*öfst-*	*am öftesten*	souvent
scharf	*schärfer*	*schärfst-*	*am schärfsten*	tranchant / épicé
schwach	*schwächer*	*schwächst-*	*am schwächsten*	faible
schwarz	*schwärzer*	*schwärzest-*	*[am schwärzesten]*	noir
stark	*stärker*	*stärkst-*	*am stärksten*	fort

Hoch et ***nah*** ont une formation particulière :

Adjectif	Degré 1	Degré 2	Degré 2 (adverbe)	
hoch	*höher*	*höchst-*	*am höchsten*	haut
nah	*näher*	*nächst-*	*am nächsten*	proche

B Ont des formations irrégulières :

bald : bientôt	*eher*[1] : plus tôt	*am ehesten* : au plus tôt
gern/ lieb : volontiers/ cher	*lieber*	*am liebsten*
gut/ wohl [2] : bien	*besser* : meilleur	*best-/ am besten* : au mieux/ le meilleur
viel : beaucoup	*mehr* : plus	*meist- / am meisten* : la plupart [du temps]
wenig : peu [de]	*weniger* : moins *[minder]*	*wenigst- /* *am wenigsten* : le moins *mindest- /am mindesten*

1 - ***eher*** fonctionne aussi dans le sens de « plutôt » : *Alles andere eher als das!* Tout plutôt que cela !
2 - Dans le sens de « à l'aise », le degré 1 et 2 de ***wohl*** est : *wohler, am wohlsten : Hier fühle ich mich wohler*. Ici, je me sens plus à l'aise.

C Les éléments gradables dont le radical se termine par ***-d***, ***-t***, ***-s***, ***-z***, ***-sch*** prennent un ***-e-*** intercalaire au degré 2 :

*breit / die breit**e**ste Straße* : large / la rue la plus large
*kurz / der kürz**e**ste Weg* : court / le chemin le plus court

à part quelques exceptions :

groß / das größte Denkmal : grand / le monument le plus grand

ainsi que les mots dont la syllabe suffixe n'est pas accentuée :

spannend / der °spannendste Film : passionnant / le film le plus passionnant
komisch / der °komischste Mensch : drôle / l'homme le plus drôle.

D En revanche, les éléments gradables dont le radical se termine par ***-el***, ***-en***, ***-er*** perdent régulièrement le ***-e-*** inaccentué au degré 1.

teuer / ein teures Auto / ein teureres Auto : cher / une voiture chère / plus chère
dunkel / eine dunkle Nacht / eine dunklere Nacht : sombre / une nuit sombre / plus sombre
trocken / trock(e)nes Klima / trock(e)neres Klima : sec / un climat sec / plus sec.

2 L'expression lexicale du degré

LES LEXÈMES FIGÉS

A Les mots invariables figés avec une marque de degré 1 ou 2 et dont l'emploi est fréquent, sont :

äußerst / höchst : extrêmement	*längst* : depuis longtemps
bestens [informiert] : très bien [informé]	*mehr* : plus
demnächst : prochainement	*öfters* : assez souvent
eher : plutôt	*später* : plus tard
früher : naguère	*viel mehr* : bien plutôt
frühestens / spätestens : au plus tôt / au plus tard [date]	*wenigstens / mindestens* : au moins
höchstens : tout au plus	*zunächst* : d'abord

B Parmi les lexèmes figés, certains font partie de la langue administrative et commerciale.

gefälligst (pour renforcer un ordre)	*schnellstens* : au plus vite
höflichst (pour accompagner poliment une demande)	*wärmstens [empfehlen]* : [recommander] chaudement
möglichst [bald] : le plus [vite] possible	*zutiefst [gerührt]* : profondément [touché]

LES GRADUATIFS

Les graduatifs ou modulateurs du degré peuvent être classés :

• D'après leur **sens** : excès, grande intensité, intensité moyenne, petite intensité, rôle dans la comparaison explicite avec expansion…

• Selon le **groupe syntaxique** dont ils peuvent être membres. Ainsi ***sehr*** peut déterminer un adjectif ou un verbe alors que « très » en français ne peut déterminer qu'un adjectif.

Er ist ***sehr*** *krank und leidet* ***sehr*** *[viel].* Il est très malade et souffre beaucoup.

Genug suit le lexème-base qu'il détermine, mais peut aussi précéder une base nominale :

Er hat ***genug*** *Geld.* Il a assez d'argent.

Er hat Geld ***genug.*** Il a suffisamment d'argent.

mais il est uniquement postposé à la base adjectivale :

Er ist groß ***genug***. Il est assez grand.

• En fonction de leur participation à l'expression d'une **graduation** :

– **absolue** sans expansion de degré

Er ist viel zu klein. Il est bien trop petit.
graduatif

– **relative** à un terme de référence signalé par une expansion de degré

Er ist viel älter als ich. Il est bien plus âgé que moi.
graduatif — degré 1 — expansion du degré 1

A L'**intensité grande** ou **petite** est exprimée par des graduatifs qui s'emploient, en général, dans une gradation **absolue**, c'est-à-dire **sans expansion possible** du degré.

Gradation absolue (sans expansion)	
Grande intensité	**Petite intensité**
sehr : très	*[ein] wenig* : un peu
ganz / gar / völlig / vollkommen : tout à fait	*ein bißchen / etwas* : un peu
völlig : entièrement	*kaum* : à peine
äußerst / höchst : extrêmement	*leicht* : légèrement
absolut / durchaus : tout à fait	
[ganz] besonders : particulièrement	*so gut wie* : comme / à peu près
recht / stark : fort	
viel : beaucoup	
*Wir sind **sehr** müde.* graduatif groupe adjectival attribut Nous sommes très fatigués.	*Wir sind **etwas** müde.* graduatif groupe adjectival attribut Nous sommes un peu fatigués.
Er verspielt sehr viel [Geld]. Il perd beaucoup [d'argent] au jeu.	*Er verspielt nur wenig [Geld].* Il ne perd que peu d'argent au jeu.
	Das ist so gut wie nichts. C'est à peu près rien.
	Das ist so gut wie sicher. C'est à peu près sûr.

Bedeutend, ***erheblich*** (très) et ***wesentlich*** (essentiellement) servent également à exprimer la grande intensité, mais ils sont suivis du degré 1 et le plus souvent d'une expansion :

*Er ist wesentlich kl**üger** als sein Bruder.*
Il est bien plus intelligent que son frère.

La grande intensité peut aussi s'exprimer par toute une série de mots « en vogue » comme :

riesig / unheimlich / ungemein / ungeheuer : énormément
wahnsinnig / verdammt / irrsinnig : extraordinairement
echt / schön : vraiment
prima / dufte / toll / super : très / super.

B L'expression de l'**intensité moyenne** et de l'**excès** s'exprime avec ou sans expansion.

GRADATION ABSOLUE SANS EXPANSION	GRADATION RELATIVE AVEC EXPANSION
• *[groß] genug, [nicht groß] genug* *Sie ist groß* ***genug****,...* Elle est assez grande...	***um*** + groupe infinitif avec ***zu*** *...um allein auszugehen.* ...pour sortir seule.
• *genug [Geld], [Geld] genug* *Sie haben* ***genug*** *Geld,...* Ils ont assez d'argent...	***zum*** + groupe infinitif nominalisé *...zum Lotto spielen.* ...pour jouer à la loterie.
ziemlich : assez/ passablement/ pas mal *mehr oder weniger* : plus ou moins *relativ/ verhältnismäßig* : relativement	(pas d'expansion possible)
• ***zu*** / ***allzu*** / ***viel zu*** (+ adjectif)	
Es ist mir ***zu*** *kalt...* J'ai trop froid...	*... für eine Wanderung.* complément du groupe adjectival *zum Ausgehen.* ***zum*** + groupe infinitif nominalisé ... pour sortir.
Er ist noch ***viel zu****/* ***allzu*** *klein, ...* Il est encore beaucoup trop petit...	*... um mit ihnen auszugehen.* ... pour sortir avec eux. *... als dass er allein bleiben könnte.* ... pour pouvoir rester seul.

C L'évaluation d'un degré d'**intensité vague et variable** est exprimée :

• De façon indéterminée à l'aide de ***wie***...

Wie *naiv ist er doch!* Qu'il est naïf !

Elle peut être associée à une expansion **explicative** :

Wie *naiv ist er doch, nachts allein durch das Viertel* ***zu*** *gehen.*
Wie *naiv ist er doch,* ***daß*** *er nachts allein durch das Viertel geht.*
Comme il est naïf de traverser le quartier seul la nuit.

• De façon déterminée ou située, à l'aide de **so**...

Er ist ***so*** *naiv!* Il est si/ tellement naïf !

Elle peut être associée à des expansions indiquant un **degré de comparaison** :

Er ist ***so*** *naiv* ***wie*** *seine Eltern.* Il est aussi naïf que ses parents.

Er ist ***so*** *naiv,* ***dass*** *er alles glaubt.* Il est naïf au point de tout croire.

3 Les degrés de comparaison

Les marques de la gradation et les graduatifs sont employés surtout dans l'expression de la **comparaison**. Celle-ci ne représente qu'un des domaines où s'applique l'opération plus large de la gradation.

LA MARQUE *[̈]ER*

A **La marque *[̈]er*** indique un degré **supérieur** dans la comparaison de :

– deux éléments (X est plus grand que Y),

– deux états d'un même élément (envisagé, par exemple, dans des cadres temporels différents : X est aujourd'hui plus grand que hier).

• Le terme de référence est introduit par ***als***.

Paul ist älter ***als*** *ich.* Paul est plus âgé que moi.
degré supérieur au terme de référence

Das hat länger gedauert ***als*** *ich dachte.*
Cela a duré plus longtemps que je ne l'imaginais.

Heute geht das besser ***als*** *früher.* Aujourd'hui, cela va mieux qu'autrefois.

• Le décalage peut être indiqué par un élément **invariable** ou un **complément de mesure.**

Paul ist viel / kaum / zwei Jahre älter ***als*** *ich.*
mesure de la supériorité au terme de référence
Paul est beaucoup/ à peine/ deux ans plus âgé que moi.

B **Avec certains adjectifs**, la marque ***-er- / ̈er-*** sans expansion n'a pas cette valeur de degré supérieur. Formés sur des adverbes correspondants, les adjectifs suivants sont de simples **situatifs**.

untere : du bas / *obere* : du haut
äußere : extérieur / *innere* : intérieur
mittlere : moyen / *niedere* : bas
hintere : derrière / *vordere* : devant
besondere : particulier
die oberen Stockwerke : les étages du haut/ supérieurs
erstere : le premier / *letztere* : le dernier (nommé)

Er hatte zwei Töchter, Elke und Silke. Erstere heiratete, letztere blieb ledig.
Il avait deux filles, Elke et Silke. La première s'est mariée, la deuxième est restée célibataire.

Mais la marque ***[¨]st-*** avec les lexèmes cités est bien un degré 2 au sens du superlatif :

das oberste Stockwerk : l'étage le plus haut/ tout en haut.

C **Avec certains adjectifs de dimension**, la marque ***-er / [¨]er-*** sans expansion n'a pas non plus la valeur d'augmentation de la qualité visée par l'adjectif.

Ainsi ***ein jüngerer Herr*** n'est pas « un monsieur plus jeune », mais « un monsieur assez jeune » et ***ein älterer Herr*** ne désigne pas « un monsieur plus âgé », mais « un monsieur d'un certain âge ».

La marque ***[¨]er-*** indique ici un degré moyen du domaine visé par les deux adjectifs opposés ***alt/ jung***, c'est-à-dire du domaine de l'âge. Elle ne peut pas avoir d'expansion dans ce cas. Comparez :

ein älterer Herr : un monsieur d'un certain âge

ein zehn Jahre älterer Herr : un monsieur plus âgé de dix ans

Autres exemples :

eine kleinere/ größere Summe : une somme modique/ assez importante
längere Zeit : un certain temps
Bleiben Sie für längere Zeit? Resterez-vous un certain temps ?
die mittleren Stände : les classes moyennes

Lorsque l'ensemble des termes comparés ne comporte que deux éléments, l'allemand emploie la marque ***[¨]er-*** alors que le français emploie le superlatif.

Der rechte Arm ist der stärkere. Le bras droit est le plus fort.

Dies ist meine bessere Hälfte. Voici ma meilleure moitié. (désignation humoristique du partenaire dans un couple)

LA MARQUE *[¨]ST-*

A **La marque *[¨]st-*** indique le degré le plus élevé de la qualité ou de l'état envisagé.

Die größte Wohnung liegt im obersten Stockwerk.
L'appartement le plus grand est situé à l'étage supérieur (le plus haut).

B **Le degré 2 de l'adjectif** fonctionne aussi dans des groupes nominaux sans article défini.

*in **bestem** Zustand* : en parfait état / *in **höchster** Eile* : en toute hâte
*Es ist **höchste** Zeit.* Il est grand temps. / ***liebster** Freund* : très cher ami

Les expansions de ces formes de degré 2 ne sont cependant possibles qu'avec des groupes nominaux qui comportent un article défini.

der [weitaus] beste Sänger dieses Chors / in diesem Verein / im Lande / auf der ganzen Welt : [de loin] le meilleur chanteur de cette chorale / de cette association / du pays / du monde entier

Das Schönste, was ich gesehen habe. La plus belle chose que j'ai vue.

LES DIFFÉRENTS DEGRÉS DE COMPARAISON

Les degrés de comparaison sont très nombreux si l'on tient compte de toutes les combinaisons possibles des marques du degré et des graduatifs.

A **Les moyens et structures** les plus couramment utilisés sont :

so (+ adjectif) *wie...* : aussi... que
genauso/ halb so (+ adjectif) *wie...* : exactement aussi... / moitié moins... que
so (+ adjectif) *dass...* : si... que
nicht so (+ adjectif) *wie...* : pas si... que
zu (+ adjectif), *um... zu* (+ infinitif) : trop... pour...
[¨]er als... : plus ... que
[sehr] viel [¨]er als... : beaucoup plus... que

B **Les degrés** les plus fréquemment exprimés sont :

- Le degré **indéterminé**.

***Wie** alt bist du denn?* Quel âge as-tu donc ?
***Wie** alt ist er doch geworden! **Wie** alt er doch geworden ist!*
Qu'est-ce qu'il a vieilli !
***So** alt er auch ist... / Er mag noch **so** alt sein...* Quel que soit son âge...
*Er ist **so** alt!* Il est si/ tellement âgé !

- Le degré d'**équivalence** ou d'**égalité**.

*Er ist **so** alt **wie** sie.* Il a le même âge qu'elle.
*Er ist **genauso**/ **ebenso** alt **wie** sie.* Il a exactement le même âge qu'elle.

- Le degré d'**infériorité**.

*Er ist **nicht so** alt **wie** sie.* Il n'est pas aussi âgé qu'elle.
*Er ist **fast so** alt **wie** sie.* Il a presque le même âge qu'elle.

- Le degré de **supériorité**.

*Er ist nicht [viel] **ält**e**r als** sie.* Il n'est pas [beaucoup] plus âgé qu'elle.

- Le degré **indéterminé** + **conséquence** / finalité.

*Er ist **so** alt, **dass** er nicht mehr gehen kann.*
Il est si vieux qu'il ne peut plus marcher.

• Le degré **excessif** ou **suffisant**.

*Er ist **zu** alt/ alt **genug**, **um** allein reisen **zu** können.*
Il est trop âgé/ assez âgé pour pouvoir voyager tout seul !

• Le degré **progressif** (« devenir »).

*Er wird **immer** kräftiger!* Il devient de plus en plus vigoureux !

• Le degré en **progression parallèle**.

***Je eher, desto/ um so** lieb**er**.* Plus tôt ce sera, plus cela m'arrangera.
Je** läng**er**, **desto besser. Plus cela dure, mieux cela vaut.

• Autres comparaisons.

Wie du mir, so ich dir. Je te rends la monnaie de ta pièce.
So hochtrabende Pläne er einmal hatte, so verzweifelt war er nun.
Autant il avait conçu dans le temps des projets ambitieux, autant il était à présent désespéré.

9 Les déterminants du groupe nominal

A savoir

Définition

Comme en français, les déterminants ou déterminatifs marquent, en allemand, les catégories grammaticales du groupe nominal tout en ajoutant parfois d'autres sens. On peut donc les analyser en petites unités de sens.

• Le **défini** (la détermination) opposé à l'**indéfini** (la non-détermination).

das Kind : l'enfant / *ein Kind* : un enfant
défini — indéfini

Kinder : les (ou des) enfants
défini ou indéfini suivant le contexte

• La quantité qui précise le nombre **singulier** opposé au **pluriel**.

ein** Kind-ø* : un enfant / ***drei** Kind**er : trois enfants

• La mise en relation avec un autre terme qui permet l'identification, par exemple la mise en relation avec un possesseur, pour le **possessif**, ou avec le contexte environnant, pour le **démonstratif**.

***meine** Kinder* / ***unsere** Kinder* : mes enfants / nos enfants
***diese** Kind*er : ces enfants

• Des unités de sens lexicales comme, par exemple, la **proximité** opposée à l'**éloignement** pour les démonstratifs ***dieser*** (ce… ci) et ***jener*** (ce… là).

***diese** Kinder* : ces enfants-ci / ***jene** Kinder* : ces enfants-là

• Des indications sur l'**attitude de communication** comme, par exemple, les déterminants :

– **interrogatifs** :

***Welche** Kinder? **Was für** Kinder?* Quel[le]s [sortes d'] enfants ?

– et/ou **exclamatifs** :

***Welch** ein Leben! **Was für** ein Leben! **So[lch]** ein Leben!* Quelle vie !

Du point de vue de la forme, les déterminants participent au marquage du groupe nominal (voir le chapitre 2, pages 19 et suivantes) et sont placés au début de celui-ci.

Les différents déterminants

Traditionnellement, on distingue parmi les déterminants :

• Les **articles**.

• Les **adjectifs non qualificatifs** répartis en :
– démonstratifs et possessifs,
– numéraux et indéfinis,
– interrogatifs et exclamatifs.

Dans une même classe de déterminants, l'allemand n'a pas toujours le même nombre d'éléments que le français.
Ainsi, le français dispose de quatre sortes d'articles : les **indéfinis** (un, une, des), les **définis** (le, la, les), les **définis contractés** (au, aux, du, des) et les **partitifs** (du, de la, des).
En revanche, l'allemand n'a que des articles :
– **définis** : ***der***, ***das***, ***die***,
– **indéfinis** : ***ein***, ***eine***, avec l'article négatif ***kein***,
– **contractés avec une préposition** : ***am*** *Anfang*: au début / ***zur*** *Zeit* : en ce moment (voir le chapitre 15, page 172).

L'allemand ne dispose pas d'article(s) partitif(s). En revanche, l'absence d'article joue un rôle plus important qu'en français.

3 Les déterminants et les pronoms

En allemand, presque tous les déterminants peuvent être pronominalisés, c'est-à-dire fonctionner de façon autonome comme pronoms (voir le chapitre 23, pages 266 et suivantes), ce qui est rare en français.

Il faut donc en allemand bien distinguer :
– le **déterminant** qui ouvre un groupe nominal
– et le **pronom** qui constitue le plus souvent à lui seul un groupe nominal ou une unité invariable.

Der Mensch benimmt sich merkwürdig.
déterminant article défini
L'homme/ Cet homme a un comportement étrange.

°Der hat sie wohl nicht mehr alle.
pronom démonstratif
Celui-là a perdu la raison/ n'a plus tous ses sens.

Ein Gentleman benimmt sich nicht so.
déterminant article indéfini
Un gentleman ne se comporte pas comme ça.

Da waren mehrere Männer. Einer trug einen schwarzen Mantel.
pronom indéfini
Il y avait là plusieurs hommes. L'un portait un manteau noir.

A savoir

1 Le marquage des déterminants

A Les déterminants du groupe nominal se regroupent en deux séries :

• Ceux qui prennent l'ensemble des marques premières, c'est-à-dire les déterminants du groupe de l'article défini : ***der***, ***das***, ***die***.

• Ceux qui prennent les marques premières, mais qui sont défectifs (c'est-à-dire sans terminaison aux nominatifs singuliers masculin et neutre, et à l'accusatif neutre singulier) : ce sont les déterminants de l'article ***ein***.

► Pour la répartition des marques premières et des marques secondes dans le groupe nominal, voir le chapitre 2, pages 16 et suivantes.

Cas	Masculin		Neutre		Féminin		Pluriel	
Nominatif	*der*	*ein ø*	*das*	*ein ø*	*die*	*eine*	*die*	*keine*
Accusatif	*den*	*einen*	*das*	*ein ø*	*die*	*eine*	*die*	*keine*
Datif	*dem*	*einem*	*dem*	*einem*	*der*	*einer*	*den*	*keinen*
Génitif	*des*	*eines*	*des*	*eines*	*der*	*einer*	*der*	*keiner*

B Les déterminants suivants font partie du groupe ***der***, ***das***, ***die***, ***die*** :
– les démonstratifs ***dieser***, ***jener*** et ***solcher***,
– l'interrogatif ou l'exclamatif ***welcher***,
– les quantifieurs ***jeder*** (au singulier), ***mancher*** (au singulier et au pluriel), ***einige***, ***mehrere***, ***viele***, ***wenige***, ***alle***, ***beide*** (au pluriel).

C Les déterminants suivants font partie du groupe ***ein***, ***eine***. Au pluriel, cependant, ils prennent les marques de ***die*** :
– l'article négatif ***kein***,
– les déterminants possessifs ***mein***, ***dein***, ***sein***, ***ihr***, ***unser***, ***euer***, ***ihr***, ***Ihr***.

2 Les articles et leurs emplois

A Déclinable au début du groupe nominal, l'article peut être :

• ***d-*** (***der***, ***das***, ***die***, ***die***) avec ses diverses formes suivant le genre, le nombre et le cas. C'est l'article **défini**.

• ***ein-*** avec ses diverses formes déclinées. Bien qu'il s'agisse d'un numéral, on l'appelle l'article indéfini.

• L'article peut aussi être **absent**. Les grammaires qui admettent le caractère obligatoire du déterminant dans le groupe nominal appellent l'absence d'article le « déterminant ou l'article zéro », quand il a une valeur significative. Par exemple ***ein Kind/ ø Kinder*** (un enfant/ des enfants) s'oppose à ***das Kind/ die Kinder*** (l'enfant/ les enfants).

► Pour l'article contracté avec une préposition, voir le chapitre 15, page 172.
► Pour ***kein-***, voir le chapitre 22, page 264.

B Les trois réalisations de l'article correspondent à trois fonctions fondamentales sur le plan du sens.

• **L'absence d'article** est le signe de l'absence de détermination / définitude, c'est-à-dire que le groupe nominal sans article peut, suivant le contexte, être déterminé / défini ou indéterminé / indéfini. Ainsi dans l'exemple allemand suivant, le sujet sans article est défini et l'attribut sans article est indéterminé :

Rosen sind Blumen. Les roses sont des fleurs.

• L'article ***d-*** (***der***, ***das***, ***die***, ***die***) est le signe du groupe nominal déterminé /défini : il pose ce qui est défini comme identifiable dans la situation de communication ou dans le contexte.

• ***Ein-***, conformément au sens du numéral, extraie une entité ou grandeur indéterminée d'une classe qui n'est pas nécessairement non-identifiée dans le contexte ou dans la situation. Ainsi dans l'exemple suivant, ***eine*** extraie un exemplaire indéterminé de l'ensemble des villes portuaires, mais cet exemplaire est identifié par le nom propre ***Hamburg*** :

Hamburg, ***eine*** *schöne Hafenstadt* : Hambourg, une belle ville portuaire.

L'ABSENCE D'ARTICLE

A L'absence d'article caractérise les groupes nominaux qui désignent :

• Le nom ou le signe linguistique en tant que tel.

[Das Wort] Apfel wird mit pf geschrieben.
[Le mot] pomme s'écrit en allemand avec pf.
[Die Stadt] Trier : [la ville de] Trêves

• Le nom propre quand il est employé seul.

Klaus / Onkel Benno / Tante Erika / Kapitel 10
Nicolas / l'oncle Benno / Tante Erika / le chapitre 10

En revanche, on dit :

***der** kluge Klaus / **der** Heilige Franz / **das** zehnte Kapitel*
Klaus le prudent / Saint François / le 10e chapitre

• La simple dénomination, voire la simple expression du concept ou de l'idée.

Hunger ist der beste Koch. La faim est le meilleur cuisinier.

Feuer, Wasser, Luft und Erde sind die vier Elemente.
Le feu, l'eau, l'air et la terre sont les quatre éléments.

B Ces principes expliquent aussi l'absence d'article pour :

• Les termes qui permettent de **s'adresser à quelqu'un**.

Lieber Hans! Cher Jean! *Monika!* Monique !

• Les **noms propres** et les **titres**.

Bundeskanzler Gerhard Schröder. Monsieur le chancelier Gerhard Schröder.

Herr/ Frau [Doktor] Wagner. Monsieur/ Madame [le] docteur Wagner.

• La plupart des **noms géographiques** de **villes** et de **pays du genre neutre**.

Paris / Berlin / Luxemburg / Europa

• Des expressions **lexicalisées** (figées).

um Verzeihung bitten : demander pardon

Angst / Mumps / Grippe / Fieber haben : avoir peur / les oreillons / la grippe / [de] la fièvre

ein Haus ohne Bad : une maison sans salle de bains

auf Reisen sein : être en voyage

auf Wunsch : à volonté / *aus Furcht* : par peur

mit Brille : avec des lunettes / *mit Absicht* : intentionnellement

• Des **attributs** et **appositions** qui servent à caractériser et s'opposent aux attributs exprimant un jugement. Comparer :

Er ist Clown. Il est clown. (de métier)

Er ist ein Clown. C'est un clown. (et il se comporte comme tel, il est rigolo)

• Des **compléments de temps** à l'accusatif ou sans préposition.

vorige Woche / nächsten Montag / Anfang April
la semaine précédente / lundi prochain / début avril

• Les groupes nominaux qui relèvent de **styles particuliers** (absence d'article marquée stylistiquement), par exemple : style télégraphique des titres de journaux, annonces, administrations.

Großer Er sucht schlanke Sie. Lui grand cherche Elle mince.

Beiliegendes Formular ausfüllen. Remplir le formulaire ci-joint.

Premierminister unterbricht Ferien.
Le premier ministre interrompt ses vacances.

Les noms propres avec article défini ne contredisent pas le principe de l'absence d'article, car il s'agit :

• De noms communs transformés en nom propre.

die Alpen : les alpages (nom commun devenu nom propre : les Alpes)

die Zugspitze (nom commun devenu nom propre d'un sommet de montagne)

• D'articles dits « porte-manteau » qui ne servent qu'à marquer :

– le genre :

der Libanon : le Liban / *die Schweiz* : la Suisse

– le nombre :

die Ottonen : les Ottons

– le cas :

***Den** Franz hat Anna in der Stadt getroffen.*
Anne a rencontré François en ville.

*Ich ziehe Kaffee **dem** Tee vor.* Je préfère le café au thé.

*Ein Gefühl **der** Einsamkeit.* Un sentiment de solitude.

mais :

*Ein Gefühl tief**er** Einsamkeit.* Un sentiment de profonde solitude.

• De mises en relief fréquentes en langue familière.

***Die** Ma°ria macht das schon.* [La] Marie le fera.

***Die** Ara°bella spielt die Hauptrolle.*
C'est Arabelle qui joue[ra] le rôle principal.

C Dans une autre série de groupes nominaux, l'absence d'article a la même valeur que l'article partitif en français, c'est-à-dire qu'il renvoie à la partie d'un ensemble. Dans ce cas, on peut lui substituer des quantifieurs comme ***wenig*** ou ***viel***. Il s'agit dès lors de bases nominales :

– désignant des masses ou réalités non-comptables au singulier :

Geduld : de la patience / *Gold* : de l'or / *Milch* : du lait / *Holz* : du bois,

– comptables au pluriel et pour lesquels ***ein-*** est nécessaire au singulier :

Sie haben Ø / [drei/ mehrere] Kinder. Ils ont [des] / [trois/ plusieurs] enfants.

L'ARTICLE *EIN-*

• L'article indéfini ***ein-*** a toujours une valeur quantifiante ; il extraie un élément d'un ensemble.

Mister John ist ein Gentleman. Monsieur John est un gentleman.
individu particulier

• Cependant, ***ein-*** peut aussi représenter la totalité de l'ensemble considéré (valeur générique).

Ein Gentleman benimmt sich nicht so. Un gentleman ne se comporte pas ainsi.
valeur générique

• ***Ein-***, contrairement à ce qui est souvent dit, n'est pas nécessairement non-identifié :

*Prag, **eine** europäische Hauptstadt* : Prague, [une] capitale européenne.

Dans cet exemple, ***eine*** extraie un exemplaire de l'ensemble des capitales européennes, mais cet exemplaire est identifié par le nom propre Prague.

• En contexte, ***ein-*** peut porter sur :

– une grandeur dénombrable :

Ich habe mir °ein Buch gekauft, nicht zwei [Bücher].
Je me suis acheté un livre, pas deux.

– la classe des grandeurs dénombrables :

Ich habe mir ein °Buch gekauft (kein °Heft).
Je me suis acheté un livre, pas un cahier.

Das Leben ist ein °Traum. La vie est un rêve.

– ou bien sur les propriétés de l'exemplaire ou de la classe d'appartenance choisis.

Ces propriétés peuvent être fournies explicitement sous forme de membres :

Dieser Mann hat eine lange Nase/ eine hohe Stirn.
Cet homme a le nez long/ le front haut.

Ou alors elles sont présupposées communes à toute une sous-espèce qualifiée.

*Er ist **ein** Clown/ **ein** Reaktionär.* C'est un clown/ un réactionnaire.
(et il en a le comportement : attribut qui définit et évalue)

*Ich möchte **ein helles** Bier.* Je voudrais une bière blonde.

***Ein** [Mensch wie] Adenauer hätte nicht so gehandelt.*
Un [homme comme] Adenauer n'aurait pas agi de la sorte.

• L'article indéfini ***ein-*** ou d'autres quantifieurs permettent d'extraire un élément d'une classe.

*Gib mir bitte **einen** Bonbon.* Donne-moi un bonbon, s'il te plaît.

Mais pour poser toute une classe d'éléments, le seul pluriel suffit.

Kinder dürfen nicht rauchen. Les enfants n'ont pas le droit de fumer.

Affen sind Primaten. Les singes sont des primates.

L'emploi de l'article indéfini ***ein-*** ne se limite pas aux bases nominales dénombrables. Quand il porte sur des propriétés, on le trouve aussi associé à des noms propres et des bases nominales non-dénombrables.

Viele Politiker wollen ***ein*** *°starkes Europa.*
Beaucoup d'hommes politiques veulent une Europe forte.

°Der hat ***eine*** *Ge°duld!* Il en a de la patience ! (base non-dénombrable)

Sie hörten ***ein*** *°grelles Geschrei.* Ils entendirent des cris perçants.

Comparer à :

Er hat [viel] Ge°duld.
Il a [beaucoup] de [la] patience. (ici ***Geduld*** a un caractère dénombrable)
Sie hörten lautes Geschrei. Ils entendaient de grands cris.

Dans ces deux exemples, l'addition d'un quantifieur montre le caractère dénombrable du groupe nominal.

L'ARTICLE DÉFINI

A L'article défini est le signe du groupe nominal déterminé/ défini : il pose ce qui est défini comme identifiable dans la situation de communication ou dans le contexte. Il peut renvoyer à :

• Une classe d'éléments dénombrables (emploi générique du singulier ou du pluriel).

Der Franzose ist ein Individualist. Die Franzosen sind Individualisten.
Le Français est un individualiste. Les Français sont des individualistes.

• Un ou des exemplaires particuliers d'une classe identifiable en situation ou en contexte.

Ein Kind spielte im Sand; ***das*** *Kind weinte.*
Un enfant jouait dans le sable ; l'enfant pleurait.

Die *Tatsache, dass er gelogen hat...* Le fait qu'il ait menti...

Am *Abend brennen* ***die*** *Lichter* ***der*** *Stadt.*
Le soir, les lumières de la ville sont allumées.

B L'article défini renvoie aussi à une classe ou à une sous-espèce présupposée connue en raison d'éléments de définition fournis par le contexte.

Ainsi dans :
das *[verschmutzte] Wasser des Rheins* : l'eau [polluée] du Rhin
le groupe nominal membre au génitif définit l'eau dont il s'agit.

De même dans :

***das** Haus meiner Träume* : la maison de mes rêves

le membre au génitif identifie la maison qui est opposable par exemple à ***ein Traumhaus*** (une maison de rêve).

Dans :

*Wo ist **der** Hausmeister?* Où est le concierge ?

c'est la situation de parole qui définit de qui il s'agit.

C Par rapport aux démonstratifs, aux possessifs et aux génitifs antéposés, l'article ***d-*** est le déterminant simple qui identifie explicitement le groupe nominal.

das** Haus meines Vaters* → ***d- est le simple signal du caractère identifié de « la maison » mise en relation avec « mon père »

dieses Haus →« la maison » est identifiée par le démonstratif ***dies-*** qui exprime la proximité dans le contexte ou la situation de communication

***sein** Haus* → « la maison » est identifiable par le renvoi à un possesseur (masculin singulier)

Beethovens Haus → « la maison » est identifiée par référence au génitif antéposé Beethoven.

3 Les déterminants démonstratifs

A Les déterminants ***d- (der**, **das**, **die**, **die)*** portent souvent un accent contrastif. Ils se déclinent comme l'article défini (voir Le marquage des déterminants, page 99).

*Ich möchte gern °**das** Kleid anziehen*. Je voudrais mettre cette robe-là.

Se déclinent également sur le modèle de l'article défini et prennent donc les marques premières :

• ***Dieser**, **dieses**, **diese**, **diese***... (ce[s], cet, cette[s]... ci).

***dieses** Haus* : cette maison[-ci]

Au neutre singulier nominatif et accusatif, il existe également une forme réduite en ***dies-***.

***Dies** Bild gefällt mir besonders*. Ce tableau me plaît particulièrement.

Il n'est pas rare qu'en situation de communication, ***dies-*** soit renforcé dans le groupe nominal par un ***hier*** postposé.

dieses** Haus **hier : cette maison-ci

• ***Jene***, ***jenes***, ***jene***, ***jene*** (ce[s], cet, cette[s]... là), qui sont employés plus rarement.

jenes *Haus* : cette maison[-là]

jen- est remplacé, assez fréquemment, en situation de communication par ***dies... da/dort***.

dieses *Haus* ***dort*** : cette maison là[-bas]

• **Les démonstratifs complexes** qui prennent une marque première et une marque seconde (voir le chapitre 2, pages 19 et 21) :

– ***der'selbe***, ***das'selbe***, ***die'selbe***, ***die'selben*** (le[s] / la même[s])

Es läuft wieder ***derselbe*** *Film im Kino.*
Ils jouent de nouveau le même film au cinéma.

Ich habe schon dreimal ***denselben*** *Film gesehen.*
J'ai vu le même film pour la troisième fois.

– ***'derjenige***, ***'dasjenige***, ***'diejenige***, ***'diejenigen*** (ce[s] / celle[s] qui)

– ***der °gleiche / das °gleiche / die °gleiche / die °gleichen*** (le/ la/ le[s] semblable[s])

B Le démonstratif identifie toujours des entités ou grandeurs particulières, en les sélectionnant et en les focalisant par référence à la situation ou au contexte :

• Qui précède (emploi **anaphorique**).

Sie hatte eine kleine Tochter. ***Dieses*** *Kind bedeutete ihr alles.*
Elle avait une petite fille. Cet enfant était tout pour elle.

• Qui suit (emploi **cataphorique**). Dans ce cas, ***dies-*** est impossible.

Ich mag ***jene*** *Leute nicht, die immer alles besser wissen wollen.*
Je n'aime pas ces gens qui veulent toujours tout mieux savoir.

C Les démonstratifs simples ***d- (der, das, die, die)*** se contentent d'identifier, de sélectionner et de focaliser (souvent par l'accent contrastif) :

*Ich möchte °****den*** *Schal [da].* J'aimerais cette écharpe-là.

Les autres démonstratifs ajoutent à ces traits fonctionnels des **traits sémantiques propres** :

• ***Der'selb-*** ajoute l'idée d'**identité** ; il s'agit de la même entité ou grandeur que celle qui a été mentionnée auparavant.

dieselben *Leute* : les mêmes personnes

im selben *Haus* : dans la même maison

• ***Der gleich-*** informe sur la **similitude** : c'est une entité ou grandeur analogue à celle mentionnée auparavant.

*Sie hat **das gleiche** Kleid wie ich.*
Elle a la même robe que la mienne (qui ressemble à la mienne).

• ***Dies- (...) [hier/ da/ dort]*** indique souvent la **proximité spatiale** ou **psychologique**.

dieses** Buch **hier : le livre que voici/ voilà

• ***Jen-*** marque en général la **distanciation spatiale** ou **subjective**.

*Mit **jenen/ denjenigen** Leuten, die immer alles besser wissen wollen, will ich nichts zu tun haben.* Je ne veux pas avoir affaire à ces gens qui prétendent toujours tout mieux savoir.

D Dans un contexte clair, les démonstratifs peuvent être remplacés par le signal simple de l'identification ***d-***.

***Jene** Leute, die immer alles besser wissen wollen.*
→ °***Die** Leute, die...* : Ces gens qui...
Wir sind nicht ausgegangen, weil es regnete. Dieses Argument,...
→ °***Das** Argument...* Nous ne sommes pas sortis parce qu'il pleuvait. Cet argument...

4 Les déterminants possessifs

A Les déterminants (adjectifs) possessifs ***mein-***, ***dein-***, ***sein-/ ihr-***, ***unser-***, ***euer-***, ***ihr-/ Ihr-*** (mon, ton, son...) se déclinent selon ***[k]ein-***.

Cas	Masculin	Neutre	Féminin	Pluriel
Nominatif	*mein**ø***	*mein**ø***	*mein**e***	*mein**e***
Accusatif	*mein**en***	*mein**ø***	*mein**e***	*mein**e***
Datif	*mein**em***	*mein**em***	*mein**er***	*mein**en***
Génitif	*mein**es***	*mein**es***	*mein**er***	*mein**er***

1. Dans ***unser-***, le ***-er-*** fait partie du radical. Par exemple :

Unser-ø Auto ist rot. Notre voiture est rouge.
nominatif singulier neutre

Wir wollen unser-er Kollegin etwas schenken.
datif singulier féminin

Nous souhaitons faire un cadeau à notre collègue.

2. Après une diphtongue comme ***eu-***, la syllabe ***-er*** se réduit à ***-r-*** devant un autre ***-e*** :

Euer-ø Taxi ist da. Votre taxi est arrivé.
nominatif singulier neutre

Eur-e Wohnung gefällt mir wirklich sehr.
nominatif singulier féminin

J'aime beaucoup votre appartement.

Das ist aber ***teuer****!* Mais que c'est cher !

Ein ***teures*** *Restaurant* : un restaurant cher

3. En général, dans les séquences ***el-***, ***er-*** ou ***en-***, le ***-e-*** tombe lorsqu'il est suivi d'un autre ***-e-*** :

dunkel → dunkle :

Es ist ***dunkel****.* Il fait sombre.

die ***dunklen*** *Vorhänge*... les rideaux sombres...

besser → bess(e)re : meilleur

klettern → ich klett(e)re : grimper / je grimpe

trocken (adjectif) → *trocknen* (verbe) : sec / sécher

Zeichen (nom) → *zeichnen* (verbe) : signe / dessiner

B Le possessif identifie le groupe nominal par rapport à un autre pôle de référence dont il dépend ou auquel il appartient. Cette référence peut être :

• Un **partenaire de la communication**. On a ainsi le radical :

– ***mein-*** pour le locuteur seul,

– ***unser-*** pour le locuteur se situant dans un groupe,

– ***dein-*** pour la personne seule que l'on tutoie,

– ***euer-*** quand on s'adresse à un groupe dont on tutoie au moins une personne :

Ist das ***eure*** *alte Schule?* Est-ce votre ancienne école ?

Le tutoyement au pluriel est impossible à traduire en français.

– ***Ihr-*** (avec majuscule) pour la personne que l'on vouvoie au singulier ou au pluriel.

Ist das Ihr Auto? Est-ce votre voiture ?

• **Un tiers de la situation**.

– ***sein-*** s'il s'agit d'un homme :

Ist das Peter mit ***seinem*** *neuen Wagen?* Est-ce Pierre avec sa voiture neuve ?

– ***ihr-*** s'il s'agit d'une femme ou d'un groupe :

Ist das Petra mit ***ihrem*** *neuen Wagen?* Est-ce Petra avec sa voiture neuve ?

Sind das die Webers mit ***ihrem*** *neuen Wagen?*

Est-ce que ce sont les Weber avec leur voiture neuve ?

– ***Ihr-*** dans le cas du vouvoiement, quel que soit le sexe ou le nombre de personnes :

*Herr Weber, **Ihre** Frau hat angerufen.* Monsieur Weber, votre femme a appelé.
*Meine Herren, **Ihr** Beruf fordert von Ihnen...* Messieurs, votre profession exige de vous...

• **Un tiers du contexte.**

– ***sein-*** pour une référence nominale masculin et neutre,

– ***ihr-*** pour une référence de genre et sexe féminin ou pour une référence pluriel.

C Quand le point de référence est un tiers dont on parle à la 3e personne du singulier, l'allemand différencie le radical ***sein-/ihr-*** (comme l'anglais : ***his/her***) suivant le genre naturel et/ ou grammatical du possesseur. Mais la marque de déclinaison dépend du genre, du nombre et du cas du groupe nominal que le possessif introduit et identifie.

*Beim Unfall hat die Flugmaschine einen **ihrer** Motoren verloren.*
Lors de l'accident, l'avion a perdu un de ses moteurs.

Die Flugmaschine est le pôle de référence (« possesseur ») au féminin singulier ; ***ihr- er Motor-en*** est le groupe nominal du « possédé ».

Le radical du possessif (***ihr***) est imposé par le genre et le nombre du « possesseur » : *die Flugmaschine*. Le marquage du groupe nominal du « possédé » (***-er -en***) dépend des catégories du groupe nominal (ici le masculin, génitif, pluriel).

Autres exemples :

Peter → ***sein** Auto* : sa voiture
→ *in **seinem** Bericht* : dans son rapport
Petra → ***ihr** Auto* : sa voiture
→ *in **ihrem** Bericht* : dans son rapport
Journalisten → *in **ihren** Berichten* : dans leurs rapports
*Der Apparat ist **seine** 800 DM. wert.* L'appareil vaut ses 800 marks.

D Quand l'adjectif possessif est ambigü, on peut faire appel au **pronom démonstratif**. Dans l'exemple suivant, on ignore s'il s'agit de l'amie de Martine ou de l'amie de Christa.

*Martina grüßte Christa und **ihre** Freundin.* Martine salua Christa et son amie.

L'usage du pronom démonstratif ***dessen/ deren*** permet d'éviter cette ambiguïté :

*Martina grüßte Christa und **deren** Freundin.*
Martine salua Christa et l'amie de celle-ci.

5 *Welch-* et *solch-* dans l'interrogation et l'exclamation partielles

A ***Welch-*** (quel ?) permet de poser une question sur la détermination. Deux types de réponses sont possibles selon qu'elles portent sur :

- **Le défini**.

Welchen *Kugelschreiber möchtest du? Ich möchte den [da]/ diesen/ deinen…* Quel stylo à bille voudrais-tu ? J'aimerais avoir celui-là/ celui-ci/ le tien …

- **La qualité**.

Welchen *Kugelschreiber möchtest du? Ich möchte den blauen/ einen roten/ so einen…* Quel stylo à bille voudrais-tu ? J'aimerais le bleu/ un rouge. J'en aimerais un comme ça.

B La précision qualitative peut aussi être amenée par ***was für [ein/ Ø]*** (quelle sorte/ espèce/ type de…).

- Dans la tournure ***was für [ein/ ø]***, la préposition ***für*** n'entraîne pas obligatoirement l'accusatif :

*Mit **was für einem** Fotoapparat willst du das Bild aufnehmen?*
Avec quel appareil veux-tu prendre la photo ?
***Was für** einen Kugelschreiber möchtest du?*
Quelle sorte de stylo à bille voudrais-tu ?
***Was für** Käse?* Quelle espèce de fromage ?
***Was für** Fotapparate?* Quels appareils de photo ?

- Il peut y avoir dislocation du déterminant :

***Was** hast du denn da **für einen** Fotoapparat!*
Quel [drôle d']appareil de photo tu as là !

C ***Solch-*** et ***derartig-*** (tel-, de cette sorte, de ce genre) impliquent une appréciation de qualité. Ils ne sont pas combinables avec l'article défini.

*Hast du schon einen **solchen**/ **einen derartigen** Spielfilm gesehen?*
As-tu déjà vu un tel film/ un film comme celui-là ?
***Solche**/ **derartige** Fehler macht er sonst nie.*
D'habitude, il ne fait jamais de telles fautes/ des fautes de ce genre/ des fautes comme celles-là.

D Comme ***welch-*** qui peut être remplacé par ***welch ein-*** (***Welch einen*** *Fotoapparat hast du?* Quel appareil de photo as-tu ?), ***solch-*** peut être remplacé par ***so ein-*** ou ***solch ein-***. C'est souvent le cas dans les exclamations.

***So ein** Dummkopf! **Welcher** Dummkopf! **Welch ein** Dummkopf!*
***Der** Dummkopf! **Was für ein** Dummkopf!*
Quel imbécile ! L'imbécile !

E ***Irgendwelch-*** marque comme ***irgendein-*** un ou des exemplaires quelconques d'un ensemble dénombrable.

*Er hat aus **irgendwelchem**/ **irgendeinem** unbekannten Grund gehandelt.*
Il a agi pour une quelconque raison qu'on ne connaît pas.

6 Le génitif antéposé

Un groupe nominal qui s'ouvre sur un groupe au génitif (génitif antéposé dit saxon) est nécessairement **défini** ou **identifié**.

***Muttis** Haus* : la maison de maman
***Peters** Auto* : la voiture de Pierre
***Deutschlands** Außenpolitik* : la politique extérieure de l'Allemagne
***des Königs** ausdrücklicher Wunsch* : le souhait explicite du roi
*Herr Schneider und **dessen** Söhne* : Monsieur Schneider et les fils de celui-ci
***Wessen** Wagen ist das?* C'est la voiture de qui ?

L'article défini fait double emploi avec le génitif antéposé. Pour « C'est le plus beau succès d'Anna », on peut dire :

*Das ist der größte Erfolg **Annas**. / Das ist der größte Erfolg von Anna.*

ou encore :

*Das ist **Annas** größter Erfolg.*

mais en aucun cas :

Das ist der Annas größter Erfolg.

10 L'expression du lieu par des groupes prépositionnels

À savoir

L'expression du lieu

Comme le français, l'allemand se réfère à l'espace ou au lieu en employant des unités lexicales qui sont :

– des **bases verbales** (surtout des verbes de position) :

bleiben : rester / *stehen* : être debout / *liegen* : être situé / *sitzen* : être assis / *stecken* : être (dans),

– des **groupes verbaux** :

[dort,] wo er sich aufhält : là où il séjourne /

[das Haus,] wo/ in dem er lebt : la maison où il vit,

– des **adjectifs** et des **adverbes** (voir le chapitre 5, pages 49-50) :

dortig : de là-bas / *da* : là / *hier* : ici,

– des **groupes nominaux** et des **groupes prépositionnels** :

Er ging *die Treppe* ***hinunter****.* Il descendit l'escalier.

Er ging *ins Wohnzimmer.* Il se rendit au salon.

Ces groupes nominaux et prépositionnels font l'objet de ce chapitre.

Le choix des prépositions

En allemand, les prépositions qui expriment le lieu sont aussi employées pour renvoyer à d'autres domaines temporels ou notionnels. Elles diffèrent souvent de celles du français en raison d'un autre regard posé sur la réalité, par exemple :

auf *dem Land* : à la campagne

im *Gebirge* : à la/ en montagne

am *Meer,* ***am*** *Strand* : à la mer, à la plage

aus *der Flasche trinken* : boire à la bouteille

Er nahm die Post ***aus*** *dem Briefkasten.*
Il prit le courrier de/ dans la boîte aux lettres.

Relations, oppositions, repères

Pour décrire l'emploi et le sens des prépositions **spatiales**, on distingue couramment :

• Quatre relations.

– **locative** : où l'on est,

– **directive** : vers où l'on se dirige,

– **d'origine** : d'où l'on vient,

– **de passage** : par où l'on passe.

• Différentes oppositions.
– **intérieur-extérieur** : *in - aus,*
– axe **bas-haut** : *unter - über,*
– axe **droite-gauche** : *rechts neben - links neben,*
– axe **avant-arrière** : *vor - hinter,*
– **contact - non contact** : par exemple pour *an ↔ auf*.

• Un ou des repères qui renvoient éventuellement à des portions d'espace. Par exemple ***in dem Wald*** vise l'intérieur du repère « forêt », ***zwischen den Wänden*** renvoie à l'espace entre deux repères « murs ».

4 La distinction locatif ↔ directif

Contrairement au français qui ne marque guère la différence, l'allemand distingue :

• **L'espace délimité qui localise** un événement, un déplacement, un être ou un état. On parle de relation **locative.**

Er ist/ lebt/ arbeitet ***auf dem Lande***. Il est/ vit/ travaille à la campagne.

• **Le lieu présenté comme point de direction**, comme but d'un déplacement ou d'une orientation. On parle de relation **directive** ou **directionnelle**.

Er geht/ fährt ***auf das Land***. Il va/ se rend à la campagne.

A savoir

1 Les relations locative et directive

On distingue :
– l'expression de la relation pure et simple par le sens des prépositions,
– l'expression des axes par le sens des prépositions différentes,
– l'expression du contact,
– la prise en compte de plusieurs repères.

A Dans la langue actuelle, ces relations sont exprimées :

– pour le **locatif** par :

bei (+ dat.) : près de…, à [côté de]… (lieu), chez… (personnes)

Er wohnt ***bei*** *Genf*. Il habite près de Genève.

Sie saß ***bei*** *mir*. Elle était assise auprès de moi.

Er wohnt noch ***bei*** *seinen* Eltern. Il habite encore chez ses parents.

– pour le **directif** par :

zu (+ dat.) : à… (lieu), chez/ auprès de… (personnes).

Sie fahren ***zum*** *Zoo*. Ils vont au zoo.

Sie kommt ***zu*** *mir.* Elle vient chez moi.

Er fährt ***zu*** *seinen Eltern*. Il va chez ses parents.

B Des restes de fonctionnement de langue ancienne et des usages régionaux font que l'opposition locatif ↔ directif s'exprime aussi par d'autres prépositions :

LOCATIF	DIRECTIF
• ***zu*** (+ dat.) : à	• ***nach*** (+ dat.) : à, en, au (vers, en direction de)
Wir bleiben ***zu*** *Hause.* Nous restons à la maison. *Der Dom* ***zu*** *Köln* : La cathédrale de Cologne ***zu*** *Wasser und* ***zu*** *Lande* : sur terre et sur mer ***zu*** *Bett liegen* : être au lit	*Wir gehen* ***nach*** *Hause*. Nous allons à la maison. *Wir fahren* ***nach*** *Köln.* Nous allons à Cologne. *Das Zimmer liegt* ***nach*** *Norden*. La chambre est exposée au Nord. ***zu/ ins*** *Bett gehen* : aller au lit
• **Ø** (pas de préposition)	• ***nach*** : en, vers (avec un membre adverbial)
Er sitzt vorn/ rechts. Il est assis devant/ à droite.	*Er läuft* ***nach*** *vorn/* ***nach*** *rechts*. Il court vers l'avant / à droite.
• ***in*** : à, en	• ***nach*** : à, en (avec un nom géographique sans article)
Sie wohnen ***in*** *Hamburg*. Ils habitent à Hambourg.	*Sie fahren* ***nach*** *Hamburg*. Ils se rendent à Hambourg.

C Avec un nom de pays comprenant l'article, l'opposition **directif** / **locatif** est exprimée par ***in*** (**+ acc.**) et ***in*** (**+ dat.**) :

*Sie fliegen **in den** Iran/ **in die** Schweiz/ **in die** USA.*
Ils s'envolent pour l'Iran/ la Suisse/ les USA.

*Sie leben **im** Iran/ **in der** Schweiz/ **in den** USA.*
Ils vivent en Iran/ en Suisse/ aux USA.

LES PRÉPOSITIONS EXPRIMANT LES AXES

A Avec les prépositions qui suivent, la relation **locative** est exprimée par le **datif** alors que la relation **directive** est rendue par **l'accusatif.**

- **L'intérieur** du repère est indiqué par ***in***.

*Wir baden **in** kalte**m** Wasser.* Nous nous baignons dans l'eau froide.

***Ins** Wasser mit ih**m**.* [Jetons-le] À l'eau !

*Er ist **in** seine**m** Arbeitszimmer.* Il est dans son bureau.

*Er tritt **in** da**s** Arbeitszimmer [hinein].* Il entre dans son bureau.

- **L'axe avant-arrière** est visé par ***vor*** (devant) ↔ ***hinter*** (derrière).

*Der Bus hält **vor**/ **hinter** de**r** Kirche.* Le bus s'arrête devant/ derrière l'église.

*Sie hat sich **vor**/ **hinter mich** gesetzt.* Elle s'est assise devant/ derrière moi.

- **L'axe droite-gauche** s'exprime par *[**rechts** / **links**] **neben*** (à côté de).

*Das Buch liegt **neben** de**m** Telefon.* Le livre est à côté du téléphone.

*Setze dich **neben mich**!* Assieds-toi à côté de moi !

- **L'axe vertical** est visé par ***unter*** (sous, en dessous de) ↔ ***über*** (sur, au-dessus de).

*Der Schlüssel liegt unter de**m** Fußabstreicher.* La clef est sous le paillasson.
*Der Hund kriecht **unter** de**n** Tisch.* Le chien se glisse sous la table.
*Der Mond scheint **über** de**n** Wolken.* La lune brille au-dessus des nuages.

B Il n'est pas rare que ***über***, qui renvoie à l'espace « au-dessus » ou « sur le dessus » d'un repère, marque aussi une **position recouvrante** (**+ dat.**) ou un **mouvement** du même ordre (**+ acc.**) :

***Über** alle**n** Wipfel**n** ist Ruh (Goethe).*
Au-dessus de toutes les cimes, c'est le calme.

*Sie breitete eine Decke **über** da**s** Sofa.*
Elle étendit une couverture sur le canapé.

Ne pas confondre cet emploi de ***über*** avec celui qui exprime la relation de **passage** et qui ne se construit qu'avec l'**accusatif** (voir page 121) :

*Die Kinder liefen **über** di**e** Straße.* Les enfants traversèrent la rue.

*Der Mann hing **über** di**e** Brüstung.*
L'homme se penchait par-dessus le parapet.

L'EXPRESSION DU CONTACT

Dans les trois axes précités, l'allemand ne fait pas toujours de différence entre le contact avec le repère et le non-contact. Deux prépositions spécifiques expriment cependant le contact : ***auf*** (**+ acc.** ou **dat.**) (sur) et ***an*** (**+ acc**. ou **dat.**) (contre, à, au...).

• ***Auf*** implique un contact de **surface**.

Wir saßen eine Stunde ***auf der*** *Bank.*
Nous sommes restés une heure sur le banc.

Er mußte ***aufs*** *Dach steigen.* Il dut monter sur le toit.

1. ***Auf*** est aussi une préposition directive et locative correspondant au ***zu*** et au ***bei*** actuels, notamment avec des bâtiments ou institutions de la vie publique :

auf *di**e** Bank/ auf di**e** Post/ auf**s** Gericht/ auf de**n** Markt gehen*
auf *d**er** Bank/ auf d**er** Post/ auf de**m** Gericht/ auf de**m** Markt arbeiten*
aller/ travailler à la banque, à la poste, au tribunal, au marché

2. L'emploi de ***auf*** est fréquent dans des expressions toutes faites où il a d'autres sens :

auf *de**m** Lande* : à la campagne (opposé à ***im*** Lande : dans le pays)
auf *de**m** Dachboden* : au grenier
auf *de**m** Dorf* : au village
auf *meine**m** Zimmer* : dans ma chambre
auf *de**m** Schloss* : au château
auf *de**m** Gemälde* : sur/ dans le tableau
auf *de**r** Treppe* : dans l'escalier
die Hände ***auf dem*** *Rücken* : les mains dans le dos...

• ***An*** marque un contact plus **indéterminé**.

An *de**r** Wand hängt ein modernes Gemälde.* Au mur, il y a un tableau moderne.

Sie saß lange Stunden ***an*** *ihre**m** Schreibtisch.*
Elle était assise de longues heures durant à sa table de travail.

Es klopft ***an*** *d**er** Tür (**an** d**ie** Tür).* On frappe à la porte.

am *Boden* : au sol
ans/ ***am*** *Telefon* : au téléphone
ans/ ***am*** *Meer* : à la mer
an *d**ie**/ d**er** Oder* : sur l'Oder...
an *d**ie**/ d**er** Riviera* : sur la côte d'Azur
an *de**n** / **am** Strand* : sur la plage
an *d**ie**/ d**er** Decke* : au plafond

Innerhalb (dans), ***außerhalb*** (en dehors de), ***oberhalb*** (en amont de) et ***unterhalb*** (en aval de) impliquent un repère précis et délimité, présenté lui-même comme limite. Ces prépositions sont suivies du **génitif** ou de ***von*** (+ dat.) :

Wir blieben ***innerhalb [von]*** *der Stadt.*
Nous restâmes dans [les limites de] la ville.

• ***Zwischen*** **+ dat.** [locatif] ou **acc.** [directif] (entre deux) suppose au moins **deux repères**, alors que ***unter*** **+ dat.** [locatif] ou **acc.** [directif] (parmi) marque l'appartenance ou l'association à un groupe.

Er saß einfach ***zwischen*** *zwei Stühlen*.
Il était tout simplement pris entre deux chaises.

Unter *uns waren viele Kinder*. Parmi nous, il y avait beaucoup d'enfants.

Ich folgte ihm mitten ***unter*** *die Menschen*. Je le suivis au milieu des hommes.

• ***Um*** (+ acc.) [***herum***] marque un **rapport d'entourant à entouré**.

Um *den Tisch [**herum**] saßen alte Spieler*.
[Tout] autour de la table étaient assis de vieux joueurs.

Er fiel ihr ***um*** *den Hals*. Il lui sauta au cou. Il l'embrassa.

• **Le rapprochement en vue du face à face** s'exprime par les bases prépositionnelles suivantes :

– groupe nominal au datif + ***entgegen*** :
*Sie lief d**en** Kinder**n** entgegen*. Elle courut à la rencontre des enfants.

– ***auf*** **(+ acc.)** + ***zu*** :
Die Demonstranten marschierten ***auf*** *das Rathaus* ***zu***.
Les manifestants marchèrent sur la mairie.

– ***gegen*** (+ acc.) ou ***[in] Richtung*** :
Es ging flussabwärts, ***gegen*** *die Stadtmitte* ***[hin] / [in] Richtung*** *Stadtmitte*.
On se dirigea vers l'aval du fleuve, en direction du centre-ville.

> ***Gegen*** peut aller du contre-courant :
> *Wir kämpften* ***gegen*** *den Strom.* Nous luttions contre le courant.
> jusqu'à la collision :
> *Der Regen klatscht* ***gegen*** *die Fensterscheiben.* La pluie bat contre les vitres.

– ***nach*** (+ dat.) :

Er drehte sich ***nach*** *mir um!* Il se tourna vers moi !

– ***gegenüber*** (+ dat.) : en face de :`

Er setzte sich mir ***gegenüber***. Il s'assit en face de moi.
le pronom est préposé

Gegenüber *der Kirche lag das Rathaus*. La mairie était en face de l'église.

• **Le déplacement de plusieurs participants dans un même sens** peut se décrire avec les combinaisons suivantes :

– ***neben*** **(+ dat.)** ***[her]*** : à côté de / ***zwischen*** **(+ dat.)** ***[her]*** : entre deux :

Der Hund lief ***neben*** *den Kindern/* ***zwischen*** *den beiden Kindern* ***[her]***.
Le chien courait à côté des enfants/ entre les deux enfants.

– ***vor* (+ dat.) *[her]*** se dit de celui qui est devant, ***hinter* (+ dat.) *[her]*** de celui qui est derrière :

*Lotte lief **vor** ihnen **[her]** / **hinter** ihnen **[her].***
Lotte courait devant/ derrière eux.

– (dat.) + ***voran*** se dit de celui qui précède ou est en tête et (dat.) + ***nach*** de celui qui suit :

*Fahr mir **nach**!* Suis-moi en voiture !

*Der Leibwächter ging ihn**en voran**.* Le garde du corps les précédait.

– (dat.) + ***voraus*** exprime l'idée de devancer :

*Er sollte alle**n vorausgehen** und prüfen, ob der Pfad passierbar sei.*
Il devait tous les devancer pour vérifier s'il était possible de passer par ce sentier.

2 La relation d'origine

La relation d'origine concerne le lieu d'où l'on vient ; on l'appelle aussi **relation de provenance**. Elle implique toujours la directivité. La question à laquelle elle répond est : ***Woher?*** (D'où ?).

Les prépositions qui expriment cette relation mettent en jeu les axes d'oppositions spatiales déjà évoqués.

A **L'opposition intérieur-extérieur** du repère est marquée par ***in*** (+ dat. ou acc.) (à l'intérieur de, dans) et ***aus*** (+ dat.) (idée de sortir).

*Er stieg **in** den Wagen/ **aus** dem Wagen.* Il monta/ descendit de la voiture.

*Der Brief/ Der Gast kommt **aus** Berlin.* La lettre/ L'invité vient de Berlin.

***Aus** den Augen, **aus** dem Sinn.* Loin des yeux, loin du coeur.

1. Le français traduit parfois la provenance en employant les prépositions « dans » ou « à » :

***aus** der Flasche/ dem Glas trinken* : boire à la bouteille/ dans un verre

***aus** dem Teller essen* : manger dans l'assiette

*ein Buch **aus** dem Regal nehmen* : prendre un livre dans le rayon…

2. La provenance peut aussi être marquée par la combinaison d'un groupe prépositionnel à valeur locative avec une particule verbale qui exprime le **jaillissement** ou **l'apparition** :

*Eine Eidechse kroch **hinter/ unter/ zwischen** den Steinen **hervor/ heraus.***
Un lézard sortit de derrière/ de dessous/ d'entre les pierres.

B **L'opposition contact-non contact** est en jeu quand on emploie ***von*** (+ dat.) (idée de [pro]venir de).

*Nimm die Vase **vom** Tisch.* (*Die Vase steht **auf** dem Tisch.*)
Enlève le vase de la table.
*Nimm das Bild **von** der Wand.* (*Das Bild hängt **an** der Wand.*)
Enlève ce tableau du mur.

1. Comparé à ***aus***, ***von*** est le terme le plus large pour exprimer la relation de provenance :

*Er kommt **von**/ **aus** Strasburg.* Il vient de Strasbourg.

2. À ce titre, ***von*** peut exprimer la simple séparation, partition ou le simple point de départ (très souvent en combinaison avec ***her***, ***aus*** ou ***ab***/ ***an***), de même que ***bis*** marque en général le point d'arrivée :

*Ich hole dich **vom** Bahnhof **ab**.* Je te prendrai à la gare.
*Nimm noch **von** dem Kuchen!* Prends encore un bout de gâteau !
***Vom** Süden **her** weht ein warmer Wind.* Un vent chaud souffle du Sud.
***Von** da oben **aus**/ **Vom** ersten Stock **aus** hat sie uns beobachtet.*
Elle nous a observés depuis là-haut/ depuis le premier étage.
***Von** der Grenze **an**/ **ab** [**bis** nach Barcelona] war die Reise angenehmer.*
Depuis la frontière [jusqu'à Barcelone] le voyage fut plus agréable.

3. ***Ab*** (+ dat.) est employé, en général, avec un membre sans article :

***Ab** Frankfurt* : à partir de Francfort.

3 La relation de passage

La relation de passage concerne le lieu par où l'on passe. Comme la relation de provenance, elle implique toujours la directivité. La question à laquelle elle répond est variable suivant la préposition et l'axe d'oppositions en jeu : ***Wodurch? Worüber?*** (Par où ?)

A Le groupe nominal à l'accusatif peut marquer le lieu ou l'espace parcouru.

*Er ist **die Treppe** hinaufgestiegen.* Il a monté l'escalier.

B Différents points de vue peuvent entrer en jeu :

• **L'intérieur** est marqué par ***durch*** (+ acc.) ***[durch/ hindurch]*** : à travers/ par.

Wir hörten ***durch*** *die Wand* [**hindurch**], *wie das Baby weinte.*
Nous entendions le bébé pleurer à travers la cloison.

• L'axe **haut-bas** est exprimé par ***über*** (**+ acc.**) ***[hin/ hinweg/ her...]*** (passage par-dessus) et ***unter*** (+ dat., voire acc.) ***[hindurch/ durch]*** (passage par dessous).

Sie sind ***über*** *die Grenze/* ***über*** *Paris gefahren.*
Ils ont passé la frontière./ Ils sont passés par Paris.

Wir sind ***unter*** *zahlreichen Brücken durchgefahren.*
Nous avons passé sous de nombreux ponts.

Über dans l'expression de la relation de passage (qu'il s'agisse d'un espace ou d'un obstacle franchi, voire d'une simple étape de transition) n'est possible qu'avec l'**accusatif.**

En revanche, la présentation des autres lieux sous lesquels ou entre lesquels on peut passer peut se faire au datif (c'est le cas le plus fréquent) ou à l'accusatif :

*Sie steckte die Hände unter d**en** Knie**n**/ unter di**e** Knie durch.*
Elle fit passer ses mains sous ses genoux.

• Le passage **entre deux repères** est exprimé par ***zwischen*** (+ dat. ou acc.) ***[hindurch/ durch]***.

Der Stürmer schoss den Ball ***zwischen*** *den Beinen des Torhüters* ***hindurch.***
L'attaquant fit passer la balle entre les jambes du gardien.

• **Le contournement** est exprimé par ***um*** (+ acc.) ***[herum]***.

Die Erde dreht sich ***um*** *die Sonne.* La terre tourne autour du soleil.

• Plus difficile pour les francophones est l'expression du passage **devant** ou **derrière le repère** ou **l'observateur**, car l'allemand emploie pour cela la préposition ***an*** (+ dat.) en combinaison avec les particules :

– ***vorbei/ vorüber***, pour le simple passage :

Wir mussten links ***am*** *Bahnhof* ***vorbei****fahren.*
Il nous fallait passer à gauche devant la gare.

Wir mussten hinten ***am*** *Bahnhof* ***vorbei****fahren.*
Il nous fallait passer derrière la gare.

Er ging stolz ***an*** *ihm* ***vorüber****, ohne zu grüßen.*
Il passa fièrement à côté de lui sans le saluer.

– ***entlang***, pour le longement à l'extérieur et à l'intérieur du repère :

Am *Ufer* ***entlang*** *entdeckten wir wunderbare Bäume.*
Le long de la rive nous découvrîmes des arbres merveilleux.

Le longement s'exprime aussi - bien que rarement - par la préposition ***längs*** (+ gén.) et surtout par le **groupe nominal à l'accusatif** (comme espace parcouru) en combinaison avec ***entlang*** :

Wir gingen ***den*** *Fluß* ***entlang.*** Nous avons longé le fleuve. (à l'extérieur)
Nous avons suivi le fleuve. (à l'intérieur)

11 L'expression du temps par des groupes prépositionnels

A savoir

L'expression du temps

Comme le français, l'allemand évoque le temps chronologique en employant des unités lexicales et/ou grammaticales.

Dans le groupe verbal, les marques grammaticales qui concernent le temps sont raccrochées au complexe verbal (voir le chapitre 26).

Les unités lexicales qui expriment le temps sont :

– des **adjectifs** et des **adverbes** (voir le chapitre 5, pages 50-52) :

gleichzeitig : en même temps / *dann* : puis...

– des groupes **conjonctionnels** (voir le chapitre 12, page 138) :

Als/ wenn er ankam... Quand il arriva/ arrivait...

– des groupes **nominaux** et des groupes **prépositionnels**. Par exemple :

*Er blieb den **ganzen Tag** zu Hause*. Il resta toute la journée à la maison.
*Er kommt **in einer Woche***. Il viendra dans une semaine.

Ces groupes nominaux et prépositionnels font l'objet de ce chapitre.

Dater un moment précis ou approximatif

Le groupe prépositionnel (et plus rarement le groupe nominal à l'accusatif ou au génitif) date un événement ou une action en situant :
– soit un **moment précis** ou **approximatif**,
– soit une **durée**.

A savoir

L'indication précise du temps

Les prépositions qui indiquent un temps précis et qui répondent à la question ***Wann?*** (Quand ?) sont toujours employées avec un membre groupe nominal (contrairement à celles qui peuvent aussi avoir un membre adverbial) ; comparer l'impossibilité de ***an*** suivi de ***gestern*** (hier) avec ***seit gestern*** (depuis hier).

Le choix de la préposition dépend du sens du membre du groupe prépositionnel.

• ***Um*** (+ acc.) pour l'indication précise de **l'heure**.

um *drei Uhr* : à trois heures / ***um*** *12 [Uhr]* : à douze heures / ***um*** *halb 10* : à 9 heures et demi / ***um*** *Mitternacht* : à minuit / ***um*** *zehn vor halb sechs* : à cinq heures vingt

Avec les autres indications de temps, ***um*** indique **l'approximation** :

um *die Jahrhundertwende* : au tournant du siècle / ***um*** *den 16. Mai* : aux environs du 16 mai / ***um*** *Ostern [herum]* : vers Pâques / ***um*** *die Mitte des Jahres* : vers le milieu de l'année.

• ***An*** (**+ dat.**) pour le **jour** et le **moment du jour** : ***am*** *Tag* (le jour) mais : ***in*** *der Nacht/ nachts* (la nuit).

am *Tag nach seinem Geburtstag* : le lendemain de son anniversaire

am *Sonntag* : le dimanche

am *nächsten/ vorigen Donnerstag* : jeudi prochain/ dernier

am *Nachmittag* : l'après-midi / ***am*** *20. (zwanzigsten) März* : le 20 mars.

• ***Zu*** (+ dat.).

– avec ***Zeit*** et ***Mal*** :

zur *Zeit* : en ce moment / ***zur*** *gleichen Zeit* : au même moment

zu *Napoleons Zeiten* : du temps de Napoléon

zum *ersten/ dritten/ letzten Mal* : pour la première/ troisième/ dernière fois

– avec les **noms de fêtes** :

zu *Allerheiligen/ Ostern/ Pfingsten* : à la Toussaint/ à Pâques/ à la Pentecôte

– dans des **expressions** :

zu *Beginn* : au début (mais : ***am*** *Anfang*)

zu *Ende gehen* : finir (mais : ***am*** *Ende der Strecke* : au bout du trajet)

zu *Mittag/ Abend essen* : déjeuner/ dîner (mais : ***um*** *Mittag* : à midi / ***am*** *Abend* : le soir)

• ***In*** (**+ dat.**) avec la plupart des autres repères temporels.

in *diesem Jahr* : au cours de cette année / ***im*** *21. Jahrhundert* : au 21e siècle ***im*** *Zeitalter der Reformation* : au temps de la Réforme / ***im*** *Frühling* : au printemps / ***im*** *[Monat] Mai* : au mois de mai/ en mai / ***im*** *Augenblick* :

en ce moment / ***in** letzter Minute* : à la dernière minute / ***im** Krieg* : pendant la guerre / ***in** den Ferien* : pendant les vacances / ***im** Jahre 2000* : en l'an 2000 *heute **in** acht Tagen* (ou ***über** acht Tage*) : aujourd'hui en huit / *Er kommt **in** vierzehn Tagen*. Il viendra dans quinze jours.

• ***Während*** (+ gén. ou dat.) : pendant que, durant / ***im Laufe*** (+ gén.) : au cours de (pour une portion de temps envisagée dans son déroulement).

***Während** der letzten Nacht* (ou ***In** der letzten Nacht/ Letzte Nacht*) *ist die Kleine dreimal aufgewacht*.
Au cours de la nuit dernière/ La nuit dernière, la petite s'est réveillée trois fois.

***Während** dieser Zeit lebte er auf dem Land*.
Pendant ce temps, il vivait à la campagne.

1. Il n'est pas rare que, dans ces indications de temps, la préposition puisse être omise, à l'oral surtout :

*Ich bin **[um] Punkt zwölf** zu Hause*. Je serai à la maison à midi pile.

*Fährst du **[am] Montag/ [zu] Ostern** zu deinen Eltern?*
Te rendras-tu lundi/ à Pâques chez tes parents ?

*Er starb **[im Jahre] 1970***. Il est mort en 1970.

2. Le groupe prépositionnel peut aussi être remplacé par un groupe nominal à l'accusatif ou au génitif :

*Er kann **in der nächsten Woche/ nächste Woche** nicht kommen*.
Il ne peut pas venir la semaine prochaine.

*Bist du **zum ersten Mal/ das erste Mal hier?*** Es-tu là pour la première fois ?

*Die Feier findet **Anfang/ Mitte/ Ende April** statt*.
La célébration aura lieu début/ milieu/ fin avril.

***Dieses Jahr** fahren wir nicht in Ferien*.
Cette année, nous ne partons pas en vacances.

*Er kommt **jeden Tag***. Il vient chaque jour.

***Alle Jahre** wieder kommt das Christuskind*.
Chaque année revient l'enfant Jésus.

*Montag, **den** 6. (sechsten) November* : lundi 6 novembre.
eines Tages : un jour / *jederzeit* : à tout moment / *montags* : le lundi *nachts* : la nuit…

2 L'indication approximative du temps

Les prépositions employées qui répondent à la question ***Wann etwa?*** (Quand à peu près ?) sont :

• ***Gegen*** (+ acc.) pour indiquer l'heure (vers/ aux environs de) et fournir d'autres indications de temps (généralement sans article).

gegen *12 [Uhr]* : vers midi

gegen *Abend/ Mittag/ Monatsende/ Ende des Jahrhunderts* : vers le soir/ midi/ la fin du mois/ la fin du siècle

• ***Um*** (+ acc.) pour la date imprécise (vers, aux environs de) pour les autres repères temporels.

um *die Jahrhundertwende* : au tournant du siècle / ***um*** *den 11. April* : aux environs du 11 avril / ***um*** *Pfingsten [herum]* : vers la Pentecôte / ***um*** *die Mitte des Jahres* : vers le milieu de l'année.

3 L'expression de la durée

La durée peut être indiquée comme :

– portion de temps délimitée globalement : *Wie lange?* (Combien de temps ?)

– durée relative à un autre moment : *Seit wann?* (Depuis quand ?) *Bis wann?* (Jusqu'à quand ?)

A **La durée comme portion de temps globale** s'exprime par le **groupe nominal à l'accusatif** (dit accusatif de mesure) avec ou sans ***hindurch***, ***lang*** ou ***über*** postposés.

*Wir haben den ganzen Vormittag [**hindurch**] gearbeitet.*
Nous avons travaillé toute la matinée.

*Sie hatten drei Tage [**lang**] keinen Strom.*
Ils n'ont pas eu d'électricité pendant trois jours.

*Er war den ganzen Tag [**über**] nicht zu Hause.*
Il n'était pas à la maison de toute la journée.

• Les prépositions ***in*** **(+ acc.)** (en = durée mise pour faire quelque chose), ***innerhalb*** (+ gén.) ou ***innerhalb von*** (+ dat.) (en l'espace de) et ***binnen*** **(+ dat.)** (dans un délai de) servent à délimiter une durée à l'intérieur de limites précises :

*Wir sind **in** zwei Stunden nach Genf gefahren.*
Nous sommes allés à Genève en deux heures.

In *zwei Jahren/* ***Innerhalb*** *von zwei Jahren ist der Umsatz um 20% gestiegen.*
En [l'espace de] deux ans, le chiffre d'affaires a augmenté de 20%.
Das Formular muss ***binnen*** *zwei Wochen an uns zurückgeschickt werden.*
Le formulaire doit nous être renvoyé dans [un délai de] deux semaines.

• Avec quelques repères la durée est aussi exprimée par ***für*** (+ acc.), remplaçable par ***auf*** (**+ acc.**) ou ***über*** (**+ acc.**) (temps visé) :

Er verschwand ***auf*** *einen Augenblick/* ***für*** *einen Augenblick.*
Il disparut l'espace d'un instant.

Voir aussi :

Auf *Wiedersehen* : Au revoir / ***auf*** *immer* : pour toujours...
Wir fahren ***übers*** *Wochenende nach Hannover.*
Nous allons pour le week-end à Hanovre.

B **La durée** comme **portion de temps limitée** est relative à un autre repère.

• **Le temps antérieur et ultérieur à un repère temporel** fourni par le membre du groupe prépositionnel est indiqué par : ***vor*** (+ **dat.**) et ***nach*** (+ dat.).

vor/ nach *sechs Uhr* : avant/ après six heures (repère ponctuel)
vor/ nach *sechs Stunden* : six heures avant/ après (repère durée)
kurz vor/ nach *den Ferien* : peu avant/ après les vacances

> Quand le repère implicite est le moment de l'énonciation, c'est-à-dire le moment de la prise de parole, on a l'opposition ***vor*** (**+ dat.**) - traduit par « il y a » - et ***in*** (**+ dat.**) - traduit par « dans » :
> ***Vor*** *ein paar Tagen ist er abgereist.* Il est parti il y a quelques jours.
> ***Vor*** *kurzem* : il y a peu
> ***In*** *ein paar Tagen kommt er wieder.* Il revient dans quelques jours.
> ***In*** *einiger Zeit* : dans quelque temps

• **L'expression d'une limite diffère selon qu'elle est** :

- **antérieure** (marquant un point de départ) : ***Seit*** *wann?* (rétrospective) :

seit *kurzer Zeit/* ***seit*** *kurzem* : depuis peu [de temps]
seit *November* : depuis novembre / ***seit*** *gestern* : depuis hier

- **ultérieure** (marquant un point d'arrivée) : ***Bis*** *wann?* (prospective) :

bis *bald* : à bientôt / ***bis*** *nächste Woche* : à la semaine prochaine
Bis *kommenden Samstag bleiben wir hier.*
Nous resterons jusqu'à samedi prochain.

Bis peut être suivi d'autres prépositions :

*bis **zum** nächsten Tag* : jusqu'au lendemain / *bis **vor** einem Jahr* : jusqu'il y a un an / *bis **gegen** Morgen* : jusque vers le matin / *bis **spät in** die Nacht hinein* : jusque tard dans la nuit / *bis **nach** den Ferien* : jusqu'après les vacances / *bis **auf** weiteres* : jusqu'à nouvel ordre...

• **Le point de départ** est fourni par ***von*** (+ dat.) ***an*** ou ***ab*** (+ acc. ou dat.).

von** nun **an : à partir de maintenant, désormais
von** Anfang **an : dès le début...
***ab** heute* : à partir d'aujourd'hui
***ab** kommenden/em Samstag* : à partir de samedi prochain...

• **Les points de départ** et **d'arrivée** sont fournis par ***von*** (+ dat.) ***bis*** ou ***von*** (+ dat.) ***auf.***

*Das Geschäft ist **von** 9 [Uhr an] **bis** 18 [Uhr] geöffnet.*
Le magasin est ouvert de 9 à 18 heures.
*Das geht nicht **von** heute **auf** morgen.* (proverbe) Ce n'est pas si simple.

• **Le dépassement d'une limite** est signalé par ***über* (+ acc.) *hinaus***.

*Wir bleiben nicht **über** den 30. August **hinaus**.*
Nous ne resterons pas au-delà du 30 août.

12 Le groupe conjonctionnel

A savoir

Les subordonnées et les groupes conjonctionnels

Les grammaires de l'allemand traitent généralement les groupes conjonctionnels dans le chapitre des propositions grammaticales subordonnées, qui contient :

• **Les relatives** (pour les groupes verbaux relatifs membres du groupe nominal, voir le chapitre 14, pages 162-164).

Die Leute, die da waren... : Les gens qui étaient là...
groupe verbal relatif

• **Les infinitives et participiales** (avec sujet logique propre ; pour les groupes infinitivaux et participiaux, voir les chapitres 17 et 21, pages 192 et suivantes et 242 et suivantes).

Wir hören die Glocken läuten.
groupe infinitival

Nous entendons les cloches sonner/ sonner les cloches.

Abgesehen vom Preis, gefällt mir die Farbe nicht.
groupe participial

Abstraction faite du prix, le coloris ne me plaît pas.

• **Les interrogatives indirectes** (surtout des groupes verbaux en ***w-***, voir le chapitre 23 et le discours indirect au chapitre 18).

Ich frage dich, wohin er gegangen ist. Je te demande où il est allé.
groupe verbal interrogatif indirect

• **Les complétives avec ou sans conjonction** (voir ***dass*** ou ***ob***).

Sie erklärten, dass die Feier nicht stattfinden werde.
groupe conjonctionnel ***dass*** objet

Sie erklärten, die Feier werde nicht stattfinden.
groupe verbal objet avec verbe en 2e position

Ils déclarèrent que la cérémonie n'aurait pas lieu.

• **Certaines propositions dépendantes** avec la forme variable du verbe en 2e ou 1re position (voir le chapitre 25, pages 295 et suivantes).

Kommt er, so fahren wir ans Meer. S'il vient, nous irons à la mer.
groupe verbal dépendant

• **Les propositions subordonnées circonstancielles.**

Ich bin froh, weil sie kommen. Je suis content parce qu'ils viennent.
groupe conjonctionnel

Les groupes verbaux membres d'un groupe d'accueil et les groupes conjonctionnels

Parmi les groupes verbaux membres d'un groupe d'accueil, il est nécessaire de distinguer :

• Les subordonnées dans lesquelles l'élément introducteur assure, dans le groupe verbal membre, une fonction grammaticale :

– les groupes verbaux **relatifs** :
Das Buch, ***das er gekauft hat***. Le livre qu'il a acheté.

– les groupes verbaux **interrogatifs indirects** :
Ich möchte gern wissen, ***wo er wohnt***. J'aimerais savoir où il habite.

– les groupes verbaux **en *w-*** ou **en *d-*** :
Wer wagt, *gewinnt*. La fortune sourit aux audacieux (à qui ose).

• Les subordonnées dans lesquelles l'élément introducteur n'a pas de fonction grammaticale dans le groupe verbal qui le suit. On y range **les groupes conjonctionnels**, dont il est question dans ce chapitre. Ils sont appelés aussi parfois **groupes subjonctionnels**.

A savoir

1 La formation du groupe conjonctionnel

A La base syntaxique du groupe conjonctionnel est une **conjonction de subordination simple** :

dass / ob / wenn / als / 'außer / bis / da / 'ehe / 'während / weil / falls

ou **complexe** :

da'mit / in'dem / nach'dem / trotz'dem / zu'mal
als °dass / als °ob / als °wenn / wie °wenn
be'vor / ob'gleich / ob'schon / ob'wohl / so'bald / so'fern / so'lange / so'oft / so'weit / so'wenig

Cette base syntaxique précède toujours un groupe verbal membre, dans lequel elle n'assure pas de fonction grammaticale.

La forme verbale conjuguée du groupe verbal membre est, dans l'immense majorité des cas, en **dernière position**.

*Kolumbus brachte es fertig, **dass ein Ei aufrecht stand**.*
Christophe Colomb arriva à faire tenir un œuf debout.

Une partie du groupe verbal membre peut être élidée :

*Der Arzt muss, **wenn nötig**, auch nachts Dienst tun. (= wenn es nötig ist)*
Le médecin doit, s'il le faut/ en cas de nécessité, accomplir aussi son service de nuit.

B Dans un énoncé verbal d'accueil, le groupe conjonctionnel peut occuper aussi bien **la première que la dernière**, **l'avant-première que l'après-dernière position** (voir le chapitre 25) :

Falls wir das Auto nicht kaufen, brauchen wir die Reise nicht zu planen.
première position

Falls wir das Auto nicht kaufen, so brauchen wir die Reise nicht zu planen.
avant-première position

Wir brauchen die Reise nicht zu planen, falls wir das Auto nicht kaufen.
après-dernière position

Si nous n'achetons pas cette voiture nous n'avons pas besoin de projeter ce voyage.

Wir haben die Reise nicht geplant, da wir das Auto nicht kaufen.
après-dernière position

Nous n'avons pas prévu ce voyage, puisque nous n'achetons pas la voiture.

Le groupe conjonctionnel peut être également placé **en incise à l'intérieur de l'énoncé verbal d'accueil** :

*Ist es vernünftig, **falls wir das Auto nicht kaufen**, eine so lange Reise zu planen?*
Est-il raisonnable, si nous n'achetons pas cette voiture, de projeter un si long voyage ?

2 Les groupes conjonctionnels : *dass* et *ob*

A Le point commun des groupes conjonctionnels ***dass*** et ***ob*** est leur base syntaxique qui n'a pas de sens en soi.

• ***Dass*** signale simplement que le groupe verbal qui suit est intégré à un groupe verbal d'accueil.

*Er hatte immer gewünscht, **dass** sein Sohn aufs Gymnasium kommt.*
Il avait toujours souhaité que son fils aille au lycée.

• ***Ob*** marque une virtualité (possibilité, éventualité, interrogation indirecte, doute, alternative).

Ich frage, ***ob*** *er versteht*. Je demande s'il comprend.

Dass peut avoir un sens :

– **consécutif** :

Er sang, dass (= so, dass) es eine Lust war, ihm zuzuhören.
Il chantait [si bien] que cela faisait plaisir à entendre.

– **final** :

Nimm eine Uhr mit, dass (= auf dass, damit) du dich nicht verspätest.
Prends une montre pour ne pas être en retard.

So et ***auf*** sont alors élidés.

B En tant que membres d'un groupe verbal d'accueil, les groupes conjonctionnels ***dass*** et ***ob*** sont **complétifs**, car ils peuvent assurer les fonctions grammaticales de :

• **Sujet**.

Dass *er vergesslich ist, ist schon lange bekannt.*
Qu'il soit distrait, nous le savons depuis longtemps.

Ob *er sein Versprechen hält, ist fraglich.*
On peut se demander s'il tiendra sa promesse.

• **Objet**.

Ich kann nicht verstehen, ***dass*** *der Bus samstags nicht fährt.*
Je n'arrive pas à comprendre que le bus ne circule pas le samedi.

Er weiß nicht, ***ob*** *das möglich ist*. Il ne sait pas si c'est possible.

Mais ***dass*** et ***ob*** peuvent aussi être membres de certains groupes nominaux et groupes adjectivaux :

Die Tatsache**,** ***dass das Fieber fällt***... Le fait que la fièvre tombe...

Die Frage**,** ***ob er krank ist***... La question de savoir s'il est malade...

Ich bin ***sicher*****,** ***dass er bald wieder auf die Beine kommt*****.**
Je suis sûr qu'il sera bientôt remis sur pieds.

Es ist ***fraglich*****,** ***ob er das schafft*****.** Il n'est pas certain qu'il y arrive.

En tant que membre d'un groupe prépositionnel dépendant d'une base verbale ou adjectivale, les groupes conjonctionnels ***dass*** et ***ob*** exigent parfois, en relais, un groupe en ***da*** :

Er freut sich ***darüber****, dass es schneit.*
Il est content qu'il neige.

Er rechnet nicht ***damit,*** *dass sie das Große Los gewinnen.*
Il ne prévoit pas qu'ils gagneront le gros lot.

Sie sind stolz ***[darauf],*** *dass sie die Goldmedaille gewonnen haben.*
Ils sont fiers d'avoir gagné la médaille d'or.

C Les groupes conjonctionnels ***dass*** et ***ob*** peuvent aussi constituer à eux seuls **un énoncé** qui est le plus souvent :

- **Exclamatif** pour ***dass***.

Dass *er mir nur nicht mehr ins Haus kommt!*
Qu'il ne mette (surtout) plus les pieds chez moi !

- Une **question reprise en écho** pour ***ob***.

Ob *wir es schaffen?* Allons-nous y arriver ?

La question-écho se traduit souvent, en français, par un énoncé interrogatif direct :

Ob *man vernünftiger wird, wenn man heiratet?*
Est-ce que l'on devient plus raisonnable quand on se marie ?

► Noter l'emploi de ***Und ob*** dans le sens de « Et comment / Bien sûr / Mais si ! ».

D Quand il est objet dans un énoncé verbal dont la base est un verbe du type « dire, penser, communiquer » ou membre d'un groupe nominal de sens analogue, le groupe conjonctionnel ***dass*** peut être remplacé par une autre construction : **un groupe verbal avec forme variable en 2e position** :

Er hofft, er wird in der Lotterie gewinnen.
Il espère qu'il va gagner à la loterie. / Il espère gagner à la loterie.
Wir müssen uns jetzt langsam entscheiden, denke ich.
Je pense qu'il est maintenant grand temps que nous nous décidions.
Ich habe gehört, du kommst mit. J'ai appris que tu nous accompagnais.

Il n'est pas rare que le groupe conjonctionnel comprenant ***ob*** ou ***wenn*** puisse être remplacé par une construction sans ***ob*** ou sans ***wenn*** ; la forme variable du verbe prend alors la place de ***ob*** ou ***wenn*** :

Ob *du einverstanden bist oder nicht, ich fahre in die Ferien.*
Bist *du einverstanden oder nicht, ich fahre in die Ferien.*
Peu importe que tu sois d'accord ou non, moi, je pars en vacances.
Ob *jung,* ***ob*** *alt, alle sangen mit. Jung oder alt, alle sangen mit.*
Jeunes ou vieux, tous chantaient.
Er bestaunte das Baby, ***als ob*** *er noch nie eins gesehen hätte.*
Er bestaunte das Baby, ***als hätte*** *er noch nie eins gesehen.*
Il admirait le bébé comme s'il n'en avait encore jamais vu.

Wenn *es regnet, bleibe ich zu Hause.*
Regnet *es, [so/ dann] bleibe ich zu Hause.*
Quand il pleut, je reste chez moi.
Wenn *ich Zeit gehabt hätte, so wäre ich gekommen.*
Hätte *ich Zeit gehabt, so wäre ich gekommen.*
Si j'avais eu le temps, je serais venu.

3 Les groupes conjonctionnels : *wenn* et *als*

Wenn permet de formuler une hypothèse. En contexte, il a un sens **conditionnel** ou **temporel** : « quand, si, lorsque, toutes les fois que ».

En allemand, l'interprétation de ***wenn*** n'est pas toujours facile, car on ne distingue pas comme en français :
S'il pleut, je reste chez moi. / **Quand** il pleut, je reste chez moi.
Wenn *es regnet, bleibe ich zu Hause.*
En français aussi, « quand » peut exprimer la condition :
Quand l'occasion s'en présentait, elle allait au théâtre.

A Dans un sens **conditionnel**, ***wenn*** (en français « si ») marque l'hypothèse posée comme réelle (indicatif) ou comme irréelle (subjonctif II) :
Wenn *Sie wollen, können Sie bleiben.* Si vous le voulez, vous pouvez rester.
Wenn *es Gott nicht gäbe, müsste man ihn erfinden.*
Si Dieu n'existait pas, il faudrait l'inventer.

L'expression du **souhait** et du **regret** ne sont que différents types d'hypothèses :

Ach, ***wenn*** *ich doch als Mann auf diese Welt gekommen wäre!*
Ah, si seulement j'étais née homme !
Wenn *er nur kommt!* Pourvu qu'il vienne !
Wenn *ich doch bloß mit dir fahren könnte!*
Si je pouvais seulement t'accompagner !

B Dans un sens **temporel**, ***wenn*** (en français « quand ») sert à marquer un temps de l'actualité ou de l'avenir. Il peut s'agir :

- **D'un moment unique** ou **d'un temps répété**.

Wenn *ich heimkomme, wartet mein Hund auf mich.*
Quand je rentre/ rentrerai, mon chien m'attend/ m'attendra.
Wenn *du morgen wiederkommst, wird die Kleine da sein.*
Quand tu reviendras demain, la petite sera là.

• **D'un temps révolu**, ***wenn*** marque alors uniquement le temps répété, le moment unique étant exprimé par le sélecteur ***als***.

(Immer) wenn *ich aus der Schule kam, wartete der Hund auf mich.*
À chaque fois que je rentrais de l'école, mon chien m'attendait.

Als *er heimkam, wartete sein Hund auf ihn.*
Au moment (unique) de rentrer, son chien l'attendait.

Als *er zum dritten Mal wiederkam, war die Kleine da.*
Quand il revint pour la troisième fois, la petite était là.

Als *Deutschland noch geteilt war…* Quand l'Allemagne était encore divisée…

Als *ich jünger war...* Quand j'étais plus jeune...

L'unicité du moment sélectionné par ***als*** est importante surtout dans le récit, qu'il soit au passé ou au présent dit historique :

Als *er kam, stand der Kirschbaum in Blüte.*
Quand il arriva, le cerisier était en fleurs.

Als *der Krieg zu Ende geht, liegt die Stadt in Trümmern.*
À la fin de la guerre, la ville est en ruines.

1. Ne pas confondre la conjonction de subordination ***wenn*** avec l'interrogatif ***wann*** :
Wann *kommst du? Schreibe mir,* ***wann*** *du kommst.*
Quand viendras-tu ? Écris-moi quand tu viendras.

2. Rappelons **l'alternative de construction** (avec la forme variable du verbe en 1re position) pour le groupe conjonctionnel en ***wenn***, qu'il soit hypothétique ou temporel :

Wenn *du kommst, gibt es ein großes Fest.*
Kommst du, ***[so/ dann]*** *gibt es ein großes Fest.*
Si tu viens/ Quand tu viendras, [alors] il y aura une grande fête.

3. ***dass*** et ***als/ wenn*** peuvent être déterminés par un élément qui peut être :
– une **préposition** pour ***dass*** :
außer *dass* : à moins que, hormis que, si ce n'est que
ohne *dass* : sans que
statt *dass/* ***anstatt*** *dass* : au lieu que
bis *[dass]* : jusqu'à ce que
– des **modulateurs** de nature diverse pour ***als*** et ***wenn*** :
Selbst *[dann] wenn /* ***auch*** *[dann] wenn* : même si / quand
nur *[dann] wenn /* ***erst*** *[dann] wenn* : seulement si
außer *[dann] wenn* : sauf si
jedesmal*, wenn* : toutes les fois que
immer *[dann], wenn* : toujours lorsque…

4. Il arrive que ***als*** soit remplacé dans la langue courante par ***wie*** :
Wie *ich ausgehen wollte, klingelte das Telefon.*
Comme j'allais sortir, le téléphone sonna.

4 Les autres bases de groupes conjonctionnels

A Les bases temporelles

• ***bevor, ehe*** : avant que / ***nachdem*** : après que / ***während*** : pendant que, tandis que

Nachdem *es vier Tage lang ununterbrochen geregnet hatte, verließen alle Touristen die Gegend.* Après qu'il eut plu pendant quatre jours sans interruption, tous les touristes quittèrent la région.

Nachdem *er sein Studium beendet hat, will er ein Jahr Pause machen.*
Après avoir fini ses études, il veut faire une pause d'un an.

Bevor *er sich an die Arbeit macht, nimmt er ein kräftiges Frühstück ein.*
Avant de se mettre au travail, il prend un solide petit déjeuner.

Während *er bügelte, mähte sie den Rasen.*
Pendant qu'il repassait, elle tondait le gazon.

Nachdem et ***bevor*** ne peuvent pas avoir comme membre un groupe infinitif comme « après » et « avant » en français.

• ***seit[dem]*** : depuis que / ***bis*** : jusqu'à ce que.

Seitdem *er sie kennen gelernt hat, interessiert er sich für Sport.*
Depuis qu'il a fait sa connaissance, il s'intéresse au sport.

Ich bleibe zu Hause, ***bis [dass]*** *der Regen aufgehört hat.*
Je reste à la maison jusqu' à ce que la pluie ait cessé.

• ***sobald*** : aussitôt que, dès que / ***solange*** : tant que, aussi longtemps que / ***sooft*** : aussi souvent que, tant que.

Sobald *er von dem Skandal erfuhr, trat er zurück.*
Dès qu'il fut au courant du scandale, il démissionna.

Schmiede das Eisen, ***solange*** *es heiß ist.* Il faut battre le fer tant qu'il est chaud.

Komm bei uns vorbei, ***sooft*** *du willst.*
Passe nous voir aussi souvent que tu le voudras.

1. *Während*, comme ***wohingegen***, peut avoir un sens argumentatif (alors que, tandis que).

Der Süden Deutschlands ist gebirgig, ***während/ wohingegen*** *der Norden ein Tiefland darstellt.* Le sud de l'Allemagne est montagneux, alors que le nord est un pays de basses terres.

2. *Indem* peut avoir un sens temporel, mais il a le plus souvent une valeur instrumentale. Comparer :

Indem *(Dadurch, dass...) ich klingelte, weckte ich ihn.* En sonnant, je l'ai réveillé.
Notez la différence avec : ***Als*** *ich klingelte, weckte ich ihn.* (au moment où)

B Les bases hypothétiques

Outre ***wenn***, on a :

• *falls… im Falle, dass… gesetzt den Fall, dass...* : au cas où, pour le cas où...

Falls *er anruft, bin ich nicht zu sprechen*. S'il appelle, je ne suis pas là.

• *vorausgesetzt, [dass]...* : à supposer que...

Wir treffen uns in Köln, ***vorausgesetzt***, ***dass*** *der Zug keine Verspätung hat/* ***vorausgesetzt***, *der Zug hat keine Verspätung* (indicatif !)
Nous nous rencontrerons à Cologne, à supposer que le train n'ait pas de retard (subjonctif !)

• *angenommen, [dass]...* : en admettant, en supposant que...

Ist es möglich, ***angenommen, dass*** *sich der Wind legt /* ***angenommen****, der Wind legt sich, einen Rundflug zu machen?*
Est-il possible, en admettant que le vent tombe, de faire un tour en avion ?

• *Es sei denn, [dass]...* : à moins que...

Er wird kommen, ***es sei denn***, ***dass*** *er krank ist /* ***es sei denn****, er ist / wäre krank.*
Il viendra, à moins qu'il ne soit malade.

C Les bases comparatives

• *wie* : comme

Wolfgang ist Deutscher, ***wie*** *schon der Name sagt.*
Wolfgang est allemand, comme l'indique déjà son nom.

• *[genau] so / [nicht] so… wie* (parfois ***so*** est élidable, parfois ***wie***) :

Sie ist ***genauso/ nicht so*** *alt, wie du denkst.*
Elle est précisément aussi/ n'est pas aussi vieille que tu penses.
Er kam ***so*** *schnell,* ***(wie)*** *er konnte.* Il arriva aussi vite qu'il put.

• Degré I ***[̈ er]*** + ***als*** :

Er ist ***größer***, ***als*** *ich dachte*. Il est plus grand que je ne le pensais.

• *insofern [als], insoweit [als]* : dans la mesure où, pour autant que

Ich komme gern, ***insofern*** *es mir möglich ist.*
Je viendrai volontiers dans la mesure où cela me sera possible.

• *je… desto... / um so...* : plus/ moins…, plus/ moins...

Je öfter *ich mir diese CD anhöre,* ***desto besser*** *gefällt sie mir.*
Plus j'écoute ce CD, plus il me plaît.
Je mehr *wir Auto fahren,* ***um so weniger*** *haben wir Lust, zu Fuß zu gehen.*
Plus nous faisons de la voiture, moins nous avons envie de marcher à pied.

• *je nachdem… wie/ ob/ wann/ wo* : selon/ suivant que...

Wir essen im Restaurant oder zu Hause, ***je nachdem***, ***wann*** *sie ankommt.*
Nous mangerons au restaurant ou à la maison, selon l'heure à laquelle elle arrivera.

• *nicht so / nicht [...] genug / zu..., als dass*

Es ist nicht warm ***genug****,* ***als dass*** *man baden könnte.*
Il ne fait pas assez chaud pour qu'on puisse se baigner.

• ***als ob*** / ***als wenn*** (comme si), ou ***als*** **+ verbe en 2e position** exprime une comparaison avec une donnée d'un monde irréel, le verbe est au subjonctif II ou I :

Sie taten, ***als ob*** *sie ihn nicht gesehen hätten/ als hätten sie ihn nicht gesehen.*
Ils firent comme s'ils ne l'avaient pas vu.

> ***Als wenn*** peut aussi avoir le sens de « comme quand » et peut alors être suivi de l'indicatif :
>
> *Vom Fernsehturm hat man einen Ausblick,* ***als wenn*** (également parfois ***als ob*** ou ***wie wenn***) *man aus einem Flugzeug sieht.*
> De la tour de la télévision, on a une vue comme quand on est en avion.

D Les bases causales

• *weil* : parce que / *da* : étant donné que, puisque, comme.

Weil *diese Straße gefährlich ist, muss man besonders gut aufpassen.*
Parce que cette route est dangereuse / En raison du danger que présente cette route, il faut faire particulièrement attention.

Da *du kein Opernfan bist, habe ich Theaterkarten bestellt.*
Étant donné que / comme tu n'es pas un fan d'opéra, j'ai réservé des places de théâtre.

• *zumal, um so... als, um so mehr als, um so weniger als* (d'autant que, d'autant plus que, d'autant moins que) sont des **argumentatifs**.

Die Sache war mir wichtig, ***um so mehr als*** *es um eine Arbeitsstelle ging.*
L'affaire était d'autant plus importante pour moi qu'il s'agissait d'un emploi.

Das ist kaum zu glauben, ***zumal*** *Ilona mir eben das Gegenteil gesagt hat.*
C'est à peine croyable, d'autant plus qu'Ilona vient de me dire le contraire.

• *wo / da... doch* (d'autant plus que) est un argumentatif **justificatif** et **oppositif**.

Ich kann nicht glauben, dass er durchgefallen ist, ***wo*** *er* ***doch*** *so hart gearbeitet hat.* Je ne peux pas croire qu'il ait échoué, d'autant qu'il a travaillé dur.

E Les bases finales et consécutives

• *damit* : afin que, pour que (l'allemand ne met plus le subjonctif) :

Er tut sein Bestes, ***damit*** *es besser geht.*
Il fait tout ce qu'il peut pour que cela aille mieux.

• *so..., dass.../ so dass...* : de manière que/ de sorte que (indicatif)... :

Du sprichst ***so*** *leise,* ***dass*** *dich keiner versteht.*
Tu parles si bas que personne ne te comprend.

*Du sprichst leise, **so dass** dich keiner versteht.*
Tu parles bas, si bien que/ de telle sorte que personne ne te comprend.

• *nicht so/ nicht [...] genug / zu..., als dass...* :

*Der Hase war **zu** weit, **als dass** der Jäger ihn treffen konnte / könnte.*
Le lièvre était trop loin pour que le chasseur puisse l'atteindre.

Le degré de l'excès peut aussi avoir comme complément un groupe prépositionnel avec ***um... zu*** (+ infinitif).

*Es ist zu kalt, **um** baden **zu** können.*
Il fait trop froid pour pouvoir se baigner.

F Les bases concessives ou oppositives

• *obgleich*, *obschon*, *obwohl* (+ indicatif) : bien que (+ subjonctif)
Plus rarement, *wenngleich* : bien que / *trotzdem* : malgré que.

*Er hilft ihm, **obwohl** er immer weniger Zeit hat.*
Il l'aide, bien qu'il ait de moins en moins de temps.

Les éléments avec ***ob-*** ont aussi un emploi argumentatif : quoique, encore que.

*Er ist nicht groß, **obschon** er Basketball spielt.*
Il n'est pas grand, quoiqu'il joue au basket-ball. (Il n'est donc pas si petit que cela.)

Sont aussi argumentatifs les groupes conjonctionnels avec ***wenn auch***, ***selbst wenn*** (même si), ***wenn... auch***, ***[so]*** (même s'il est vrai que...).

• Les groupes verbaux concessifs en ***w-*** ou en ***so* + adjectif** peuvent apparaître :

– **en avant-première position** :

*__**Was** auch immer geschehen mag/möge,__ ich bleibe bei dir.*
avant-première position

Quoi qu'il arrive/ Peu importe ce qui arrivera/ Arrivera ce que pourra, je resterai avec toi.

*__**So schlau** er auch [immer] ist,__ ich überliste ihn.*
avant-première position

Aussi rusé qu'il soit/ Il a beau être rusé, je l'attraperai.

Comparer avec le groupe verbal en ***w-*** en première position :

*__**Was** wir auch [immer] tun,__ tun wir zu zweit.*
première position

Ce que nous ferons, nous le ferons à deux.

– **en juxtaposant deux énoncés verbaux** avec la forme variable du verbe en 2e position :

Er mag/ kann noch ***so schlau*** *sein, ich überliste ihn.*
Il a beau être rusé, je l'attraperai.

G La complétive objet ou circonstancielle de manière

Le groupe conjonctionnel ***wie*** membre d'une **base verbale de perception** est rendu, en français, par un groupe infinitif :

Ich hörte, ***wie*** *er kam und ich sah,* ***wie*** *er die Tür aufmachte.*
Je l'entendis arriver et je le vis ouvrir la porte.

Ce ***wie*** ne doit pas être confondu avec :

– *wie*, **complément de manière** :

Ich fragte, ***wie*** *er das machen würde.*
Je demandais comment il ferait cela.

– ou le *wie* **du commentaire** :

Wir waren, ***wie*** *gesagt, ausgegangen.*
Comme cela vient d'être dit, nous étions sortis.

13 Le groupe nominal : pluriel des bases nominales

A savoir

La base nominale

Comme en français, le groupe nominal allemand a pour base syntaxique **un nom** ou une **nominalisation**, c'est-à-dire au minimum un **lexème-base**.

Dans ce chapitre sont présentées les règles concernant la formation du **pluriel** de ces bases nominales.

Le singulier et le pluriel

En général, **le pluriel** s'oppose au singulier et signale qu'il s'agit d'un ensemble d'unités dénombrables supérieures à un.

Cependant, il existe aussi des bases nominales qui ne fonctionnent qu'au singulier ou au seul pluriel : dans ce cas, le singulier et le pluriel ne sont pas nécessairement significatifs.

A savoir

1 Les bases nominales qui n'existent qu'au pluriel

Il arrive que la forme du singulier existe comme collectif ou comme mot avec un sens différent. Cela concerne :

• Des noms géographiques.

die Alpen : les Alpes / *die Anden* : les Andes / *die Niederlande* : les Pays-Bas.

• Des groupes de personnes.

die Eltern : les parents / *die Geschwister* : les frères et soeurs / *die Zwillinge* : les jumeaux.

• Des désignations de temps.

die Ferien : les vacances.

Beaucoup de fêtes religieuses ont une forme plurielle :

[das Fest] Allerheiligen : la Toussaint / *[frohe] Ostern* : [joyeuses] Pâques
fröhliche Weihnachten : joyeux Noël.

- Des termes liés à la physiologie.

die Eingeweide : les intestins / *die Masern* : la rougeole / *die Pocken* : la variole
die Röteln : la rubéole.

- Des collectifs.

die Bohnen : les haricots / *die Erbsen* : les petits pois / *die Lebensmittel* : les aliments / *die Textilien* : le textile / *die Utensilien* : les ustensiles / *die Trümmer* : les ruines.

- Des termes juridiques ou économiques.

die Alimente : la pension alimentaire / *die Güter* : les marchandises
die Personalien : l'identité / *die [Un]kosten* : les [faux] frais.

- D'autres éléments.

die Machenschaften : les combines / *die Schliche* : les manœuvres
die Umstände : les circonstances, les manières / *die Gewissensbisse* : le remords / *die Wirren* : les troubles...

2 Les bases nominales qui ne fonctionnent qu'au singulier

A Les bases nominales qui ne fonctionnent qu'au singulier renvoient à des domaines **non dénombrables**, c'est-à-dire non comptables, à des ensembles continus ou massifs. Par exemple, ***Holz*** (du bois) désigne la matière en tant que telle, alors que ***Hölzer*** (des sortes de bois) désigne des éléments dénombrables.

Ces bases nominales réfèrent à :

- Des matières.

das Holz	le bois	*Holz*	du bois
das Wasser	l'eau	*Wasser*	de l'eau
das Blei	le plomb	*Blei*	du plomb

- Des abstractions, qualités, propriétés ou états psychologiques.

die Geduld	la patience	*Geduld*	de la patience
die Reinheit	la pureté	*Reinheit*	de la pureté
die Kälte	le froid	*[zwei Grad] Kälte*	deux degrés en dessous de zéro
das Schöne	le beau	*etwas Schönes*	quelque chose de beau

• Des singuliers collectifs.

das Gemüse	les légumes	*Gemüse*	des légumes
das Gepäck	les bagages	*Gepäck*	des bagages

die Polizei : la police / *das Bürgertum* : la bourgeoisie / *das Vieh* : le bétail
das Unkraut : les mauvaises herbes.

• Des noms qui désignent des actions répétées.

das Geschrei : les cris / *das Gerede* : les bavardages.

• Des infinitifs nominalisés et d'autres nominalisations qui expriment un processus.

das Fahren : le fait de rouler, de conduire
die Sendung : le fait d'émettre, d'envoyer, mais aussi l'émission/ la mission concrète qui s'emploie au pluriel.

• Des noms propres.

Peter : Pierre / *Anna* : Anne / *Adenauer* : Adenauer
Deutschland : l'Allemagne / *die Schweiz* : la Suisse.

Toutes ces bases nominales au singulier peuvent fonctionner avec l'article ***ein*** dès lors qu'il s'agit de faire ressortir une sous-classe caractérisée par une **qualité** ou une **propriété** (voir pages 102-103).

Das war [eine] bittere Freude. C'était une joie amère.
Er geriet in eine panische Angst. Il fut gagné par une peur panique.
Der hat mir eine Geduld! Il en a une de ces patiences ! Il en a de la patience !
Du bist eine Mickey Mouse. Tu es un personnage de dessin animé.
Ein Adenauer hätte das nicht getan. Quelqu'un comme Adenauer n'aurait pas fait cela.

Attention, la présence de l'article ***ein*** ne signifie pas que ces groupes nominaux fonctionnent obligatoirement au pluriel.

B D'autres bases nominales ne fonctionnent qu'au singulier si elles sont employées comme **unités de mesure**. Il s'agit dans l'allemand standard :

• De noms masculins et neutres pour la plupart.

zehn ***Pfund***/ ***Kilo*** *Kartoffeln* : dix livres/ kilos de pommes de terre
zehn ***Grad*** *Kälte* : dix degrés au-dessous de zéro / *sechzig* ***Prozent*** : 60%
zwei ***Glas*** *Wein* : deux verres de vin / *sechs* ***Blatt*** *Papier* : six feuilles de papier
vier ***Paar*** *Socken* : quatre paires de soquettes.

• De quelques noms féminins d'une syllabe.

zwei ***Uhr*** : deux heures / *300* ***Mark*** : 300 Marks / *zwei* ***Hand*** *voll Salz* / *zwei* ***Handvoll*** *Salz* : deux poignées de sel.

Font exception les noms masculins et neutres des **unités de temps** :

zehn Tage/ Monate/ Jahre Gefängnis : dix jours/ mois/ années de prison.

3 Les marques courantes du pluriel

A Si l'on ne tient compte que des noms allemands et des bases nominales assimilées du point de vue de la morphologie, on peut distinguer au nominatif **neuf marques de pluriel**, dont la fréquence dans le vocabulaire allemand et son emploi sont variables.

Ces marques sont : ***-ø*** et ***¨-ø*** /***-e*** et ***¨-e*** / ***-er*** et ***¨-er*** / ***-en*** et ***-n*** / ***-s***.

B On regroupe habituellement ces neuf marques du pluriel en cinq classes : ***-ø***, ***-e***, ***-er***, ***-[e]n***, ***-s***. Les trois premières peuvent aussi prendre l'inflexion (*Umlaut*).

Mais on peut réduire le nombre de ces classes à quatre si l'on tient compte des règles suivantes :

• **Classe A** : **Les pluriels en *-en***, voire en ***-nen*** et en ***-n*** sont en distribution complémentaire. Ainsi on trouve :

– ***-n*** qui suit les finales atones ***-e***, ***-el***, ***-er*** :

*die Schwest**er*** → *die Schwester**n*** : la sœur
*der Jung**e*** → *die Junge**n*** : le garçon / *die Kopi**e*** → *die Kopie**n*** : la copie

– ***-[n]en*** dans les autres cas :

*die Lehrer**in*** → *die Lehrerin**nen*** : l'enseignante, l'institutrice.

• **Classe B** : Comme on ne peut plus avoir, en terminaison dans les noms au pluriel, ni deux ***-e-*** de suite, ni ***el-e[r]*** / ***er-e[r]*** / ***en-e[r]*** / ***em-e[r]***, l'absence de marque ***-ø*** et les marques avec ***-e*** ou ***-er*** sont également en distribution complémentaire.

• **Classe C** : La classe en ***[¨]-er*** est nettement minoritaire dans l'allemand actuel. Dans l'allemand standard, elle ne concerne que des noms neutres et une douzaine de masculins ; l'inflexion se met toujours quand elle est possible, c'est-à-dire quand la voyelle est :

– ***-a-*** (→ ***-ä-***) : *das Dach* → *die Dächer* : le toit
– ***-o-*** (→ ***-ö-***) : *das Loch* → *die Löcher* : le trou
– ***-u-*** (→ ***-ü-***) : *das Buch* → *die Bücher* : le livre
– ***-au-*** (→ ***-äu***) : *das Maul* → *die Mäuler* : la gueule

• **La classe D** avec la terminaison ***-s-*** comprend :

– un très grand nombre de noms qui se terminent par une voyelle non accentuée :

das Auto : la voiture / *die Oma* : la grand-mère / *der Wessi*, *Ossi* : l'Allemand de l'ouest, de l'est

– les abréviations syllabiques et alphabétiques :

Uni : l'université / *LKW* : le camion / *VW* : la voiture Volkswagen

– beaucoup de noms étrangers :
die Saison / der Job / das T-Shirt / der Tipf

– des formes particulières d'origine diverse :
das Mädel → die Mädels : la fille / *der Stau → die Staus* : le bouchon (circulation) / *das Wrack → die Wracks* : l'épave / *[die] Müllers* : la famille Müller.

Le pluriel des noms				
CLASSE	**MARQUES**	**GENRE**	**REMARQUES**	**EXEMPLES**
A[1]	***-[e]n***	• masc.	rare, sauf faibles	• *Diamant (en), Muskel (n)* le diamant, le muscle
		• neutre	rare	• *Bett (en), Auge (n)* le lit, l'œil
		• fém.	règle générale	• *Tat (en), Schwester (n)* l'acte, la sœur
	-nen	• fém.	en ***-in***	• *Schülerin, Chefin (nen)* l'élève, le chef (féminin)
B[2]	***[¨]ø***	• masc.	ne concerne que les noms en ***-el, -er, -en***	• *Vater (¨), Wagen (ø)* le père, la voiture
		• neutre		• *Kloster (¨), Kissen (-)* le couvent, l'oreiller
		• fém.		•(rare) *Mutter, Tochter (¨)* la mère, la fille
	[¨]e	• masc.	souvent ***(¨)***	• *Ball (¨e), Zug (¨e)* la balle, le train
		• neutre	jamais ***(¨)***	• *Jahr (e), Tier(e)* l'année, l'animal
		• fém.	toujours ***(¨)***	• *Stadt (¨e), Luft (¨e)* la ville, l'air
C[3]	***[¨]er***	• masc.	rare	• *Mann (¨er), Geist (er)* l'homme, l'esprit
		• neutre	fréquent	• *Haus (¨er), Ei (er)* la maison, l'œuf
		• fém.	aucun	
D	***-s***	• masc.	structure sonore/ morphologique particulière	• *LKW(s), Pulli(s)* le camion, le pullover
		• neutre		• *Hotel(s), Foto(s)* l'hôtel, la photo
		• fém.		• *Fiesta, Avocado* la fiesta, l'avocat (fruit)

1. La classe des pluriels en *-[e]n*.

La classe des pluriels en ***-[e]n*** qui n'ajoutent jamais d'inflexion comprend près de 60% de **noms féminins** et à peu près 9% de

masculins dits faibles : ces derniers ont pour la plupart des finales caractéristiques (par exemple ***-e***, ***-'ant***, ***-'at***, ***-'ent***, ***-'aph***, ***-'ist***, ***-'nom***, ***-soph***, etc.) et prennent à tous les cas ***-[e]n*** sauf au nominatif singulier (voir le chapitre 6, page 61).

Pour le reste, on y trouve des sous-classes avec un nombre plus ou moins réduit d'éléments qui se caractérisent aussi par leur marque au génitif singulier, comme par exemple :

– les masculins qui ont ***-(e)s*** au génitif singulier :

Nerv : le nerf / *Schmerz* : la douleur / *Strahl* : le rayon / *Typ* : le type
Zins : l'intérêt (emprunt) / *Muskel* : le muscle / *Stachel* : l'aiguillon...

– neuf noms masculins qui avaient aussi au nominatif une forme en ***-en*** et qui, de ce fait, ont ***-ens*** au génitif singulier :

der Name (Namen, des Namens, die Namen) : le nom / *Buchstabe* : la lettre (alphabet) / *Friede[n]* : la paix / *Funke[n]* : l'étincelle / *Gedanke* : l'idée
Glaube[n] : la foi / *Haufen* : le tas / *Samen* : la semence / *Wille[n]* : la volonté.

– quelques noms neutres qui ont ***-[e]s*** au génitif singulier :

Auge : l'œil / *Bett* : le lit / *Ende* : le bout, la fin / *Hemd* : la chemise / *Insekt* : l'insecte / *Leid* : la peine / *Ohr* : l'oreille...

Un seul nom neutre a ***-ens*** au génitif :

das Herz, dem Herzen, des Herzens : le cœur.

2. La classe des pluriels en *[¨]ø* et *[¨]e*.

La classe des pluriels en ***[¨]ø*** ne comprend pour l'essentiel que des noms masculins et neutres se terminant par ***-e***, ***-er***, ***-en*** / ***-chen***, ***-lein***, par exemple ***der Lehrer*** (le maître, l'enseignant), ***das Leben*** (la vie).
Dans la langue courante, une trentaine de noms masculins prennent l'inflexion :

Apfel → *Äpfel* : la pomme / *Bruder* → *Brüder* : le frère / *Garten* → *Gärten* : le jardin / *Vogel* → *Vögel* : l'oiseau...

mais seuls deux ou trois noms neutres prennent l'inflexion :

Kloster → *Klöster* : le couvent / *Abwasser* → *Abwässer* : les eaux usées

ainsi que deux féminins :

Mutter → *Mütter* : la mère / *Tochter* → *Töchter* : la fille.

La classe des pluriels en ***[¨]e*** concerne environ 90% des noms masculins, dont une bonne centaine de noms courants prennent l'inflexion :

Gang → *Gänge* : le couloir, la vitesse / *Gesang* → *Gesänge* : le chant / *Kamm* → *Kämme* : le peigne / *Kopf* → *Köpfe* : la tête / *Sohn* → *Söhne* : le fils...

• La variante **-e** est largement majoritaire, si l'on tient compte de la fréquence des noms neutres, qui n'ajoutent jamais l'inflexion, et surtout du grand nombre de suffixes souvent d'emprunt qui prennent ce pluriel.

-nis *(nisse)* / ***sal*** *(sale)* / ***-'ar*** (*der Notar* : le notaire) / ***-ier*** *[i:r]* (*das Klavier* : le piano) / ***-in*** (*der Termin* : le délai) / ***-ent*** (*das Dokument* : le document) ***-eur*** *(der Ingenieur)* / ***-at*** (*das Inserat* : l'annonce / *das Plakat* : l'affiche)...

• Les noms féminins courants qui prennent l'inflexion **¨e** et qui sont pour la plupart monosyllabiques sont une cinquantaine.

Kraft → *Kräfte* : la force / *Maus* → *Mäuse* : la souris / *Nacht* → *Nächte* : la nuit / *Kunst* → *Künste* : l'art / *Auskunft* → *Auskünfte* : le renseignement *Zusammenkunft* → *Zusammenkünfte* : la rencontre...

3. La classe des pluriels en *[¨]er*

La marque de pluriel ***[¨]er*** ne concerne pas les noms féminins, mais seulement une douzaine de noms masculins qui prennent l'inflexion quand celle-ci est possible :

Geist → *Geister* : l'esprit / *Ski* → *Skier* : le ski (planches) / *Gott* → *Götter* : dieu / *Irrtum* → *Irrtümer* : l'erreur / *Reichtum* → *Reichtümer* : la richesse *Mann* → *Männer* : l'homme / *Wald* → *Wälder* : la forêt...

Les autres noms qui prennent la marque de pluriel ***[¨]***sont neutres :

Loch → *die Löcher* : le trou / *Spital* → *die Spitäler* : l'hôpital.

4 Les pluriels spéciaux

Il existe en allemand des pluriels spéciaux : irréguliers, doubles ou d'emprunt.

A Les pluriels irréguliers.

der Bau → *die Bauten* : les constructions / bâtiments
der Saal → *die Säle* : les salles
das Spielzeug → *die Spielsachen* : les jouets
der Sporn → *die Sporen* : les éperons
die Werkstatt/ Werkstätte → *die Werkstätten* : les ateliers/ garages.

B Les doubles pluriels.

Certains noms ont la particularité d'avoir deux formes de pluriel avec un sens différent.

SINGULIER	PLURIEL 1	PLURIEL 2
das Band	*die Bänder* : les bandeaux/ rubans	*die Bande* : les liens
der Band	*die Bände* : les volumes (livres)	
die Band [bɛnt]	*die Bands* : les orchestres pop/ jazz	
die Bank	*die Bänke* : les bancs	*die Banken* : les banques
der Block	*die Blöcke* : les masses *Eisblöcke* : les blocs de glace *Betonblöcke* : les blocs de béton	*die Blocks* : les carnets, les groupes *Notizblocks* : les bloc-notes *Wohnblocks* : les immeubles
das Denkmal	*die Denkmäler* : les monuments	*die Denkmale* : les vestiges
der Druck	*die Drucke* : les travaux d'imprimerie *Farbdrucke* : le tirage couleur *Neudrucke* : le nouveau tirage	*die -drücke* : les pressions *Eindrücke* : les impressions *Fingerabdrücke* : les empreintes digitales
das Gesicht	*die Gesichter* : les visages	*die Gesichte* : les visions
das Land	*die Länder* : les pays	*die Lande* : les provinces
die Mutter	*die Mütter* : les mères	*die Muttern* : les écrous/boulons
der Rat	*die Räte* : les conseillers	*die Ratschläge* : les conseils
der Stock	*die Stöcke :* les cannes/ les bâtons	*die Stockwerke* : les étages
der Strauß	*die Sträuße* : les bouquets	*die Strauße* : les autruches
das Wort	*die Wörter* : les mots isolés *das Wörterbuch* : le dictionnaire	*die Worte* : les mots en contexte, les paroles *die Willkommensworte* : les mots de bienvenue

Der Mann a comme pluriel :

– ***Männer*** quand il s'oppose aux femmes :

Ehemänner : les maris / *Staatsmänner* : les hommes d'État

– ***Leute*** dans un sens collectif :

Eheleute : les époux / *Fachleute* : les spécialistes / *Kaufleute* : les commerçants.

Parfois les deux formes coexistent :

Seemänner/ Seeleute : les marins
Feuerwehrmänner/ Feuerwehrleute : les pompiers.

Quand il s'agit d'unité de mesure, ***Mann*** ne se met pas au pluriel :

hundert Mann : cent hommes.

C Le pluriel des mots d'emprunt à d'autres langues anciennes ou actuelles se forme non pas en ajoutant des marques, mais en remplaçant les terminaisons du singulier par d'autres terminaisons du pluriel. La liste suivante n'est pas exhaustive.

TRANSFORMATION DE LA MARQUE	SINGULIER	PLURIEL	TRADUCTION
-a → -en	*das Drama*	*→ die Dramen*	la pièce de théâtre
	das Thema	*→ die Themen*	le thème
-a → -ata / -as	*das Komma*	*→ die Kommata / Kommas*	la virgule
-a - → -ate / -as	*das Klima*	*→ die Klimate/ Klimas*	le climat
-ex / ix → -izes	*der Index*	*→ die Indizes*	l'index
-is → -en	*die Basis* *die Praxis*	*→ die Basen* *→ die Praxen*	la base la pratique
-ium → -ien	*das Kriterium* *das Stipendium*	*→ die Kriterien* *→ die Stipendien*	le critère la bourse
-men → -mina / -men	*das Pronomen*	*→ die Pronomina / Pronomen*	les pronoms
	das Examen	*→ die Examina / Examen*	les examens
-o [italien] **→ -i**	*das Concerto*	*→ die Concerti*	le concerto
-o → -en	*das Konto*	*→ die Konten*	le compte
-ion → -ien	*das Stadion*	*→ die Stadien*	le stade
-on → -a / -en	*das Lexikon*	*→ die Lexika / Lexiken*	le dictionnaire
-os → -en	*der Mythos*	*→ die Mythen*	le mythe
-um → -a	*das Praktikum*	*→ die Praktika*	le stage
-um → -en	*das Museum*	*→ die Museen*	le musée
-us → -en	*der Rhythmus*	*→ die Rhythmen*	le rythme
-us → -usse	*der Bus*	*→ die Busse*	l'autobus
-us → -era / -ora	*das Genus*	*→ die Genera*	le genre/ la voix (grammaire)
	das Tempus	*→ die Tempora*	le temps (grammatical)
-us → -i	*der Terminus*	*→ die Termini*	le terme
-us → -ø	*der Kasus*	*→ die Kasus*	le cas

D'autres noms ajoutent ***-ien*** au pluriel :

das Material → *die Materialien* : le matériel
das Adverb → *die Adverbien* : l'adverbe
das Fossil → *die Fossilien* : le fossile
das Reptil → *die Reptilien* : le reptile
das Indiz → *die Indizien* : l'indice
das Prinzip → *die Prinzipien* : le principe…

14 Le groupe nominal : construction et structures

À savoir

Définition du groupe nominal

Le groupe nominal comprend au minimum un **lexème-base**, nom ou nominalisation et des **marques de quatre catégories**.
Achtung! (Attention !) comporte un lexème-base et implicitement des marques de genre (féminin), nombre (singulier) et cas (nominatif). Le groupe est indéfini.
Schweine! (Cochons !) comprend un lexème-base et la terminaison ***-e*** qui marque le genre (neutre), le nombre (pluriel) et le cas (nominatif). Le groupe est indéfini.
Dans ces deux exemples qui ne sont constitués que d'un mot, on peut parler à bon droit de **groupe nominal** puisque le lexème-base et les marques de catégories sont des **éléments significatifs différents regroupés** (voir les définitions au chapitre 16, pages 186-187).

Les catégories du groupe nominal

Les catégories du groupe nominal sont au nombre de quatre :

• **Le défini et indéfini**, marqués éventuellement par le(s) déterminant(s) (voir le chapitre 9, pages 96 et suivantes) : *das Kind* (défini), *ein Kind* (indéfini), *Kinder* (a-défini), au sens où le groupe nominal sans article peut, en contexte, être l'un ou l'autre. Par exemple :

Martha hat Kinder gern. Martha aime **les** enfants.
(Kinder : défini)

Haben Sie Kinder? Avez-vous **des** enfants ?
(Kinder : indéfini)

• **Le genre** (masculin, neutre, féminin), **le nombre** (singulier, pluriel) et **le cas** (nominatif, accusatif, datif, génitif). Ces trois catégories sont marquées ensemble par une séquence de marques. Ainsi, dans *d**er** klein**e** Junge-**ø***, opposé au pluriel *d**ie** klein**en** Junge**n***, les trois catégories sont marquées par les séquences : ***-er***, ***-e***, ***-ø*** et ***-ie***, ***-en***, ***-n*** (voir chapitre 2).

> Le cas qui marque la fonction grammaticale est propre à l'allemand qui fait donc partie, à l'inverse du français, des langues dites à déclinaisons.

3 Les membres éventuels du groupe nominal

En plus du lexème-base et des catégories, le groupe nominal peut comprendre des **membres** qui, suivant leur forme, occupent des positions ou champs à gauche ou à droite du lexème-base N. Ces membres peuvent être :

- Un groupe **adjectival** à gauche de N : *die **sehr armen** Leute*.
- Un groupe **nominal** au génitif à droite de N : *die Leute **der kleinen Stadt***.
- Un groupe **prépositionnel** à droite de N : *die Leute **vom Lande***.
- Un groupe **verbal** relatif à droite de N : *die Leute, **die gekommen waren***.
- Des membres à gauche et à droite de N :
die sehr armen Leute vom Lande, die in die kleine Stadt gekommen waren.
Les très pauvres gens de la campagne, qui étaient venus dans la petite ville.

Dans une grammaire qui considère comme groupe nominal minimal le seul ensemble déclinable « article + base nominale », les membres sont aussi appelés **expansions**.

4 Les six champs fonctionnels du groupe nominal

La structure syntaxique du groupe nominal peut être décrite en faisant appel à **six champs fonctionnels**, dont seul le troisième doit être obligatoirement occupé par la base nominale. Ces champs sont présentés dans ce chapitre.

Dans le champ	On trouve :
1	Les **déterminants** ou le génitif antéposé
2	Les **membres en fonction d'épithète**
3	Les **bases nominales**
4	Les **groupes nominaux** au **génitif postposé**
5	Les **groupes prépositionnels** et/ou **adverbiaux**
6	Les **groupes de type verbal**

Il est rare que tous les champs soient occupés comme dans l'exemple suivant :

1 *der* **2** *vierstimmige* **3** *Männerchor* **4** *der Kleinstadt* **5** *am Rhein*, **6** *der ein wunderbares Ständchen gesungen hatte...*
la chorale d'hommes à quatre voix de la petite ville des bords du Rhin, qui avait chanté une merveilleuse sérénade...

A savoir

1 La place de la base nominale simple ou complexe

La base nominale avec les marques éventuelles des catégories est indispensable pour qu'il y ait groupe nominal.

Le tableau suivant rappelle les différents cas de figure que peut présenter cette base nominale (voir aussi le chapitre 19, pages 215-216).

BASE NOMINALE ÉCRITE EN UN SEUL MOT	
• nom **simple**	*(die) Welt*, *(das) Dach*, *(der) Hund*, *(die) 'Nadel* le monde, le toit, le chien, l'aiguille
• nom **dérivé**	*(der) Be'trieb*, *(der) 'Antrieb*, *(die) Naht* l'entreprise, l'incitation, la couture
- nom modifié	*(die) Bäcke'rei*, *(der) 'Handballer* la boulangerie, le joueur de handball *(die) 'Mannschaft*, *(der) 'Falschmünzer* l'équipe, le faux-monnayeur
- nominalisation	*(das) 'Lesen*, *(das) 'Wahre* la lecture, le vrai *(der) Ge'winn*, *(die) 'Eitelkeit* le gain, la vanité
• nom **composé**	*(das) 'Sprachlabor*, *(die) 'Kurzgeschichte* le laboratoire de langue, la nouvelle *(der) 'Minderwertigkeitskomplex* le complexe d'infériorité

Base nominale écrite en plusieurs mots	
• nom avec **trait d'union**	*Nordrhein-West°falen, (die) (Franz-) °Schubert-Straße* Rhénanie-Westphalie, la rue Schubert *die °S-Kurve, die °UNO- Friedenstruppen* le virage en S, les forces d'interposition de l'ONU
• **complexe polylexical**	*(das) Land °Hessen, zwei Flaschen °Milch*, le land de Hesse, deux bouteilles de lait *(der) Herr Gene°ralkonsul, ein starker °Esser,* Monsieur le Consul Général, un gros mangeur *Anfang/ Ende Au°gust*, *(der) °Buß- und °Bettag* Début/fin août, jour de jeûne et de prières

Dans les groupes nominaux suivants, seul le champ 3 est occupé :
Achtung! Attention ! *Peter!* Pierre ! *Kinder!* [Les] enfants !
Apfel *[wird mit pf geschrieben]*. *Apfel* [s'écrit en allemand avec ***pf***].
[Ich möchte] ***Käse***. J'aimerais du fromage.
Bier *[auf Wein, das lass sein].* Ne bois pas de bière après le vin.

2 Les membres de part et d'autre de la base nominale

Dans la grande majorité des cas, la présence de membres n'est pas nécessaire pour qu'il y ait groupe nominal, sauf s'ils sont demandés par la construction syntaxique, par exemple ***der Umgang mit* + dat.** (la fréquentation de).
Ces membres peuvent prendre leur place à gauche (dans les champs 1 ou 2) ou à droite (dans les champs 4 à 6) de la base nominale.

Membres à gauche de la base nominale	Membres à droite de la base nominale
• Groupe **adjectival** *das sehr kleine Kind* le tout petit enfant	• Groupe nominal au **génitif postposé** *das Haus meiner Eltern* la maison de mes parents
• Groupe **participial I ou II** *die tief schlafende Stadt* la ville profondément endormie	• Groupe **adverbial** *das Haus dort am Straßenrand* la maison là au bord de la route
• Groupe nominal au **génitif antéposé** *Peters Kind* l'enfant de Pierre	• Groupe **prépositionnel** *die Feier zur deutschen Einheit* la fête de l'unité allemande

Membres à gauche de la base nominale	Membres à droite de la base nominale
• **Déterminants** – articles, démonstratifs, possessifs : *das/ dieses liebe Kind* le/ ce cher enfant *mein liebes Kind* mon cher enfant – quantifieurs : *zwei liebe Kinder* deux chers enfants	• Groupe **conjonctionnel** *die Tatsache, dass er da ist*, le fait qu'il soit là • Groupe **infinitif** *die Lust laut aufzuschreien* l'envie de pousser des cris • Groupe **verbal relatif** *die Feier, die gestern stattfand...* la fête qui a eu lieu hier...

Ce tableau ne tient pas compte des faits marginaux suivants :

1. **A gauche de la base nominale,** les structures orales et rares avec groupe adverbial ou groupe prépositionnel :

***Dort das Kind** hat sich weh getan.* Là cet enfant s'est fait mal.

***Im Mai die Hochzeit** war schön.* Au mois de mai le mariage fut beau.

2. **A droite de la base nominale,** les structures stylistiquement marquées avec un **groupe adjectival** ou un **groupe participe** juxtaposé :

Hänschen klein : petit Jean / *Forelle blau* : truite au bleu
Henkell bitter : Henkell amer

ein Kind, so klein, dass... : un enfant, si petit que...

ein Kind, sanft schlafend : un enfant tendrement endormi (style soutenu)

3. **Les groupes nominaux disloqués**, c'est-à-dire ceux dont un membre est séparé du reste du groupe nominal. Par exemple :

– un groupe **verbal relatif** :

*Ich habe das **von einer Freundin** bekommen, **die jetzt in Heidelberg lebt**.* J'ai reçu cela d'une amie qui habite maintenant à Heidelberg.

– un groupe **infinitif** :

*Er hatte mir **von seinem Projekt** erzählt, **nach Israel zu fahren**.*
Il m'avait parlé de son projet d'aller en Israël.

– un **quantifieur** ou un **adjectif épithète** :

***Die Kinder** sind **alle** in Ferien.* Les enfants sont tous en vacances.

***Krokodile** habe ich **keine** gesehen.* Des crocodiles, je n'en ai pas vu.

***Schuhe** hat er sich **neue** gekauft.*
Des chaussures, il s'en est acheté des nouvelles.

***Käse** gibt es hier **phantastischen**.* Le fromage ici est fantastique.

L'apposition n'est pas un membre du groupe nominal, mais un groupe nominal juxtaposé (voir le chapitre 6, page 65).

Er versprach mir, ***seiner Geliebten****, so schnell wie möglich wiederzukommen.*
Il me promit à moi, sa fiancée, de revenir au plus vite.

Ich habe mit Peter, ***meinem Freund****, gesprochen.*
J'ai parlé à Pierre, mon ami.

Ich habe mit Peter, ***früher mein bester Freund****, gesprochen.*
J'ai parlé à Pierre, [qui était] jadis mon meilleur ami. (attribut, donc nominatif)

3 Le champ de l'épithète

Le champ de l'épithète peut être occupé par des groupes participes et/ou des groupes adjectivaux.

On se méfiera cependant des éléments suivants :

• Des adjectifs qui restent invariables.

'lila : lila / *'rosa* : rose / *'prima* : excellent...

• Des adjectifs du type :

'Brandenburger, Pa'riser, 'Schweizer, vierziger Jahre : les années quarante
genug Geld : assez d'argent
ganz/ halb Deutschland : toute/ la moitié de l'Allemagne.

• Des adjectifs qui font partie d'un ensemble lexicalisé.

die Altstadt : la vieille ville (différent de *die alte Stadt*)
Kölnisch Wasser : l'eau de Cologne.

• De la succession de plusieurs adjectifs dans le champ 2.
Celle-ci peut :

– coordonner (séparation par des virgules ou coordination possible par ***und***) :

bei den armen, alten, kranken Leuten :
chez les gens pauvres [et] vieux [et] malades

– déterminer (la gauche précise le complexe à droite) :

das neue deutsche Theater : le nouveau théâtre allemand

– suivre un ordre qui va du moins inhérent au plus inhérent :

die gute alte Zeit : le bon vieux temps
eine ausgezeichnete methodisch perfekte semantische Analyse :
une excellente analyse sémantique parfaite du point de vue de la méthode.

4 Le groupe nominal au génitif à gauche ou à droite de la base nominale

A S'il s'agit d'un groupe nominal au **génitif antéposé** (le « génitif saxon » en tête à gauche de la base nominale), le groupe nominal d'accueil est nécessairement défini :

Deutschlands Außenpolitik : la politique extérieure de l'Allemagne
Annas schönstes Bild : le plus beau tableau/ portrait d'Anna.

B S'il s'agit d'un groupe nominal au **génitif postposé** (le membre au génitif est à droite de la base nominale), on distingue plusieurs types de génitifs, suivant le sens de la relation établie entre la base du groupe nominal d'accueil et le groupe nominal membre au génitif.

• La **relation d'identité** que l'on peut paraphraser par un énoncé avec ***sein***, ***sein wie***, ***gleichen***...

die Kunst des Schreibens : l'art d'écrire
die Wellen der Revolution : les vagues de la révolution.

• La **relation partitive**. Le groupe nominal au génitif indique alors un tout dont la base du groupe nominal d'accueil indique une partie.

ein Viertel seines Vermögens : un quart de sa fortune
eine Gruppe diskutierender Abgeordneter : un groupe de députés en pourparlers.

• La **relation de détermination**. Le groupe nominal membre au génitif vient déterminer la base du groupe nominal d'accueil par une indication :

– d'**appartenance** (de possession au sens large) :

die Mutter meiner Freundin : la mère de mon amie
das Werk des Schriftstellers : l'œuvre de l'écrivain

– de **qualification** :

Bücher bester Qualität : des livres de qualité supérieure
ein Mensch guten Willens : un homme de bonne volonté.

• La **relation de sujet** ou **d'objet implicite** par rapport à la nominalisation.

die Behauptung des Arbeitgebers : l'affirmation de l'employeur
(= *der Arbeitgeber behauptet*)
die Gründung eines Vereins : la fondation d'une association
(= *X gründet einen Verein*)

Le complément d'agent est obligatoirement introduit par ***durch*** quand le génitif correspond à l'objet :

die Gründung eines Vereins ***durch*** *X* : la fondation d'une association par X.

C Les groupes prépositionnels qui remplacent les groupes nominaux au génitif sont placés dans le champ 4. Il s'agit surtout :

• Du groupe prépositionnel obligatoire ***von*** + dat. quand le groupe nominal n'a pas de marque distinctive ou quand le génitif qualitatif n'a pas d'article.

der Verkauf von Milch / von Antiquitäten : la vente de lait/ d'antiquités
ein Faktor von wirtschaftlichem Gewicht : un facteur de poids économique.

• D'autres groupes prépositionnels plus précis.

die Energieerzeugung des Hüttenwerks/ im Hüttenwerk
la production d'énergie de l'usine/ à l'usine

viele unserer Kollegen / viele unter unseren Kollegen / viele von unseren Kollegen : beaucoup de nos collègues.

►Pour le génitif de quantité ou de mesure, voir le chapitre 24, pages 283-285.

5 L'adverbe invariable ou le groupe prépositionnel à droite de la base

A Les lexèmes invariables sont en allemand juxtaposés à droite de la base nominale, alors que le français exige souvent dans ce cas un élément de liaison. Ces lexèmes invariables ont pour fonction de **situer dans le temps**, **l'espace** ou **autrement** :

die Abfahrt meines Freundes ***morgen früh*** : le départ de mon ami demain matin

das Haus ***oben links*** *auf dem Hügel* : la maison en haut à gauche sur la colline

Die Regierung ***allein*** *kann das entscheiden.*
Le gouvernement seul peut décider cela.

*Wir wurden im Dorf °**selbst**/ °**selber** untergebracht.*
Nous fûmes hébergés dans le village même.

Ne pas confondre avec ***selbst/ sogar*** préposé :
Selbst/ Sogar *meine °Eltern waren da.* Même mes parents étaient là.

B Sont placés à droite de la base nominale les groupes prépositionnels :

• **Compléments circonstanciels** ou **qualitatifs**.

die Probleme an der Universität : les problèmes à l'université
die Kirche im vierzehnten Jahrhundert : l'église au quatorzième siècle
ein Auto mit Schiebedach : une voiture avec toit ouvrant.

• **Compléments des nominalisations**.

die Antwort des Schülers auf die Frage : la réponse de l'élève à la question

die Einbeziehung weiter Kreise der Bevölkerung in die Diskussion über die Mülldeponie : la participation de larges cercles de la population à la discussion sur la décharge d'ordures.

6 Les membres de type verbal à droite de la base nominale

Ces groupes de type verbal sont :

A Des groupes infinitifs.

die Bitte, nicht zu laut zu sprechen... : la demande de ne pas parler trop fort...

der Versuch, das Zusammenwirken zu fördern... :
la tentative de promouvoir la collaboration...

B Des groupes conjonctionnels.

Die langen Stunden, während er arbeitete,...
Les longues heures pendant lesquelles il travaillait...

Am Tag, als/ bevor sie wegging... Le jour où elle partit/ avant qu'elle ne parte...

Die einfache Tatsache, dass er Recht hat... Le simple fait qu'il ait raison...

Die Befürchtung, dass er helfen müsse... La crainte de devoir aider...

Der Grund, warum er nicht gekommen ist...
interrogation indirecte

La raison pour laquelle il n'est pas venu...

Die einfache Frage, ob er geschwiegen hat...
interrogation indirecte

La simple question s'il s'est tu...

C Des groupes verbaux avec verbe forme variable en 2e position.

Die Befürchtung, er müsse helfen... La crainte de devoir aider...

Die Behauptung, er könnte krank werden...
L'affirmation qu'il pourrait tomber malade...

D Des groupes verbaux relatifs.

• Ces groupes verbaux, membres de groupes nominaux, se caractérisent par le fait que leur premier groupe est ou comprend un **pronom anaphorique** du type :

– ***der***, ***das***, ***die*** : qui, que, lequel, laquelle, lesquels,

– ***welcher***, ***-es***, ***-e*** : qui,

– ***was*** : que,

– ***wo[hin/ her]*** : où / d'où,

– ***wie*** : la manière dont,

– ***warum*** : pourquoi.

Habituellement, ils ont aussi la forme variable du verbe en dernière position.

• **Le pronom relatif dépend de son antécédent**. Quand il est déclinable, il prend le genre et le nombre de son antécédent, mais il prend le cas exigé par la fonction qu'il occupe dans le groupe verbal relatif.

***Die besten Filme**, **die** in Europa gedreht werden...*
Les meilleurs films que l'on tourne en Europe...

Die est comme ***die besten Filme*** au masculin pluriel, mais son cas est le nominatif, car le pronom est sujet grammatical du groupe verbal relatif dont la base est ***-dreh-***.

*Anna, **deren** beste Freundin aus der Schweiz kommt...*
Anna, dont la meilleure amie vient de Suisse...

Deren est comme ***Anna*** au féminin singulier, mais son cas est le génitif antéposé, car le pronom est complément de nom dans le groupe nominal dont la base est ***Freundin***.

• Les groupes verbaux relatifs qui sont membres de groupes nominaux peuvent, comme les groupes adjectivaux ou participiaux, être :

– **déterminatifs** ou **sélectifs** : le groupe verbal relatif fournit une détermination indispensable à la définition du groupe nominal :

Da war kein Mensch, der mir hätte helfen können...
Il n'y avait personne qui aurait pu m'aider...
(sans virgule en français)

– **descriptifs** ou **appositifs**, voire **explicatifs** : l'information ajoutée du groupe verbal relatif n'est pas indispensable pour définir ou identifier le groupe nominal :

Das Spiel, worauf ich mich [übrigens] sehr gefreut hatte, verlief sehr schlecht.
Le match, que j'avais [du reste] attendu dans la joie, se passa très mal.
(avec des virgules en français)

Dans les grammaires usuelles, on distingue deux types de groupes verbaux relatifs distincts du groupe relatif membre de groupe nominal :

• Les groupes verbaux débutant par un pronom en ***w-*** ou en ***d-*** et qui sont membres de groupes verbaux.

***Wer will**, der kann.* Qui veut/ Celui qui veut peut.
Wer so reagiert, dem traue ich nicht.
Quiconque réagit ainsi n'a pas ma confiance.

Le corrélatif ***der/ dem*** est nécessaire en raison de la différence de cas, contrairement à l'exemple suivant :

***Die Geld haben**, können in Ferien fahren.*
Ceux qui ont de l'argent peuvent partir en vacances.

• Les groupes verbaux débutant par un anaphorique en ***w-*** et qui apportent une information complémentaire. C'est une sorte d'enchaînement textuel (« relative continuative »).

Mein Nachbar hat eine schöne Zeder gefällt, ***was ich persönlich missbillige****. (und* ***das*** *missbillige ich)*
Mon voisin a abattu un beau cèdre, et cela, je le réprouve.

15 Le groupe prépositionnel

A savoir

Définition

Le groupe prépositionnel est constitué d'une **base** invariable et d'au moins un **membre** dont la nature peut être variable.

La base

La base du groupe prépositionnel peut être :

• Un élément **préposé** (préposition qui ouvre le groupe prépositionnel).

aus *der Schule* : de l'école / ***mit*** *ihm* : avec lui / ***gegen*** *10 Uhr* : vers 10 heures.

• Un élément **postposé** (préposition qui suit le membre et clôture le groupe prépositionnel).

meiner Meinung ***nach*** : à mon avis

mir ***gegenüber*** : à mon égard, en face de moi.

• Une **circumposition** constituée d'un élément préposé et d'un élément postposé au membre (donc d'un ensemble circumposé).

von *Anfang* ***an*** : depuis le début.

Le membre

Le membre du groupe prépositionnel est obligatoire ; il s'agit le plus souvent d'un **groupe nominal** ou d'un **pronom** assimilable à un groupe nominal :

auf ***der Straße*** : dans la rue / *mit* ***meinem Freund*** : avec mon ami
mit ***ihm*** : avec lui / *infolge****dessen*** : en conséquence (de cela) *außer*-***dem*** : en outre / ***des****wegen* : à cause de cela.

Plus rarement, le membre du groupe prépositionnel peut être :

• Un lexème **invariable** (un adverbe).

nach ***rechts*** : à droite / *ab* ***heute*** : dès aujourd'hui / ***dar****auf* : sur cela
wo*rüber* : sur quoi / ***hier****mit* : avec cela.

• Un groupe **infinitif** avec ***ohne*** (sans), ***anstatt*** ou ***statt*** (au lieu de) et ***um*** (pour).

ohne ***lange zu zögern*** : sans hésiter longtemps

um ***mit meinen Eltern einkaufen zu gehen*** :
pour aller faire les courses avec mes parents.

• Un groupe **adjectival.**

*seit **langem*** : depuis longtemps / *vor **kurzem*** : il y a peu de temps
*von [ganz] **klein** auf* : depuis tout petit.

A savoir

1 Le cas dans le groupe prépositionnel

Quand le membre du groupe prépositionnel est un **groupe nominal** ou un **pronom** qui se décline, celui-ci apparaît à un des **quatre cas** : accusatif, datif, génitif ou, rarement, nominatif.

Parfois plusieurs cas sont possibles, avec ou sans changement de sens, avec ou sans possibilité de postposition :

*in **den** / **dem** Tram* : dans le tramway / *während **der**/ **den** Ferien* : pendant les vacances / *gegenüber **dem Bahnhof** / **mir** gegenüber* : face à la gare/ en face de moi.

L'essentiel des lexèmes prépositionnels de l'allemand actuel est présenté en annexe, page 371. (Les traductions proposées sont approximatives.)

A Les prépositions qui se construisent toujours avec l'**accusatif** sont :

betreffend	concernant	*ohne*	sans
bis	jusqu'à	*per / pro*	par
durch	à travers	*um*	autour, à
für	pour	*wider* (vieilli)	contre
gegen	contre		

Pro veut dire « par » au sens distributionnel de « chaque » :

*8 Euros **pro** angefangenen Tag* : 8 euros par jour entamé.

Per s'emploie plutôt dans la langue administrative pour un complément de moyen :

***per** eingeschriebenen Brief* : par lettre recommandée.

B Les prépositions qui se construisent toujours avec **le datif** sont :

(Le symbole ←/→ indique que l'élément fonctionne aussi en postposition et le symbole /→ qu'il ne fonctionne qu'en postposition.)

aus	marque l'idée de sortie	*nächst* (vieilli)	près de
außer	en dehors de	*nahe*	près de
bei	marque une proximité	*samt*	accompagné de
entgegen ←/→	à l'encontre de	*seit*	depuis
entsprechend ←/→	conformément à	*von*	marque l'idée d'origine
fern [von]	loin de	*von… ab*	à partir de
gegenüber ←/→	en face de	*von… an*	à partir de
gemäß ←/→	conformément à	*zu*	sens variés le plus souvent directifs
mit	avec	*zu'liebe* /→	par amour pour
nach ←/→	après / d'après / vers	*zu'wider*	contre *dem Gesetz zuwider* (contre la loi)

1. *Gegenüber* avec le datif est :

– **préposé** ou **postposé** avec un groupe nominal :

gegenüber ***dem*** *Bahnhof /* ***dem*** *Bahnhof gegenüber* : face à la gare

– **postposé** uniquement avec un pronom :

dir *gegenüber* : face à toi.

2. *Entlang* a un cas différent suivant que l'élément est en :

– **préposition** : *entlang* + **gén. :**

*entlang de**s** Wege**s*** : le long de la route

– **postposition** : **acc.** *entlang* :

*de**n** Weg entlang* : le long de la route

– **préposition** ou **postposition** : *entlang* + **dat.** / **dat.** *entlang* :

*entlang de**m** Weg / de**m** Weg entlang* : le long de la route.

C Les prépositions qui se construisent avec **le génitif** sont les plus nombreuses.

Un certain nombre d'entre elles se construisent aussi avec **le datif** ou avec ***von*** **+ dat.** Dans le tableau suivant, elles sont signalées par un ***D*** ou ***[von]***.

abseits [von]	à l'écart de	*längsseits [von]*	le long de
abzüglich [D]	en moins	*laut [D]*	selon, d'après
angesichts	vu, étant donné	*links [von]*	à gauche de
anhand [von]	à l'aide de	*mangels [D]*	à défaut de
anlässlich	à l'occasion de	*mit'hilfe [von]*	à l'aide de
anstatt [D]	au lieu de	*mittels [von]*	au moyen de
an'stelle [von]	à la place de	*namens*	au nom de
auf'grund [von]	en raison de	*nebst*	en plus de
außerhalb [von]	en dehors de	*oberhalb [von]*	au-dessus de
ausschließlich [D]	sauf	*rechts [von]*	à droite de
beiderseits [von]	de chaque côté de	*seitens / vonseiten*	du point de vue de
betreffs	concernant	*seitlich [von]*[2]	sur le côté de
bezüglich	concernant	*statt*	au lieu de
binnen [D]	dans un délai de	*trotz [D]*	malgré
dank [D]	grâce à	*um... willen*	pour l'amour de
diesseits [von]	de ce côté	*unfern [von]*	non loin de
einschließlich [D]	y compris	*ungeachtet*	sans tenir compte de
gelegentlich	à l'occasion de	*unterhalb [von]*	en dessous de
halber[1] (postposé)	pour des raisons de	*unweit [von]*	non loin de
hinsichtlich	en ce qui concerne	*von... wegen*	en vertu de
in'folge [von]	par suite de	*während [D]*	pendant
inklusive [D]	y compris	*wegen [D]*	à cause de
in'mitten [von]	au milieu de	*zeit*	du temps de
innerhalb [von]	à l'intérieur de	*zu'gunsten [von]*	en faveur de
jenseits [von]	au-delà de	*zu'ungunsten [von]*	au désavantage de
längs [D]	le long de	*zwecks [D]*	dans le but de

1. *Halber* ne fonctionne qu'en **postposition** :

der Sicherheit halber : pour des raisons de sécurité.

2. Un certain nombre d'adjectifs d'orientation s'emploient comme ***seitlich*** (de côté), c'est-à-dire soit avec **le génitif**, soit avec ***von* + dat.** :

nördlich : au nord / *östlich* : à l'est / *westlich* : à l'ouest / *südlich* : au sud.

D'autres adjectifs ne s'emploient qu'avec le génitif comme :

vorbehaltlich : sous réserve / *hinsichtlich* : en ce qui concerne...

Quand une préposition se construit **soit avec le génitif**, **soit avec le datif**, on a en général recours **au datif** :

– lorqu'il s'agit d'un groupe nominal dont le génitif ne serait pas marqué. Par exemple :

laut Presseberichten : d'après des rapports de presse

– pour éviter une succession de génitifs :

trotz dem schlechten Wetter der vergangenen Woche :
malgré le mauvais temps de la semaine dernière.

D Les prépositions construites **soit avec l'accusatif**, **soit avec le datif** sont au nombre de neuf :

in	*an*	*auf*	*vor*	*hinter*	*über*	*unter*	*neben*	*zwischen*

• ***In*** marque la portion, l'espace ou le paramètre intérieur d'un point de repère.

im Garten/ Gebirge / im Zeitalter / im Sinn :
dans le jardin/ la montagne / à l'époque / au sens.

• ***An*** souligne le contact avec un point de repère.

am Boden / an der Decke hängen / an der Wand / am Arm :
au sol/par terre / pendre au plafond / au mur / au bras.

• ***Auf*** indiquait sans doute à l'origine une direction.

auf jemanden zugehen : aller à la rencontre de qn

von heute auf morgen verschieben : remettre d'aujourd'hui à demain

Aujourd'hui, ***auf*** exprime très souvent le contact d'en haut ou le point d'appui avec un repère :

auf der Straße / auf dem Berg / auf dem Gemälde :
dans la rue / sur la montagne / sur le tableau.

• ***Vor*** (devant) et ***hinter*** (derrière).

Vor und hinter dem Haus stehen Bäume.
Devant et derrière la maison, il y a des arbres.

• ***Über*** (au-dessus de) a toujours l'accusatif quand il s'agit d'indiquer le passage sur un repère (avec ou sans contact).

Sie kamen über die Brücke. Ils vinrent par le pont.

Sie fuhr ihm über die Haare. Elle lui passa la main dans les cheveux.

• ***Unter*** (sous [avec ou sans contact avec le repère], mais aussi : parmi, entre).

unter der Brücke : sous le pont / *unter den Leuten* : parmi les gens.

• ***Neben*** (à côté de).

Sein Haus steht neben dem Rathaus. Sa maison est à côté de la mairie.

• ***Zwischen*** (entre [deux]).

zwischen den Zeilen lesen : lire entre les lignes.

Le choix du cas dans le groupe prépositionnel se fait en fonction de la relation qui s'établit entre un terme, d'une part, et la portion d'espace ou le paramètre d'un repère, d'autre part. Cette relation est dite :

• **Directive** : elle est alors marquée par l'**accusatif**, quand le repère est un point d'orientation, de direction d'une dynamique.

*in d**ie** Stadt fahren* : aller en ville / *auf **ihn** zugehen* : s'approcher de lui / *über d**ie** Straße laufen* : traverser la rue.

• **Locative** : elle est alors marquée par le **datif**, quand le repère est simplement situé et le plus souvent délimité.

*in d**er** Stadt leben* : vivre en ville / *in d**er** Stadt einkaufen* : faire des achats en ville *auf d**em** Hof spielen* : jouer dans la cour / *über d**em** Bett hängen* : être suspendu au-dessus du lit.

1. Dans un certain nombre d'expressions plus ou moins lexicalisées, le groupe nominal membre du groupe prépositionnel reste **invariable** :

laut Vertrag : selon les termes du contrat

Dans les exemples suivants, il n'y a pas la marque du masculin faible.

inklusive Porto : port compris
laut Paragraph 10 : d'après le paragraphe 10
von Mensch zu Mensch : d'homme à homme.

Dans le déterminant ***was für [ein-]***, la préposition ***für*** ne demande plus l'accusatif.

2. On peut entendre parler parfois des prépositions sans cas ***als*** et ***wie***. Quand ces éléments sont suivis d'un groupe nominal, celui-ci se met au cas demandé par sa fonction dans l'énoncé (et non à un cas figé). Par exemple :

Le groupe nominal est à l'accusatif quand il est **attribut de l'objet** :

*Ich betrachte ihn **als** mein**en** Freund.* Je le considère comme mon ami.

Le groupe nominal est au nominatif quand il est **attribut du sujet** :

*Ich bin **als** erst**er** gegangen.* Je suis parti le premier.

Le groupe nominal est au nominatif quand il est **sujet dans un groupe verbal membre de groupe conjonctionnel et élidé de sa base** :

Er spricht ***wie*** *ein Minister [spricht]*. Il parle comme un ministre.

Le groupe nominal est à l'accusatif, quand il est **objet dans un groupe verbal membre d'un groupe conjonctionnel et élidé de sa base** :

Er liebt ihn ***wie*** *ein****en*** *Sohn*. Il l'aime comme [on aime] un fils.

3. L'article défini ***der***/ ***das***/ ***die*** s'amalgame couramment avec la préposition. Ces contractions sont très fréquentes :

– au datif masculin et neutre : ***am*** *(an dem)*, ***beim*** *(bei dem)*, ***im*** *(in dem)*, ***vom*** *(von dem)*, ***zum*** *(zu dem)*…

– au datif féminin : ***zur*** *(zu der)*…

– à l'accusatif neutre : ***ans*** *(an das)*, ***ins*** *(in das)*…

– à d'autres formes plus familières : ***hinterm*** *(hinter dem)*, ***aufs*** *(auf das)*, ***vors*** *(vor das)*, ***untern*** *(unter den)*…

Beaucoup de ces contractions sont obligatoires dans des expressions figées :

hinters *Licht führen* : berner qqn / ***zum*** *Glück* : par chance / ***im*** *Jahre* : en l'an / ***am*** *Sonntag* : le dimanche / ***am*** *10. Mai* : le 10 mai / ***am*** *besten* : au mieux / ***beim*** *Eislaufen* : en faisant du patin à glace
Frankfurt ***am*** *Main* : Francfort sur le Main / *Gasthof* ***Zum*** *Kleinen Prinzen* : Auberge du Petit Prince…

2 Les fonctions du groupe prépositionnel

A Le groupe prépositionnel peut constituer à lui seul **un énoncé**.

Bis bald! À bientôt ! / *Zum Wohl!* À votre santé !
[Und nun] zur Sache! [Et maintenant] au fait !

B Le groupe prépositionnel peut être **membre d'un groupe d'accueil**, c'est-à-dire :

• Membre d'un **groupe verbal**.

Vor ein paar Tagen *kam er* ***mit seinen Eltern zu uns***.
Il y a quelques jours il vint chez nous avec ses parents.

• Membre d'un **groupe nominal**.

der Wunsch ***nach mehr Freiheit*** : le souhait d'une plus grande liberté
die Begegnung ***mit seinen Eltern*** : la rencontre avec ses parents.

• Membre d'un **groupe adjectival**.

Sie sind ***zu allem*** *bereit*. Ils sont prêts à tout.

• Membre d'un **groupe adverbial**.

morgen ***in vierzehn Tagen*** : demain en quinze.

• Membre d'un groupe **infinitif** ou **participial**.

Er will ***am Samstag um vier Uhr*** *wieder abfahren.*
Il veut repartir samedi à quatre heures.

1. Il n'est pas rare que le groupe prépositionnel ait une forme figée et entre comme tel dans une expression verbale :

nach Hause gehen : aller à la maison / *außer Kraft setzen* : mettre hors-jeu / *in Panik geraten* : paniquer.

2. D'autres groupes prépositionnels figés assurent d'autres fonctions comme celle :

– de particule verbale : *zu'sammenfallen* (tomber en ruines),
– d'appréciatif : *zum Glück* (par chance),
– de modalisateur : *in der Tat* (effectivement),
– de connecteur : *außerdem* (en outre),
– de commentaire : *mit anderen Worten* (en d'autres termes),
– de base de groupe conjonctionnel : *nachdem* (après que), *seitdem* (depuis que), etc.

3 Syntaxe et sémantique des groupes prépositionnels

A **Du point de vue syntaxique**, on peut distinguer principalement deux grands types de prépositions qui sont plutôt en continuité qu'en opposition.

• Les **prépositions** qui fonctionnent surtout librement et ne sont **pas imposées** par une unité ou une base linguistique extérieure ; leur choix est essentiellement sémantique.

Les groupes prépositionnels qui présentent ce type de prépositions sont des membres libres dans des groupes d'accueil :

Er wartet ***im Auto*** *auf dich*. Il t'attend dans la voiture.

Ils peuvent aussi apporter, sous une forme plus ou moins figée, des indications non demandées par la correction syntaxique minimale du groupe d'accueil :

Im Grunde *hat er schon recht.* Au fond, il a bien raison.

Meiner Ansicht nach/ Für mich/ Vor allem *muss ein Unfall verhindert werden.* À mon avis/ Pour moi/ Avant tout, il faut éviter l'accident.

• Les **prépositions** dont **l'emploi est imposé** par une unité ou base lexicale extérieure ; elles dépendent donc de la construction (du régime, de la valence, etc.) d'autres lexèmes (voir le chapitre 6) :

Er wartet im Auto ***auf dich***. Il t'attend dans la voiture.

Kümmere dich ***um deine Sachen***. Occupe-toi de tes affaires.

Sie waren böse auf dich. Ils t'en voulaient.
groupe prépositionnel complément de l'adjectif

Die Suche ***nach den Gründen*** : la recherche des raisons.

Les prépositions prévues dans le programme de construction d'une base d'un groupe d'accueil ne sont pas toutes obligatoires, ni surtout, comme on le dit souvent, dénuées de sens. Suivant précisément le sens que l'on veut exprimer, elles ont souvent des concurrents, par exemple :

sich freuen ***auf*** (+ acc.) : se réjouir à l'idée de
sich freuen ***über*** (+ acc.) : se réjouir de, disposer de
sich freuen ***an*** (+ dat.) : se réjouir au contact de

ou bien elles présentent des alternatives de construction sémantiquement :

– proches :

erwarten ↔ warten ***auf*** (+ acc.) : attendre,

– plus ou moins éloignées :

kämpfen ***für*** (+ acc.)/ ***gegen*** (+ acc.) : combattre pour/ contre.

B **Du point de vue sémantique**, le problème posé par les bases syntaxiques prépositionnelles est beaucoup plus délicat, du fait de l'hétérogénéité de ces éléments.

• Par rapport au membre du groupe prépositionnel qui est le plus souvent un groupe nominal, la base prépositionnelle peut fournir un paramètre. Ainsi, par exemple, ***in*** renvoie au paramètre intérieur autant dans son sens **spatial** (*im Garten* : l'intérieur du jardin) que dans son sens **temporel** (*in der Nacht* : dans la nuit) ou dans un domaine plus **notionnel** (*sich in einer Sache täuschen* : se tromper dans une affaire).

• Dans d'autres cas, la préposition n'exprime par rapport au membre-repère qu'une relation :

– **directive**, par exemple, le ***zu*** moderne :

Ich gehe ***zum*** *Bahnhof.* Je me rends à la gare.

– ou **situative délimitée** :

Er lebt ***bei*** *seinen Eltern.* Il vit chez ses parents.

Von n'a souvent que ce rôle de marqueur de relation :

die Einfuhr ***von*** *Waren* : l'importation de marchandises.

Dans cette grammaire, nous présentons uniquement les prépositions qui relèvent du domaine spatial (voir le chapitre 10) temporel (voir le chapitre 11) ainsi que de la construction des bases verbales et des adjectifs.

4 L'expression prépositionnelle des domaines notionnels

A Parmi les groupes prépositionnels en **fonction de membre-complément**, on distingue les groupes prépositionnels de **manière**, de **cause**, de **but** et de **conséquence**.

MANIÈRE (QUESTION : *WIE* ?)	
Co-présence	
bei + dat.	***bei*** *Gelegenheit* : à l'occasion / ***bei*** *Wind und Schnee* : par vent et neige / ***beim*** *Essen* : en mangeant
unter + dat.	***unter*** *diesen Umständen/ Bedingungen* : dans ces circonstances/ conditions
Opposition	
trotz + gén.	***trotz*** *der widrigen Wetterverhältnisse* : en dépit des conditions météorologiques contraires
bei + dat.	***bei*** *allem Respekt für Ihre Leistung* : en dépit de tout le respect dû à votre performance
durch + acc. (intermédiaire)	***durch*** *seine Sekretärin* : par sa secrétaire ***durch*** *die Zeitung* : par le journal ***durch*** *Gewalt* : par la violence
zu + dat.	***zu*** *Fuß* : à pied / ***zu*** *Pferd* : à cheval
mit + dat.	***mit*** *der Bahn* : en chemin de fer / ***mit*** *lauter Stimme* : à haute voix / ***mit*** *Absicht* : intentionnellement ***mit*** *vierzig Jahren* : à quarante ans ***mit*** *einer Zange* : avec des pinces
auf + acc.	***auf*** *diese Art und Weise* : de cette façon

CAUSE - BUT - CONSÉQUENCE	
Warum? Weshalb?	
aufgrund/ auf Grund + gén.	***aufgrund*** *einer langen Untersuchung* : en raison d'une longue recherche
aus + dat.	***aus*** *dem einfachen Grund* : pour la simple raison ***aus*** *Liebe/ Eifersucht/ Angst* : par amour/ jalousie/ peur (motivation interne)
vor + dat.	***vor*** *Freude/ Angst/ Hunger* : de joie/ peur/ faim (motivation extérieure : mise devant le fait accompli)
wegen + gén. ou dat.	***wegen*** *des schlechten Wetters* : en raison/ à cause du mauvais temps
Wozu?	
zu + dat.	***zu*** *welchem Zweck* : dans quel but ***zum*** *Spaß* : pour rire
Worum?	
um + acc.	*sich* ***um*** *die Zukunft Sorgen machen* : se faire du souci pour l'avenir ***um*** *jeden Preis* : à tout prix
Wofür?	
für + acc.	*der Grund* ***für*** *den Regierungswechsel* : la raison du changement de gouvernement

B D'autres groupes prépositionnels peuvent exprimer :

- L'appartenance à un ensemble.
- L'appréciation ou l'évaluation d'une qualité ou quantité.
- La variation de quantité.

L'APPARTENANCE À UN ENSEMBLE	
Association / devenir	
zu + dat.	***zu*** *den besten Spielern zählen* : compter parmi les meilleurs joueurs / *Was gibt es* ***zum*** *Fleisch?* Qu'est-ce qui est servi avec la viande ? / ***zu*** *Eis werden* : se transformer en glace / ***zum*** *Direktor gewählt werden* : être élu directeur
Entrée dans	
in + acc.	***in*** *Panik geraten* : paniquer / ***in*** *eine Fremdsprache übersetzen* : traduire dans une langue étrangère
Co-présence	
bei + dat.	***bei*** *der Arbeit/* ***bei*** *einer Sache bleiben* : rester à son travail/ sur une affaire
Présence dans	
in + dat.	***im*** *Dienst/* ***in*** *Gefahr sein* : être en service/ en danger
Provenance / extraction	
aus + dat.	*Was ist* ***aus*** *ihm geworden?* Qu'est-il advenu de lui ? *eine Kette* ***aus*** *Silber* : une chaîne en argent

L'appartenance à un ensemble

Origine / séparation	
von + dat.	*Was erwartest du* ***von*** *mir?* Qu'attends-tu de moi ?
Sélection	
unter + dat.	*der schlechteste* ***unter*** *den schlechtesten* : le plus mauvais parmi les mauvais
als	*Er ist* ***als*** *Held gestorben*. Il est mort en héros. ***als*** *Trost* : en guise de consolation
Exclusion / inclusion	
außer + dat. ***bis auf*** + acc.	*Er weiß das Gedicht auswendig,* ***bis auf*** *die letzte Strophe*. Il sait le poème par cœur, sauf (à l'exclusion de) la dernière strophe (ou encore, y compris la dernière strophe).
Adjonction / non-adjonction	
mit + dat. ***ohne*** + acc.	*ein Auto* ***mit*** *oder* ***ohne*** *Schiebedach* : une voiture avec ou sans toit ouvrant
Substitution	
durch + acc. ***gegen*** + acc. ***für*** + acc.	*ersetzen* ***durch*** : remplacer par *tauschen* ***gegen*** : échanger contre *danken* ***für*** : remercier pour

L'appréciation / l'évaluation d'une mesure, d'une quantité

Mesure exprimée par l'accusatif seul	*neun Meter [lang]* : d'une longueur de neuf mètres / *vierzehn Tage* : quinze jours / *hundert Euros [kosten]* : coûter cents euros
Approximation	
an/ um die (+ acc. plur.)	*Wir waren an die 50*. Nous étions près de 50. *Wir waren um die 100*. Nous étions autour de 100/ dans les cent.
La fourchette est indiquée par :	
zwischen + dat.	*Das Ganze kostet zwischen 10 und 11 000 DM*. L'ensemble coûte entre 10 et 11 000 Marks.
Repère inférieur	
ab + dat. (ou acc.) ***von*** + dat. + ***an***	*Jugendliche* ***ab*** *18 Jahre[n]* : des jeunes gens à partir de 18 ans / *Waren* ***ab*** *10 DM/* ***von*** *10 DM* ***an*** : des marchandises à partir de 10 DM
Repère supérieur	
bis zu + dat.	*Es dauert* ***bis zum*** *6. Mai*. Cela durera jusqu'au 6 mai. ***von*** *neun [Uhr an] bis [zu] 17 Uhr* : de 9 à 17 heures

La variation de quantité

Rapport	
zu + dat.	*eins* ***zu*** *eins* : un partout
pro/ je	*80 DM* ***pro****/ am Tag* : 80 Marks par jour *10 DM pro/* ***je*** *Meter* : 10 Marks le mètre
Dépassement vers le haut/ vers le bas	
über + acc. ***mehr als*** ***unter*** + acc.	***über****/* ***unter*** *eine Million Profit* : plus de/ moins de un million de profit

La variation de quantité

Différence en jeu	
um + acc.	*Sie war [****um****] drei Jahre älter.* Elle avait trois ans de plus. *Die Temperatur ist* ***um*** *2 Grad gestiegen/ gesunken.* La température est montée/ descendue de 2 degrés.
Variation d'un repère à un autre	
von... auf : de… à	*Die Steuern sind* ***von*** *2* ***auf*** *4 % gestiegen/ gesunken.* Les impôts ont augmenté/ baissé de 2 à 4%.

►Voir en annexe le tableau de toutes les prépositions avec leur(s) cas, page 371.

16 Les groupes syntaxiques

A savoir

Grammaire de mots et grammaire de groupes

Une grammaire fondée sur les seules classes de mots (noms, verbes, adjectifs, prépositions, conjonctions, adverbes...) est insuffisante pour décrire, comprendre et apprendre correctement l'allemand et le français. En effet, dans nos langues, les mots ne fonctionnent concrètement que dans le cadre de groupes syntaxiques.

Ainsi dans l'énoncé déclaratif :

Das kleine Pferd zieht den großen Wagen.
Le petit cheval tire la grande charrette.

on a deux groupes membres qui assurent dans le groupe verbal la fonction de sujet et d'objet. Ces groupes sont des groupes nominaux qui ont pour base ***Pferd*** et ***Wagen.*** Or ce ne sont pas seulement les bases (les noms) qui sont sujet et objet. En effet, au passif, c'est l'ensemble du groupe ***das kleine Pferd*** qui devient membre du groupe prépositionnel complément d'agent et c'est l'ensemble du groupe nominal objet à l'accusatif qui devient sujet grammatical au nominatif :

*Da**s** klein**e** Pferd-**ø** zieht d**en** groß**en** Wagen-**ø**.*
→ *D**er** groß**e** Wagen-**ø** wird von d**em** klein**en** Pferd-**ø** gezogen.*
→ La grande charrette est tirée par le petit cheval.

Définition du groupe syntaxique

Le terme de **groupe syntaxique** désigne un ensemble d'éléments significatifs qui sont en relation avec une unité lexicale appelée **base** :

• *Schweine* est un groupe nominal dont la **base** est *Schwein-* ; les **marques de catégories** sont **-e**.

• *Da-**s** klein-**e** Pferd-**ø*** est un groupe nominal dont la **base** est *Pferd-* ; les **marques de catégories** sont *da-**s** **-e** **-ø***. Le **membre** est *klein*.

• *Eifersüchtig auf ihn* est un groupe adjectival dont la **base** est *eifersüchtig* ; pas de **marques de catégories** ; le **membre** est le groupe prépositionnel *auf ihn.*

• *Zu meinem Onkel* est un groupe prépositionnel dont la **base** est *zu* et le membre le groupe nominal : *meinem Onkel*.

• *Mit mir heimgehen* est un groupe infintif. La **base** est *heimgeh-*, **-en** est la **marque de catégories** et le **membre** est le groupe prépositionnel *mit mir.*

• *Ohne lange zu warten* est un groupe prépositionnel dont la **base** est *ohne* ; le **membre** est le groupe infinitif *lange zu warten*.

• *Dass er schon lange da ist* est un groupe conjonctionnel dont la **base** syntaxique est *dass*. Le **membre** est le groupe verbal : *er schon lange da ist.*

Comme le montrent les exemples ci-dessus, **le terme de groupe ne signifie absolument pas qu'il soit constitué obligatoirement de plusieurs mots écrits**, même si les groupes que l'on rencontre dans la syntaxe de l'allemand sont constitués le plus souvent de plusieurs mots.

Schweine est un groupe nominal car il est constitué de la base lexicale ***Schwein-*** et de la marque de catégorie **-e**.

A savoir

1 La constitution du groupe syntaxique

A Tout groupe syntaxique a obligatoirement une **base** qui est constituée, à son tour, au moins d'un **lexème** simple ou complexe.

Par exemple, le groupe nominal ***die große Tür*** (la grande porte) a une base lexicale simple ***Tür***, et le groupe nominal ***die kleine Zimmertür*** (la petite porte de la chambre) a une base lexicale complexe ***Zimmertür***.

C'est **la classe de mot** traditionnelle à laquelle appartient la base du groupe qui donne son nom à l'ensemble du groupe.

Il existe huit groupes syntaxiques dénommés d'après des termes traditionnels :

• Le groupe syntaxique qui constitue l'énoncé déclaratif *Am 20. März haben wir einen schönen Ausflug gemacht.* (Le 20 mars, nous avons fait une belle excursion.) est un **groupe verbal** (*Am 20. März wir // einen schönen Ausflug gemacht haben*).

• Le groupe syntaxique *die große Tür unseres Hauses* (la grande porte de notre maison) est un **groupe nominal**.

• *sehr klein* (très petit) est un **groupe adjectival**.

• *den Wagen in die Garage stellen* (rentrer la voiture au garage) est un **groupe infinitif**.

• *schon lange geplant* (projeté depuis longtemps) est un **groupe participe**.

• *seit langem* (depuis longtemps) est un **groupe prépositionnel**.

• *weil er angekommen ist* (parce qu'il est arrivé) est un **groupe conjonctionnel**.

• *morgen Abend* (demain soir) est un **groupe adverbial**.

B Certains groupes syntaxiques ont obligatoirement des **marques de catégories**, alors que d'autres ont une base lexicale invariable (c'est-à-dire ni conjuguée, ni déclinée). On a ainsi :

• Le groupe **verbal** dont la base porte toujours les **marques de catégories** du mode, du temps, de la personne, du nombre, de la voix et de l'aspect-phase.
Par exemple dans *Sie sind spät angekommen.* (Ils sont arrivés tard.), la base lexicale est *ankomm-* ; les marques de l'indicatif présent 3e personne du pluriel actif accompli sont portées par la forme verbale composée *angekommen sind*.

• Le groupe **nominal** est constitué d'une **partie variable** qui comprend les marques de catégories du genre, du nombre et du cas d'une part, de la définitude d'autre part.
Par exemple dans *die große Tür unseres Hauses* (la grande porte de notre maison), la base lexicale est *Tür*, les marques de catégories sont d'une part la séquence ***-ie -e -ø*** et d'autre part le ***d-*** de l'article défini.

• Le groupe **infinitif** a la marque de l'infinitif ***-[e]n :*** *nach Hause kommen* (rentrer à la maison) (voir le chapitre 17, pages 193 et suivantes.

• Les groupes **participiaux** ont les marques du participe I : ***-[e]nd*** ou du participe II : ***[ge]...[e]t / en*** :

das Buch zusammenfass-end : résumant le livre
kurz gesagt : dit en peu de mots
schön gelegen : joliment situé (voir le chapitre 21).

• Le groupe **adjectival** n'a des marques de catégories **qu'occasionnellement**, car il participe au marquage du groupe nominal quand il est membre placé à gauche de la base. Par exemple :

die sehr kleine Tür : la porte très petite.

• Les trois autres groupes – le groupe **prépositionnel**, le groupe **conjonctionnel**, le groupe **adverbial** – ont des bases lexicales **invariables**, c'est-à-dire ni déclinables, ni conjugables.

C En plus du lexème-base obligatoire et des marques de catégories éventuellement obligatoires, le groupe syntaxique peut avoir des **membres**. Ceux-ci ont toujours la forme d'un des huit groupes syntaxiques. Ainsi :

• Les groupes sujet et objet qui sont membres du groupe verbal suivant sont des groupes **nominaux**.

Das kleine Pferd *zieht* ***den großen Wagen***.
Le petit cheval tire la grande charrette.

• Le groupe complément de manière dans le groupe infinitif qui suit est un groupe **prépositionnel.**

mit Vorsicht *fahren* : conduire avec prudence.

• Le groupe relatif, qui est membre dans le groupe nominal suivant, est un groupe **verbal**.

Der Mann, ***der aus der Kälte kam****.* L'homme qui venait du froid.

La forme du groupe membre peut être imposée par la définition même du groupe d'accueil. Ainsi un groupe conjonctionnel aura toujours comme membre obligatoire un groupe verbal :

weil ***er übermorgen ankommt*** : parce qu'il arrive après-demain

alors que le groupe prépositionnel n'aura jamais comme membre un groupe verbal :

von der Stadt
(membre : groupe nominal)

von klein auf...
(membre : groupe adjectival)

Trois termes techniques suffisent donc pour décrire tous les groupes syntaxiques.

• **La base** : elle est toujours constituée au moins d'un lexème simple ou complexe.

• **Les marques de catégories** : elles sont des constituants obligatoires des groupes qui ont des catégories.

• **Les membres** : ils sont éventuellement obligatoires ou le plus souvent facultatifs et dépendent de facteurs syntaxiques, sémantiques et communicatifs.

Par exemple dans l'énoncé déclaratif suivant :

Peter kommt morgen. Pierre viendra demain.

on a un groupe verbal qui s'analyse comme suit :

– la base : ***komm-***,

– les marques de catégories explicites : absence du ***-e-*** du subjonctif, l'absence de l'alternance ***o*** → ***a*** que l'on aurait au prétérit, la présence du ***-t*** qui marque la 3e personne du singulier, l'absence des formes composées que l'on aurait aux formes du parfait et du passif,

– les membres : ce sont le groupe nominal sujet ***Peter*** et l'adverbe complément de temps ***morgen***.

D Les groupes syntaxiques sont classés selon la **variabilité de leur base**. Si l'on prend comme critère les marques de catégories, on peut distinguer parmi les huit groupes syntaxiques trois types de groupes.

• Les groupes dont la base est **toujours** munie **explicitement ou implicitement de marques de catégories**. Ce sont le groupe verbal, le groupe nominal, le groupe infinitif et le groupe participe.

• Le groupe adjectival dont la base est munie **occasionnellement de marques de catégories**.

• Les groupes dont la base est **toujours un lexème invariable** : le groupe adverbial, le groupe prépositionnel, le groupe conjonctionnel.

Dans la définition des groupes syntaxiques, le point de vue sémantique, ainsi que la perspective fonctionnelle ne sont pas premiers. Dans le groupe verbal ***wir sind gesund***, la base syntaxique munie des marques de catégories est ***sind*** ; elle n'est évidemment pas le noyau sémantiquement le plus important. Dans le groupe conjonctionnel ***dass er kommt***, c'est ***dass*** qui est la base syntaxique du groupe ; celle-ci n'est sûrement pas le noyau le plus important du point de vue de la signification, puisque ***dass*** n'a pas de sens informatif.

2 Les groupes avec marques de catégories

LE GROUPE VERBAL

A Le groupe verbal correspond à ce que les grammaires usuelles appellent « proposition grammaticale ». Il s'agit du groupe syntaxique qui constitue la phrase verbale avec tous ses membres grammaticaux, y compris le sujet.

Le groupe verbal comprend toujours une **forme conjuguée du verbe**, qui, dans l'ordre de base régressif dans lequel le déterminant précède le déterminé, est en position finale :

Peter eine Französin geheiratet ***hat***.

Cette structure, dont le **complexe verbal** est en position finale, est la plus neutre du point de vue communicatif. Quand le groupe verbal constitue - en contexte et en situation - un énoncé, cette forme variable du verbe occupe la première, la deuxième ou la dernière position (voir le chapitre 25).

Peter ***hat*** *eine Französin geheiratet.* Pierre a épousé une Française.
→ ***Hat*** *Peter eine Französin geheiratet?*
→ *Ob Peter eine Französin geheiratet* ***hat****?*

B Le groupe verbal a toujours un **lexème-base** qui est le verbe principal simple ou complexe. Il porte également les marques des **six catégories grammaticales** appelées :

- **Temps** : présent, prétérit, parfait...
- **Mode** : indicatif, subjonctif I et II.
- **Aspect** ou **phase** : non-accompli ↔ accompli :

Er schafft es. Er wird es schaffen. ↔ *Er hat es geschafft.*
Il réussit. Il réussira. ↔ Il a réussi.

- **Personne** et **nombre**, qui sont deux catégories marquées ensemble.
- **Voix** : active, passive, pronominale.

Les marques de ces catégories sont réparties sur les diverses formes de la **conjugaison verbale**. Elles sont donc accrochées à l'ensemble des formes simples et/ou complexes que peut prendre le lexème verbal avec ses auxiliaires éventuels.

Peter ruft/ rief/ hat gerufen/ wird rufen/ ist gerufen worden.

C Outre le lexème-base (verbe principal) et les marques de catégories, le groupe verbal a habituellement des **membres** (en fonction de sujet, d'objet ou d'attribut, de circonstanciel...) **qui ont toujours la forme d'un des huit groupes syntaxiques**. Parmi ces membres, on distingue :

• Les membres **obligatoires** du point de vue syntaxique. Par exemple, le groupe nominal à l'accusatif dans : *Es gibt* ***viele arme Leute***. Il y a beaucoup de pauvres gens.
est obligatoire car ***Es gibt*** ne peut pas s'employer sans objet.

• Les membres **facultatifs**. Par exemple, le groupe nominal objet à l'accusatif dans :

Er trinkt ***Mineralwasser***. Il boit de l'eau minérale.

est facultatif car ***Er trinkt*** peut s'employer sans objet.

Le nombre de ces membres n'est en principe pas limité, mais les exigences de la clarté et de la compréhension font que, dans l'acte de communication, on ne peut pas indéfiniment accumuler les informations.

Es	*gib*	*-t*	*viele arme Leute*	*in dieser Stadt.*
membre sujet (obligatoire)	lexème-base	marque de catégories	membre objet (obligatoire)	membre complément (facultatif)

Il y a beaucoup de pauvres gens dans cette ville.

D Parmi les groupes verbaux, on distingue encore :

• Les **groupes verbaux relatifs** (les relatives) qui ont la forme variable du verbe en dernière position et un pronom anaphorique en première position.

die Leute, ***die*** *da* ***waren*** : les gens qui étaient là.

• Les **groupes verbaux** qui s'ouvrent sur un pronom non anaphorique en ***w-*** **ou** ***d-***.

Wer *zuletzt lacht, lacht am besten.* Rira bien qui rira le dernier.

Die *Glück haben, riskieren nichts*. Ceux qui ont de la chance ne risquent rien.

• Les autres groupes verbaux membres d'un groupe d'accueil (dits **groupes verbaux dépendants**) : ils peuvent avoir la forme variable du verbe en première, deuxième ou dernière position.

Und er sagte : « ***Komm doch!*** » Et il dit : « Viens donc ! »

Er sagte, ***er sei schnell hingefahren***. Il dit qu'il s'y était rendu promptement.

Wäre sie gekommen, *so hätten wir ihren Geburtstag gefeiert.*
Si elle était venue, nous aurions fêté son anniversaire.

Une autre construction de ce dernier exemple serait : *Wenn* ***sie gekommen wäre***... groupe verbal membre d'un groupe conjonctionnel à base ***wenn***.

LE GROUPE NOMINAL

A Le groupe nominal a comme **lexème-base un nom** ou **une nominalisation** simple ou complexe (voir le chapitre 19, pages 214 et suivantes) :

das **Obst** : les fruits / *Wir essen* **Obst**. Nous mangeons des fruits. / *frisches* **Obst** : des fruits frais / *dieses frische* **Obst** : ces fruits frais / *frisches* **Obst** *vom Markt* : des fruits frais du marché / *das* **Obst**, *das aus Spanien importiert wird* : les fruits qui sont importés d'Espagne.

B Le groupe nominal a obligatoirement les marques de **quatre catégories**, réparties sur la séquence significative déterminant + épithète(s) + nom (voir chapitre 2, pages 16 et suivantes). On distingue :

• Les marques amalgamées du **genre** (masculin, neutre, féminin), du **nombre** (singulier, pluriel) et du **cas** (nominatif, accusatif, datif, génitif).

• Au début du groupe, les marques (articles ou autres déterminants) renseignant sur son caractère **défini** ou **indéfini** (déterminé ou indéterminé, identifié ou non-identifié).

Séquence de marquage du groupe nominal :

D- **as**	*frisch-* **e**	*Obst-* **ø**	*vom Markt*
défini	groupe adjectif membre	lexème-base	groupe prépositionnel membre

C Le groupe nominal peut avoir des **membres** qui, selon leur nature et leur fonction, apparaissent :

• **À gauche du lexème-base** : groupe nominal au génitif préposé, groupe adjectival ou groupe participe en fonction d'épithète, comme ***frisch-*** dans l'exemple précédent (voir chapitre 14, pages 153 et suivantes.

• **À droite du lexème-base** : groupe nominal juxtaposé ou au génitif (par exemple : *die Stadt* ***Berlin*** / *das Haus* ***meines Freundes***), groupe prépositionnel, groupe infinitif, groupe conjonctionnel, groupe verbal relatif, comme le groupe prépositionnel ***vom Markt*** dans l'exemple précédent (voir chapitre 14, pages 153 et suivantes).

LE GROUPE INFINITIF

A Le groupe infinitif a comme base **un lexème verbal à l'infinitif**. La marque ***-[e]n*** raccrochée soit au verbe principal, soit à l'auxiliaire, porte sur l'ensemble du groupe infinitif, c'est-à-dire sur la base avec ses membres éventuels :

Sie will ***in vierzehn Tagen wieder gesund sein***.
Elle tient à être rétablie dans quinze jours.

Was will sie? Le groupe infinitif ***in vierzehn Tagen wieder gesund sein*** est objet dans le groupe verbal qui a comme base ***will***.

Beide haben beschlossen, ***die Sache noch einmal zu versuchen***.
Les deux ont décidé de faire une seconde tentative.

Le groupe infinitif ***die Sache noch einmal zu versuchen*** est objet dans le groupe verbal qui a comme lexème-base ***beschließ[en]***.

*Um **es kurz zu fassen** : **So etwas** kann ich nicht **tun**.*
Pour le dire brièvement : Je ne peux pas faire une chose pareille.

Le premier groupe infinitif ***es kurz zu fassen*** est membre du groupe prépositionnel dont la base est ***um*** ; le deuxième groupe infinitif ***so etwas tun*** est objet dans le groupe verbal dont la base est ***[nicht] kann***.

B Alors que le groupe verbal a six catégories verbales, le groupe infinitif n'en a, en général, que **deux** :

- **L'aspect** : non-accompli (***nein sagen*** : dire non) ↔ accompli (***nein gesagt haben*** : avoir dit non).
- **La voix** : actif ↔ passif

*Sie kann **das Haus verkaufen**.* ↔ *Das Haus kann **verkauft werden**.*
Elle peut vendre la maison. ↔ La maison peut être vendue.

C Le groupe infinitif assure souvent les mêmes fonctions grammaticales que le groupe nominal :
*Er wollte nur nicht **nein sagen**.* Il ne voulait surtout pas dire non.

Le groupe infinitif est **objet** dans le groupe verbal dont la base est ***woll[te]***.

*Es ist verboten, **den Rasen zu betreten**.*
Il est interdit de marcher sur la pelouse.

Le groupe infinitif est **sujet** dans le groupe verbal dont la base est ***verboten ist***.

LE GROUPE PARTICIPE

A **Le participe I** (présent) avec ses membres éventuels a la marque ***-end***. Du point de vue des catégories grammaticales, il a une valeur **active** et **non accomplie** :

*das **uns umgebende** Leben* : la vie environnante/ qui nous entoure
*Er saß **Pfeife rauchend** im Sessel.*
Il était assis dans le fauteuil à fumer sa pipe/ fumant sa pipe.

B **Le participe II** (passé) avec ses membres éventuels a la marque ***[ge]...t/ en***. Du point de vue de la catégorie de la voix, sa valeur est **active**, **passive** ou **pronominale** :
der ins Wasser gesprungene Hund = der Hund, der ins Wasser gesprungen ist (voix active) : le chien qui a sauté à l'eau

der vom Auto gezogene Wohnwagen = der Wohnwagen, der vom Auto gezogen wird (voix passive) : la caravane tirée par la voiture

*die gut informierten Leute = die Leute, die **sich** gut informiert haben* : les gens qui se sont bien informés (voix pronominale) ou :

die Leute, die gut informiert worden sind : les gens qui ont été bien informés (voix passive).

Du point de vue de l'aspect, la marque du participe II peut avoir une valeur :

– d'**accompli** (généralement à l'actif et au pronominal),

– ou de **non-accompli** (par exemple au passif : *der vom Auto gezogene Wohnwagen*).

C Le groupe participe assure souvent les mêmes fonctions grammaticales que le groupe adjectival (voir le chapitre 21, pages 247-250).

3 Les groupes avec marques de catégories occasionnelles

Le lexème-base du groupe adjectival participe au marquage du groupe nominal quand il est épithète à gauche de la base nomimale :

die ***damaligen*** *Zustände* : les conditions à cette époque

der ***sehr bekannte*** *Sänger* : le chanteur très connu.

Dans toutes les autres fonctions que le groupe adjectival peut assurer dans un groupe d'accueil, l'adjectif reste invariable.

Le degré 1 (comparatif : ***[¨]er***) et le degré 2 (superlatif : ***-st-***) (voir le chapitre 9, page 97) ne forment pas à proprement parler une catégorie grammaticale du groupe adjectival, ni même de l'adjectif. D'une part, tous les adjectifs ne sont pas gradables. D'autre part, il y a aussi quelques adverbes gradables comme ***bald***, ***gern***, ***oft***... Enfin et surtout, la gradation dépend du sens que l'adjectif a dans son contexte. Comparer :

die goldene Uhr = die Uhr aus Gold : la montre en or (non gradable)

das goldene Zeitalter : ein goldeneres Zeitalter : l'âge d'or (gradable)

4 Les groupes dont la base syntaxique est invariable

Les groupes dont le lexème-base syntaxique est indéclinable sont le groupe prépositionnel, le groupe conjonctionnel et le groupe adverbial.

A Le **groupe prépositionnel** a toujours comme **membre obligatoire un groupe autre qu'un groupe verbal** :

• Un groupe **nominal**.

in *meinem Zimmer* : dans ma chambre / *meiner Meinung* ***nach*** : à mon avis

• Un groupe **adverbial**.

nach *rechts* : à droite

• Un groupe **adjectival**.

seit *langem* : depuis longtemps / ***von*** *klein* ***auf*** : depuis tout petit

• Un groupe **infinitif**.

Ohne *lange zu zögern* : sans hésiter longtemps

B Le **groupe conjonctionnel** a pour base une **conjonction dite de subordination** et son **membre** est **obligatoirement un groupe verbal** (voir le chapitre 12, page 131) :

Der Junge weinte, ***weil er das Spiel verloren hatte****.*
Le garçon pleurait parce qu'il avait perdu la partie.

C Le **groupe adverbial** a pour base un lexème invariable autonome qui a une fonction essentiellement :

• **Informative**.

– adverbe de temps : *morgen früh* (demain aux aurores),

– adverbe de lieu : *das Haus* ***dort oben*** (la maison qui est là-haut),

– adverbe de manière : *Er spielt* ***gern****.* (Il aime jouer.)

• **Communicative** ou **pragmatique** (voir les particules, chapitre 22, pages 253 et suivantes).

Der ist ***ja eben auch nicht so*** *dumm, wie er aussieht!*
C'est qu'à l'évidence, il n'est pas si bête que ça !

Le groupe adverbial (comme le groupe adjectival) est souvent réduit à sa base (c'est-à-dire employé sans membres), alors que le groupe prépositionnel et le groupe conjonctionnel ont nécessairement au moins un membre, même si parfois une partie de ce membre est élidable :

*weil er zu Hause ist **und arbeitet*** :
parce qu'il est à la maison et qu'**il** travaille.

Comparés aux groupes dont la base est toujours munie de marques de catégories, le groupe prépositionnel, le groupe conjonctionnel et le groupe adverbial ont une base sans marques de catégories.

17 L'infinitif et le groupe infinitif

À savoir

L'infinitif

L'infinitif est la forme nominale de la base verbale. Pour le former, l'allemand ne dispose, contrairement au français, que d'une seule marque ***-en*** :

port**er** : *trag-**en*** / fin**ir** : *end-**en*** / ren**dre** : *zurückgeb-**en***

Cette marque se réduit à ***-n*** quand le radical de la base verbale se termine par une voyelle :

faire : *tu-**n*** / être : *sei-**n***

ou par ***-el /-er*** :

secouer : *schüttel-n* / se souvenir : *sich erinner-n*

En allemand, l'infinitif contribue à la formation des temps dits du futur :

*Er **wird** erst in drei Wochen **ankommen**.*
Il ne viendra que dans trois semaines.

*Ich **würde** gern **mitkommen**.*
J'aimerais bien vous accompagner.

*Er versprach, er **werde** es gleich **tun**.*
Il promit qu'il allait le faire sur-le-champ.

Le groupe infinitif

Quand il n'est pas constituant d'une forme verbale composée, l'infinitif fait partie d'un groupe infinitif. Il se décompose en une partie lexicale et la marque ***-(e)n***, qui se raccroche soit à la base verbale, soit à l'auxiliaire.

La partie lexicale peut être plus ou moins complexe et la marque ***-(e)n*** permet à ce complexe de sens d'assurer une fonction dans l'énoncé verbal ou dans un groupe syntaxique d'accueil.

Sie will <u>in vierzehn Tagen wieder da sein.</u>
groupe infintif objet dans l'énoncé verbal avec comme base *woll(en)* ; Question : *Was will sie?*

Elle veut être de retour dans quinze jours.

Beide haben versprochen, <u>bald zurückzukommen</u>.
groupe infinitif objet dans le groupe verbal avec comme lexème-base *versprech(en)* ; Question : *Was haben beide versprochen?*

Les deux ont promis de revenir bientôt.

Anstatt <u>zu arbeiten</u>, spielte er Fußball.
groupe infinitif membre du groupe prépositionnel à base *anstatt*.

Au lieu de travailler, il joua au football.

3 Structure régressive

Contrairement au français, le groupe infinitif allemand a une structure régressive, c'est-à-dire que l'infinitif se trouve en fin de groupe après ses membres éventuels :

die Hand reichen : tendre la main / *die Katze im Sack kaufen* : acheter chat en poche / *mit den Kindern Fußball spielen* : jouer au football avec les enfants.

► Pour la construction dite du double infinitif, c'est-à-dire du participe à forme infinitive, se reporter au chapitre 25, pages 291-292.

A savoir

1 Les formes de l'infinitif

Le groupe infinitif n'a pas de sujet grammatical et donc aucune marque de personne et de nombre. Il n'a que deux catégories du groupe verbal :

- **L'aspect.**

schlafen : dormir → *geschlafen haben* : avoir dormi
non-accompli — accompli

- **La voix.**

Sie kann das Haus verkaufen. → *Das Haus kann verkauft werden.*
actif — passif

Elle peut vendre la maison. → La maison peut être vendue.

Cela permet les combinaisons suivantes :

	ACTIF	PASSIF
Non-accompli	*sagen* *kommen*	*gesagt werden / gesagt sein* (pas de passif)
Accompli	*gesagt haben* *gekommen sein*	*gesagt worden sein* (pas de passif)

Le groupe infinitif n'est donc pas un groupe verbal qui, lui, a un sujet grammatical et six catégories (temps, mode, personne et nombre, aspect et voix).

2 L'infinitif ou le groupe infinitif avec ou sans *zu*

A Avec **zu**.

Alors que le français dispose des deux prépositions « à » et « de » pour intégrer un infinitif ou un groupe infinitif à un groupe d'accueil, le signal d'intégration, lorsqu'il y en a un, est en allemand ***zu***.

*Ich freue mich dich **zu** sehen.* Je me réjouis de te voir.

*Es beginnt **zu** regnen.* Il commence à pleuvoir.

Zu est placé immédiatement à gauche du dernier infinitif.

Lorsqu'il s'agit d'un verbe à particule séparable, ***zu*** se place entre la particule séparable et le reste de la base verbale.

*Es beginnt Bindfäden **zu** regnen.* Il commence à pleuvoir à verse.

*Er hatte nicht gedacht, so früh spazieren **zu** gehen/ so früh an**zu**kommen.*
Il n'avait pas pensé aller se promener si tôt/ arriver si tôt.

Les verbes allemands suivants sont suivis d'un infinitif ou groupe infinitif avec ***zu***, alors que leurs équivalents français sont construits directement sans préposition :

behaupten / glauben / wünschen / sagen / hoffen / wagen / denken / wissen / fühlen / spüren
affirmer/ prétendre / croire / désirer / souhaiter / dire / espérer / oser / penser / savoir / sentir

*Ich **hoffe** bald von Ihnen **zu** hören.* J'espère avoir bientôt de vos nouvelles.
*Bald **wussten** sie nichts mehr **zu** sagen.* Ils ne surent bientôt plus quoi dire.

B N'ont pas de ***zu*** :

- Les infinitifs ou groupes infinitifs dans un groupe verbal dont le lexème-base est :

– ***werden*** :

*Bis morgen **werde** ich das Buch gelesen haben.* D'ici demain, j'aurai lu le livre.

– ***können***, ***dürfen***, ***müssen***, ***sollen***, ***wollen***, ***mögen*** :

*Was **kann** ich für sie tun?* Que puis-je faire pour vous ?

*Der Patient **darf** nicht essen.* Le patient n'a pas le droit de manger.

*Er **müsste** bald hier sein.* Il devrait être bientôt là.

*Ich **möchte** Sie nicht stören.* Je ne voudrais pas vous déranger.

*Wie **soll** das enden?* Comment cela finira-t-il ?

***Wollen** Sie bitte Platz nehmen?* Voulez-vous prendre place, s'il vous plaît ?

• Les infinitifs ou groupes infinitifs objets dans un groupe verbal dont le lexème-base est ***lassen***, ***machen***, ***hören***, ***sehen***, ***fühlen***, ***spüren***.

Meine Eltern ***lassen*** *dich grüßen.*
Mes parents t'envoient le bonjour.
Sie ***hörten****/* ***sahen*** *ihn vorbeilaufen.*
Ils l'entendirent/ le virent passer en courant.
Er ***fühlte****/* ***spürte*** *sein Herz immer schneller schlagen.*
Il sentait son cœur battre de plus en plus vite.

• Les infinitifs qui entrent dans le composé d'un verbe complexe ayant comme base ***bleiben***, ***fahren***, ***finden***, ***gehen***, ***haben***, ***kommen***, ***sich legen***, ***schicken***.

liegen ***bleiben*** : rester couché / *spazieren* ***fahren****/* ***gehen*** : aller se promener
Er ***hat*** *gut lachen*. Il a beau rire.
Niemand ***kommt*** *uns besuchen*. Personne ne nous rend visite.
Um zehn ***schicken*** *sie die Kinder Brot einkaufen.*
À dix heures, ils envoient les enfants acheter du pain.

Ne pas confondre :

Ich ***fand*** *ihn im Bett liegen.*	*Er* ***findet*** *immer etwas an ihm aus**zu**setzen.*
Je le trouvai couché dans son lit.	Il trouve toujours quelque chose à lui reprocher.
Er ***hat*** *viel Geld auf der Bank liegen.*	*Wir* ***haben*** *noch* ***zu*** *arbeiten.*
Il a beaucoup d'argent à la banque.	Nous avons encore à travailler.
Sie ***kam*** *nicht öffnen.*	*Das* ***kommt*** *mir teuer* ***zu*** *stehen.*
Elle ne vint pas ouvrir.	Cela me coûte cher.
Er ***bleibt*** *sitzen.*	*Es* ***bleibt*** *noch viel* ***zu*** *tun.*
Il redouble sa classe.	Il y a encore beaucoup à faire.
Ich ***kann*** *das nicht verstehen.*	*Ich* ***vermag*** *es nicht* ***zu*** *verstehen.*
Je ne peux pas comprendre cela.	Je n'arrive pas à comprendre cela.

C Absence de *zu* dans le groupe infinitif bref.

Les infinitifs ou groupes infinitifs qui sont objets dans un groupe verbal dont le lexème-base est ***heißen***, ***helfen***, ***lehren***, ***lernen*** ne prennent généralement pas ***zu*** quand ils sont brefs.

Er ***hieß*** *ihn kommen*. Il lui ordonna de venir.
mais : *Er hieß ihn, das Zimmer* ***zu*** *verlassen.* Il lui ordonna de quitter la pièce.
Sie ***helfen*** *ihm aufräumen*. Ils l'aident à ranger.
mais : *Sie haben ihm geholfen, die Formulare aus**zu**füllen*. Ils l'ont aidé à remplir les formulaires.

Er ***lehrte*** *ihn singen*. Il lui apprit à chanter.
mais : *Er lehrte ihn, den Motor* ***zu*** *reparieren*. Il lui apprit à réparer le moteur.
Er ***lernt*** *Klavier spielen*. Il apprend à jouer au piano.
mais : *Er hat gelernt, mit den Kollegen aus****zu****kommen*. Il a appris à s'entendre avec ses collègues.

> Pour l'infinitif ou le groupe infinitif objet de (***nicht/ nur/ bloß***) ***brauchen, zu*** reste la règle, mais il est souvent omis à l'oral.
> *Du* ***brauchst*** *nicht kommen* (oral)/ ***zu*** *kommen* (écrit).
> Tu n'as pas besoin de venir.

3 Les fonctions de l'infinitif ou du groupe infinitif

A L'infinitif ou le groupe infinitif peut constituer à lui seul **un énoncé**, le plus souvent injonctif.

Aufstehen! Debout ! *Stehen bleiben!* Halte !

B L'infinitif ou le groupe infinitif est le plus souvent **membre d'un groupe verbal**. Dans ce cas, il peut assurer :

• Les fonctions grammaticales de **sujet** ou d'**attribut** : il prend alors en général ***zu***, sauf en tête d'énoncé, quand le groupe est bref.

Fragen kostet nichts. Demander ne coûte rien.
(Fragen : sujet)

Vorbeugen ist besser als heilen. Prévoir vaut mieux que guérir.
(Vorbeugen : sujet ; heilen : attribut)

Es ist verboten, den Rasen zu betreten. Pelouse interdite.
(den Rasen zu betreten : sujet)

Den Luftdruck regelmäßig zu kontrollieren (,) ist ratsam.
(Den Luftdruck regelmäßig zu kontrollieren : sujet)
Il est recommandé de vérifier régulièrement la pression des pneus.

• La fonction d'**objet**.

Er möchte Sie sehen. Il aimerait vous voir.
(Sie sehen : objet)

Klaus hat versprochen, die Theaterkarten zu holen.
(die Theaterkarten zu holen : objet)
Klaus a promis d'aller chercher les places de théâtre.

L'infinitif ou le groupe infinitif peut aussi être membre d'un groupe prépositionnel demandé par la base verbale. Dans ce cas, un **groupe prépositionnel-relais** du type ***da + (r)*** **+ préposition** est souvent nécessaire.

Er dachte nicht ***daran****, das Geld zurückzuzahlen.*
Il n'envisageait pas de rembourser l'argent.

Seine Aufgabe besteht ***darin****, die ausländischen Gäste zu empfangen.*
Sa mission consiste à recevoir les hôtes étrangers.

Un **pronom-relais *es*** peut aussi être exigé pour introduire un infinitif ou un groupe infinitif en fonction d'objet.

Er liebte ***es****, die Lichter der Stadt durchs Fenster fallen zu sehen.*
Il aimait voir tomber les lumières de la ville à travers la fenêtre.

C L'infinitif ou le groupe infinitif peut être **membre d'un groupe nominal**. ***Zu*** est alors obligatoire.

Es war ***eine Freude****, ihnen zuzuhören.* C'était une joie de les écouter.

D L'infinitif ou le groupe infinitif peut également être **membre d'un groupe adjectival**. ***Zu*** est alors obligatoire.

Das Problem ist nicht ***leicht*** *zu lösen.* Le problème n'est pas facile à résoudre.

E L'infinitif ou le groupe infinitif peut être **membre d'un groupe prépositionnel** introduit par ***um***, ***[an]statt*** ou ***ohne***. ***Zu*** est alors obligatoire.

- ***Um*** (pour, dans le but de, en vue de). Le sujet logique du groupe prépositionnel doit être le même que celui du groupe verbal d'accueil.

Er sammelt Informationen, ***um*** *ein Buch* ***zu*** *veröffentlichen.*
Il rassemble des informations pour publier un livre.

Lorsque les deux sujets sont différents, on utilise généralement un groupe conjonctionnel introduit par ***damit***.

Er sammelt Informationen, ***damit*** *das Buch so bald wie möglich veröffentlicht wird.*
Il rassemble des informations pour que le livre paraisse le plus vite possible.

- ***Anstatt/ statt*** (au lieu de).

Anstatt *deinen Bruder* ***zu*** *ärgern, solltest du deiner Mutter helfen.*
Au lieu d'agacer ton frère, tu devrais aider ta mère.

- ***Ohne*** (sans).

Man kann doch nicht die Straße überqueren, ***ohne*** *auf den Verkehr* ***zu*** *achten!*
On ne peut tout de même pas traverser la rue sans prendre garde à la circulation !

4 Les positions du groupe infinitif

A Quand l'infinitif ou le groupe infinitif est membre d'un groupe nominal, d'un groupe adjectival ou d'un groupe prépositionnel à base ***um***, ***[an]statt*** ou ***ohne***, il est placé après le lexème-base du groupe d'accueil.

Ihre Bitte, *sie am Bahnhof abzuholen*, *wurde ignoriert*.
Sa demande d'aller la chercher à la gare fut ignorée.

Um *es kurz zu fassen*, *es ist vorbei*.
Bref (pour le dire en quelques mots), c'est terminé.

B Quand il est membre d'un groupe verbal, le groupe infinitif peut être :

- **Intégré sans virgules au groupe verbal d'accueil.** Le groupe infinitif est placé à gauche de la base verbale quand celle-ci est en position finale :

weil er mir ***nicht der rechte Mann zu sein*** *scheint.*
parce qu'il ne me semble pas être l'homme qu'il faut.

Er scheint mir ***nicht der rechte Mann zu sein***.
Il ne me semble pas être l'homme qu'il faut.

Cette position intégrée (c'est-à-dire à gauche de la base) est obligatoire pour tous les infinitifs ou groupes infinitifs objets sans ***zu*** et pour ceux qui dépendent d'une base verbale exprimant une nuance proche d'un aspect ou d'une modalité comme dans les exemples suivants :

[als] er ***stehen*** *blieb.*
quand il s'arrêta (aspect ponctuel de l'arrêt)

[als] es ***nichts mehr zu trinken*** *gab.*
quand il n'y eut plus rien à boire (aspect final)

[als] er ***uns zu verstehen*** *gab.*
quand il nous fit comprendre (aspect causatif)

[weil] wir ***auf das Thema zu sprechen*** *kommen.*
parce que nous en arrivons à parler de ce sujet (aspect initial)

[da] er sich ***an dem Motor zu schaffen*** *machte...*
comme il se mit à travailler sur le moteur (début)

Wie der ***zu reden*** *weiß!*
Celui-là, il sait parler ! (modalité : ***können***)

[dass] er ***alles zu bezahlen*** *hat / alles* ***zu bezahlen*** *ist...*
qu'il a tout à payer/ que tout est à payer... (modalité : ***sollen***/ ***müssen*** ou ***können***)

[da] das Haus ***einzustürzen*** *drohte...*
comme la maison risquait de s'écrouler... (modalité, prospectif redouté)

[da] die Ernte ***gut zu werden*** *verspricht.*
puisque la récolte promet d'être bonne (modalité, prospectif positif)

• **Placé en après-dernière position**, l'infinitif ou le groupe infinitif est au-delà de la base verbale quand celle-ci est en position finale.

*weil er versucht hatte, **seine Meinung durchzusetzen**.*
parce qu'il avait essayé d'imposer son opinion.
*Er hatte versucht, **seine Meinung durchzusetzen.***
Il avait essayé d'imposer son opinion.

Cette position est obligatoire pour les infinitifs ou groupes infinitifs qui sont annoncés par ***es*** ou un groupe prépositionnel-relais du type ***da* + *[r]* + préposition** :

*[weil] er darauf gewartet hatte, **vom Vorsitzenden empfangen zu werden**.*
parce qu'il s'était attendu à être reçu par le président.

Elle est courante quand l'infinitif ou le groupe infinitif dépend d'un verbe de communication :

*... [weil] er erklärte/ dachte/ vorgab, **sie am nächsten Tag in die Stadt begleiten zu können**.*
... parce qu'il déclara/ pensa/ prétexta pouvoir les accompagner en ville le lendemain.

• Il arrive que, pour des raisons grammaticales ou de mise en relief, **le groupe infinitif soit disloqué**, c'est-à-dire coupé en deux :

*Das ist ein Faktor, **den** er **zu berücksichtigen** vergaß.*
*→ **den zu berücksichtigen** er vergaß. → **den** er vergaß [,] **zu berücksichtigen.***
C'est un facteur dont il oublia de tenir compte.
***Das** ist unmöglich **zu schaffen**. → Es ist unmöglich, **das zu schaffen**.*
C'est impossible à réaliser.

18 Les modes : les emplois des subjonctifs et de l'impératif

A savoir

Une catégorie du groupe verbal

Le mode est une catégorie du groupe verbal. Sa marque se raccroche au lexème-base ou à l'auxiliaire du complexe verbal. On distingue :

- **L'indicatif** : absence de marque sur la forme verbale : **ø**
- **Les subjonctifs I et II** : marque **-*e*-** (voir au chapitre 7, page 80).
- **L'impératif** : les marques sont présentées au chapitre 7, page 84.

Une façon de présenter le contenu

Sur le plan du sens, l'énonciateur se sert du mode pour situer l'information du groupe verbal par rapport à différents critères. Parmi ces critères, **la réalité est le critère principal**. D'où une première opposition des modes que l'on résume en parlant du **sens modal** des modes (voir le chapitre 26, pages 306-307) :
– l'indicatif : le **réel**,
– le subjonctif II : l'**irréel** ou le **simplement pensé**,
– le subjonctif I : le **virtuel** (possible).

L'impératif, quant à lui, n'a pas de valeur de réalité : il traduit tout au plus de la part de l'énonciateur une **attitude appellative**, voire **injonctive** (ordre, prière, invitation, etc.).

Une façon de présenter un discours rapporté

La seconde opposition des modes ne fonctionne que dans le marquage du discours indirect. On y parle notamment des subjonctifs de **médiation** (voir dans ce chapitre, pages 209-212).

A savoir

1 Le subjonctif II modal

Par rapport à l'indicatif, le subjonctif II signale globalement la **non-réalité de l'information présentée.** Ce sens fondamental explique les différents emplois du subjonctif II (à l'exception de sa valeur de remplacement dans le discours indirect présentée pages 209-210).

A Dans le discours direct, c'est l'**opposition indicatif/ subjonctif II** qui est la plus vivante dans l'allemand actuel.

• L'indicatif présente simplement l'information comme **réelle**, **assumée** (vérifiée à la conscience) ou **allant de soi**.

• En revanche, par le subjonctif II, l'énonciateur signale que l'information présentée est **décalée** ou, au moins, **subjectivement distancée de la réalité**. Cela veut dire qu'en contexte cette information fait partie d'un **monde** posé comme :

– **contre-réel** (c'est-à-dire non conforme à la réalité perçue) :

*Ich **hätte** dir gerne geholfen.* J'aurais aimé t'aider (mais je ne l'ai pas fait).
*Wenn du **wüsstest**!* Si tu savais (mais tu ne sais pas) !
*Wir **würden** gerne hinfahren!*
Nous aimerions nous y rendre (mais ce ne sera pas possible) !

– **irréel** (supposé, souhaité ou regretté) :

*Das **wäre** die beste Lösung.* Ce serait la meilleure solution.
***Würden** Sie mir bitte ihren Ausweis zeigen?*
Voulez-vous, s'il vous plaît, présenter vos papiers ?
***Wäre** ich bloß zu Hause geblieben!* Si seulement j'étais resté à la maison !

B L'opposition indicatif/ subjonctif II fonctionne également dans **l'énoncé hypothétique** (appelé aussi « conditionnel ») qui est constitué, en général, de deux parties exprimant :

• **La condition.**

Wenn er zu uns kommt/ käme... S'il vient/ venait chez nous...

• **La conséquence.**

... sind/ wären wir froh. ... nous serons/ serions heureux.

Habituellement, on dit que les formulations à l'indicatif présentent une **hypothèse réalisable**, alors que le subjonctif II insisterait sur la **valeur de souhait et de non-réalité**.

En vérité, le degré de réalisation de l'hypothèse (l'opposition réalisable / irréalisable, vraisemblable / possible, éventualité / irréalité...) n'est pas en cause dans cette opposition.

Dans les deux cas, l'énonciateur émet une hypothèse, un monde de non-réalité, mais avec le subjonctif II, mode de la distanciation, il s'en démarque davantage qu'avec l'indicatif. Comparer en allemand comme en français :

Wenn ich ein Stipendium bekomme (indicatif présent), *studiere ich in Heidelberg/ werde ich in Heidelberg studieren.* (indicatif présent futur)

Si j'obtiens une bourse (indicatif présent), je ferai des études à Heidelberg (indicatif futur).

Wenn ich ein Stipendium bekäme, würde ich in Heidelberg studieren.
Si j'obtenais une bourse, je ferais des études à Heidelberg. (indicatif imparfait [sens conditionnel] / conditionnel présent)

Wenn ich ein Stipendium bekommen hätte, hätte ich in Heidelberg studiert.

Si j'avais obtenu une bourse, j'aurais fait des études à Heidelberg. (indicatif plus-que-parfait [sens conditionnel] / conditionnel passé 1re forme [littéraire j'eusse fait : 2e forme])

► Pour la valeur de distanciation du radical du prétérit (distanciation que le français traduit par la désinence « ais, ait, ions… »), voir le chapitre 26, pages 308-309.

C Le subjonctif II s'emploie aussi dans des énoncés verbaux dont **l'information est présentée comme simplement pensée**, par exemple dans la **comparaison irréelle**.

• Souvent introduit par des mots qui expriment une impression (***so tun/ aussehen…***), le point de comparaison est indiqué par ***als***, un élément que l'on trouve aussi dans l'expression d'autres comparaisons.

Dans l'exemple suivant, ***als*** introduit un groupe conjonctionnel virtuel marqué par ***ob*** ou plus rarement par ***wenn*** :

*Er tat, **als ob**/ **als wenn** er mich nicht gesehen hätte.*
Il fit comme s'il ne m'avait pas vu.

Comme pour tous les groupes conjonctionnels en ***wenn*** et ***ob***, on dispose de la variante de construction du groupe verbal avec le verbe en 1re position :

Er tat, als { ***ob**/ **wenn** er mich nicht gesehen hätte.*
Er tat, als { ***hätte** er mich nicht gesehen.*

> Comme la comparaison par hypothèse peut aussi exprimer une virtualité, il arrive qu'à la place du subjonctif II, on ait le subjonctif I dont le sens en tant que mode traduit précisément une virtualité (surtout quand la base verbale est ***sein***) :
>
> *Er behandelte mich, als* ***sei*** *ich sein Diener.*
> Il me traitait comme si j'étais son serviteur.
>
> *Es war, als* ***säusle*** *mir ein Wind durch den Schädel.*
> J'avais l'impression qu'une brise me traversait le crâne.

• Dans des énoncés verbaux qui **suivent une négation** ou qui **soulignent l'irréalité subjective** (voire virtuelle) **du contenu**, le subjonctif II peut parfois s'opposer à l'indicatif.

Er hat mich angerufen, ohne dass ich ihn darum gebeten ***hätte/ hatte.***
Il m'a téléphoné sans que je le lui aie demandé.

Ich kenne niemanden, der Ihnen helfen ***könnte/ kann.***
Je ne connais personne qui peut/ puisse vous aider.

Er hat zu wenig Geld, als dass er sich das leisten ***könnte/ kann.***
Il a trop peu d'argent pour pouvoir se payer cela.

Mir ist nicht aufgefallen, dass er zugenommen ***hat****/ zugenommen* ***hätte.***
Je n'ai pas remarqué qu'il a grossi/ qu'il ait grossi.

• **Le subjonctif II du « simplement pensé »** se trouve aussi dans les groupes verbaux qui expriment **des souhaits** ou **des regrets.**

Wenn ich bloß/ nur/ doch zu Hause geblieben wäre!
Wäre ich bloß/ nur/ doch zu Hause geblieben!
Si seulement j'étais resté à la maison !

Wenn er bloß/ nur (pas *doch*) *zu Hause bleibt!*
Pourvu qu'il reste à la maison ! (*Hoffentlich*)

• Dans des expressions plus ou moins conventionnelles, le subjonctif II exprime une **distanciation**, voire une **disposition subjective** ou **sociale.**

Danke, das wäre alles (dans un magasin). Merci, ce sera tout.

Das wär's für heute. Voilà. C'est tout pour aujourd'hui.

Ich hätte Sie gern einmal gesprochen. J'aurais bien voulu vous parler.

Da wäre jemand, der Sie sprechen möchte.
Il y a là quelqu'un qui voudrait vous parler.

Wenn Sie einen Augenblick warten möchten. Würden Sie bitte einen Augenblick warten. Voulez-vous attendre un moment s'il vous plaît.

2 Le subjonctif I modal

Au discours direct, le **subjonctif I modal** ne s'emploie plus qu'à la 3e personne du singulier du présent : *er komme/ kaufe* (processuel), *er sei gekommen/ habe gekauft* (accompli).

Aux autres personnes et dans beaucoup de cas où l'expression n'est pas figée, le subjonctif I est remplacé par d'autres formes exprimant une **virtualité**.

	Subjonctif I	Formes de remplacement
Souhait	*Es lebe die Freiheit!* Vive la liberté ! *Möge er viel Erfolg haben!* Puisse-t-il avoir beaucoup de succès !	*Hoch soll er leben!* Vive lui ! *Hoffentlich hat er viel Erfolg!* Espérons qu'il ait beaucoup de succès !
Injonction indirecte	*Er komme herein!* Qu'il entre !	*Er soll hereinkommen!* Qu'il entre !
Recette	*Man nehme zwei Eier…* Prendre deux œufs…	*Zwei Eier nehmen…* Prendre deux œufs…
Hypothèse (convention)	*ABC sei ein Dreieck…* Soit un triangle ABC…	*Gegeben ist ein Dreieck ABC…* Soit un triangle ABC…
Concession	*Was auch immer geschehe…* *Was auch immer geschehen möge…* Quoi qu'il puisse arriver… *Wie dem auch sei…* Quoi qu'il en soit… *Und sei es nur eine Minute…* Ne fût-ce qu'une minute… *Es sei denn, [dass]…* À moins que…	*Was auch immer geschieht…* *Was auch immer geschehen mag…* Quoi qu'il arrive…
Finalité (groupes conjonctionnels)	*… auf dass du lange lebest.* pour que tu vives longtemps. (pour que/ afin que : toujours avec le subjonctif en français) *… damit er kommen könne.* … pour qu'il puisse venir.	*… auf dass du lange lebst.* *… damit er kommen kann.*

3 Le discours indirect

Par discours indirect au sens général, on entend d'abord **un report d'énonciation**. Discours sur un discours, **le discours indirect suppose une nouvelle situation d'énonciation**, dans laquelle on mentionne, résume ou rapporte (raconte) les informations du discours premier, voire simplement des pensées ou des sentiments qui peuvent ne pas avoir été formulées par l'énonciateur premier. Par exemple :

• **Une simple mention** d'un discours ou de pensées.

Er dachte eine Weile nach und begann zu reden.
Il réfléchit un instant et se mit à parler.

• **Une transmission des informations** formulées ou non à un tiers.

Peter hat gesagt/ gedacht, er könne das kaum schaffen.
Pierre a dit/ pensé qu'il ne pouvait guère réaliser cela.

Cette transmission des contenus, explicitement formulés, résumés ou simplement évoqués peut se faire :

– sous forme de **citation** plus ou moins complète et, dans ce cas, on parle de **discours direct** :

Peter hat gesagt : « *Ich kann das kaum schaffen.* »
Pierre a dit : « Je ne peux guère réaliser cela. »

– de façon **indirecte** et, dans ce cas, on parlèra de **discours indirect**.

Le discours indirect peut être rendu sous différentes formes syntaxiques parmi lesquelles on a :

• Les groupes infinitifs qui dépendent d'une base nominale ou verbale et mentionnent un discours, une pensée ou un sentiment.

*Die Behauptung, **das nicht getan zu haben.***
*Er behauptet, **das nicht getan zu haben.***
L'affirmation de n'avoir pas fait cela. Il affirma n'avoir pas fait cela.

*Der Wunsch, **nach Deutschland zu fahren.***
*Er wünscht **nach Deutschland zu fahren.***
Le souhait de se rendre en Allemagne. Il souhaite se rendre en Allemagne.

• Les verbes de modalité ***sollen*** et ***wollen*** (voir le chapitre 27, page 336).

*Er **soll** krank gewesen sein.* On dit qu'il a été malade.
*Er **will** krank gewesen sein.* Il dit/ prétend avoir été malade.

C'est seulement quand les informations rapportées sont transmises sous forme de groupe verbal que se pose le problème de l'emploi des subjonctifs I et II.

A Le discours indirect (ou l'information rapportée) a la caractéristique d'être présentée par :

- **Un verbe introducteur.**

behaupten : affirmer / *sagen* : dire / *denken* : penser / *überlegen* : réfléchir, se dire / *wünschen* : souhaiter...

- **Une nominalisation d'un tel verbe.**

die Behauptung, der Gedanke, der Wunsch...

L'élément verbal qui décrit de quelle manière a été produite l'information à la source (discours plus ou moins formulé, pensé, ressenti...) peut être placé :

– en **tête** :

Peter dachte/ vermutete/ sagte/ schrieb, [dass...]... Die Vermutung Peters, [dass]...
Pierre pensa/ supposa/ dit/ écrivit que... La supposition de Pierre [que]...

– à la **fin** (en après dernière position) :

Er soll hereinkommen, sagte der Lehrer. Qu'il entre, dit l'instituteur.

– en **incise** :

Hans soll, so sagte der Lehrer, mit seinen Schulsachen zu ihm kommen.
Que Jean, dit le maître, vienne le voir avec ses affaires d'école.

En littérature, il n'est pas rare que ces indications lexicales sur la source de l'information rapportée soient implicites ; elles doivent être déduites du texte ou du contexte :

Und alle sind sich einig : die Spuren seien verwischt worden und es sei fraglich, ob man den Täter entdecken könnte.
Et tous sont d'accord : les traces avaient été effacées et on se demandait si on pouvait découvrir le criminel.

Zunächst wollte er ruhig und ungestört aufstehen, sich anziehen, frühstücken, und dann erst das Weitere überlegen, denn im Bett würde er mit dem Nachdenken zu keinem vernünftigen Ende kommen.
Il allait d'abord se lever tranquillement sans être gêné par personne, s'habiller, déjeuner ; ensuite il serait temps de réfléchir, car (se dit-il) ce n'était pas en réfléchissant dans son lit qu'il arriverait à une solution raisonnable.

B Une autre caractéristique du discours indirect ou de l'information rapportée est – sans oublier les inévitables changements de ponctuation – que, dans de nombreux cas, les **indications déictiques** (c'est-à-dire les éléments qui ne prennent vraiment leur sens qu'en contexte, comme les **pronoms**, les **indications spatiales** et **temporelles**) sont adaptées à la nouvelle situation d'énonciation.

*Paul : « **Ich** habe **gestern meine** Grammatik in der Schule vergessen. »*
Paul : « Hier, j'ai oublié ma grammaire à l'école. »
*Paul erklärt, **er** habe **am Tage vorher seine** Grammatik in der Schule vergessen.*
Paul explique que, la veille, il a/ avait oublié sa grammaire à l'école.

C Quand l'information est rapportée sous forme de groupe verbal, l'énoncé au discours indirect peut être :

• **Intégré dans un groupe conjonctionnel** avec ***dass*** (déclaratif ou factuel), ***ob*** (interrogatif ou virtuel) ou dans un groupe interrogatif, voire exclamatif indirect, débutant par ***warum***, ***wie***, ***was***... ; le verbe est alors en position finale.

*Paul sagt, **dass** er seine Grammatik in der Schule vergessen **hat/ habe.***
Paul dit qu'il a oublié sa grammaire à l'école.
*Paul fragt, **ob** er sie holen **dürfe**.* Paul demande s'il peut aller la chercher.

• **Juxtaposé en tant qu'énoncé dépendant** ; le verbe est en deuxième position (pour les contenus déclaratifs et factuels).

*Paul sagt, er **habe** seine Grammatik in der Schule vergessen.*
*Er **habe** seine Grammatik in der Schule vergessen, sagt Paul.*
Paul dit qu'il a oublié sa grammaire à l'école.

4 Les subjonctifs I et II dans le discours indirect

Dans le discours indirect, les subjonctifs I et II peuvent ne marquer que la **médiation**, c'est-à-dire ne plus avoir leur valeur modale d'expression de la virtualité (pour le subjonctif I) et de la distanciation de la réalité (pour le subjonctif II). Celui qui parle ou écrit n'est que l'intermédiaire des informations rapportées : il ne veut apparaître que comme médiateur et non comme source qui prend à son compte les informations transmises.

Dans une situation le plus souvent publique, l'informateur intermédiaire (le journaliste notamment ou l'auteur qui rapporte indirectement les productions orales ou écrites de ses personnages...) signale clairement par le subjonctif I et II qu'il ne fait que transmettre des informations dont il n'est pas la source.

Il emploie le **subjonctif I**, surtout dans le cas où les informations rapportées ne sont pas intégrées dans des groupes conjonctionnels :

*Das Innenministerium teilt mit, die Regierung **sei** zu Verhandlungen bereit.*
Le ministère de l'Intérieur communique que le gouvernement est prêt à négocier.

Mais pour diverses raisons la forme du subjonctif I est remplacée par celle du **subjonctif II** :

– quand la forme du subjonctif I est **la même que celle de l'indicatif** correspondant :

*« Mit meinen Eltern bin ich in die Stadt gefahren und wir haben dort unsere Einkäufe gemacht. » Ich erzählte meinem Freund, ich sei mit meinen Eltern in die Stadt gefahren und wir **hätten** dort unsere Einkäufe gemacht.*
Je racontai à mon ami que je m'étais rendu en ville avec mes parents et que nous y avions fait nos courses.

Dans cet exemple, ***hätten*** prend la place de ***haben*** qui est indicatif et subjonctif I.

– quand le subjonctif II a vraiment **une valeur d'irréel** :

*Und er sagte, dass man das auch **hätte** anders machen können.*
→ *Und er sagte : « Das **hätte** man auch anders machen können. »*
Et il dit qu'on aurait pu également faire cela différemment.

– quand la forme du subjonctif I – même si elle se différencie de celle de l'indicatif – est ressentie comme **désuète** ; le registre de langue (soignée, courante, parlée, écrite...) entre donc pour une large part dans ce dernier choix.

1. Dans la pratique, seule la forme de la 3e personne du singulier du subjonctif I présent continue d'être employée, car elle seule se différencie nettement de l'indicatif correspondant :

er hat/ er kommt (indicatif présent)
→ *er habe/ er komme* (subjonctif I présent)

mais par exemple :

sie haben / sie kommen (indicatif présent)
→ *sie hätten / sie kämen* (subjonctif II, car la forme du subjonctif I est identique à celle de l'indicatif présent).

2. Le verbe ***sein***, qui a un radical propre au subjonctif I, est aussi employé à d'autres personnes :

ich sei, ***du seist***, ***er sei***, ***wir/ sie seien***.

Il en va de même pour la première et la troisième personne du singulier des verbes de modalité :

ich könne/ möge/ solle..., ***er könne/ möge/ solle...***

3. Pour les verbes faibles dont la forme du subjonctif II présent est la même que celle du prétérit correspondant ainsi que pour des verbes forts dont la forme du subjonctif II présent est ressentie comme recherchée (par exemple ***verlören***, ***trügen***...), il n'est pas rare que le rapporteur fasse appel à la forme en ***würde* + infinitif**.

Pourtant celle-ci peut prêter à confusion :

« Wir lernen Englisch », sagten die beiden Freunde.
→ *Sie lernten Englisch, sagten die beiden Freunde.*
(discours indirect au subjonctif)
« Nous apprenons l'anglais », dirent les deux amis.
→ Les deux amis dirent qu'ils apprenaient l'anglais.

Si on employait dans cet énoncé la forme en ***würde***, on introduirait une ambiguïté :

... qu'ils **apprenaient** l'anglais (simultanéité)
... qu'ils **apprendraient** l'anglais (ultériorité)

L'emploi du subjonctif I et II dans le discours indirect fait partie de la langue soignée dans des situations où il importe au rapporteur de bien faire comprendre qu'il n'est pas la source de l'information.

Dans des situations quotidiennes et, donc, dans la langue courante parlée, ce subjonctif de médiation tend à laisser la place à l'indicatif plus ou moins citatif :

*Hans sagt, er **kann** dir nicht helfen.* au lieu de : *er **könne** dir nicht helfen.* (L'indicatif est nettement plus fréquent à l'oral.)
*Hans sagt, dass er dir nicht helfen **kann**.* (plus fréquent que ***könne***)
*Hans fragt, ob er kommen **kann**/ ob es **stimmt**.* (plus fréquent que ***könne*** et ***stimme***)

5 L'interrogation et l'injonction indirectes

A **L'interrogation et l'expression du doute** sont presque toujours intégrées dans un groupe conjonctionnel (avec ***ob*** pour l'interrogation globale) ou dans un groupe verbal dépendant commençant par l'élément interrogatif généralement en ***w-*** (pour l'interrogation partielle) :

Peter an Hans: « Machst du morgen mit ? »
Pierre à Jean : « Est-ce que tu es des nôtres demain ? »

*Peter fragt Hans, **ob** er am nächsten Tag/ morgen mitmache/ mitmachen werde/ mitmachen würde.*
Pierre demande à Jean, si le lendemain il serait des leurs.

*Peter zögerte, **ob** er Hans das mitteilen sollte.*
Pierre se demanda s'il fallait dire cela à Jean.

Peter an Hans : « Wann fahrt ihr denn weg? »
Pierre à Jean : « Quand donc partez-vous ? »

Peter fragt Hans, ***wann*** *sie wegfahren* (indicatif) / *wann sie wegführen* (subjonctif II de remplacement : très recherché) / *wann sie wegfahren würden.* (subjonctif II de remplacement ou ultériorité)

B Pour transposer au discours indirect des **énoncés injonctifs** (qu'ils comprennent au départ une forme à l'impératif ou non), on emploie des **verbes de modalité** (au subjonctif ou non).

• Pour une **attitude modérée** (souhait, prière, politesse...) : *mögen*.

Sie an ihn : « Kommen Sie bitte herein! » → Sie bat ihn, er ***möge*** *hereinkommen.*
Elle le pria d'entrer.

• Pour une **injonction plus marquée** : *sollen / dürfen / müssen.*

« Niemand verlässt den Raum! »
→ Der Polizist rief, niemand ***solle***/ ***dürfe*** *den Raum verlassen.*
« Que personne ne quitte la salle ! » (cria le policier).

« Essen Sie doch weniger! » (meinte der Arzt)
→ Der Arzt meinte, ich ***solle***/ ***müsse***/ ***sollte***/ ***müsste*** *doch weniger essen.*
L'avis du médecin était que je mange moins.

19 Les noms et nominalisations avec leur genre

A savoir

Distinctions

Dans un groupe nominal, la base nominale peut être **simple** ou **complexe.** Dans le cas d'une base nominale complexe, celle-ci peut être **dérivée** ou **composée**, **nom** (substantif) ou **nominalisation**.

Du point de vue du sens, on peut aussi considérer comme base nominale un certain nombre de **complexes polylexicaux**, écrits en plusieurs mots reliés ou non par un trait d'union.

BASE NOMINALE ÉCRITE EN UN SEUL MOT	
• nom simple	*[die] Tür / [das] Haus / [der] Wein / [die] 'Leber* la porte / la maison / le vin / le foie
• nom dérivé	*[der] Be'ginn / [der] 'Anfang / [die] Fahrt* le début / le commencement / le voyage
– nom modifié	*[die] Male'rei / [der] 'Fußballer* la peinture / le joueur de football *[die] 'Landschaft / [der] 'Fremdsprachler* le paysage / l'étudiant de langue étrangère
– nominalisation	*[das] 'Essen / [der/die, das] 'Schöne* le repas / le beau / la belle / le beau *[der] Ge'sang / [die] 'Dunkelheit* le chant / l'obscurité
• nom composé	*[das] 'Wohnzimmer / [der] 'Fremdarbeiter* la salle de séjour / le travailleur étranger *[die] 'Fußball'weltmeisterschaft* le championnat du monde de football

BASE NOMINALE ÉCRITE EN PLUSIEURS MOTS	
• nom avec trait d'union	*Baden-'Württemberg / [die] Konrad / 'Adenauer-Straße* Baden-Wurtemberg / la rue Konrad Adenauer *der °I-Punkt / das E°G-Gipfeltreffen* le point I / le sommet de la Communauté européenne
• complexe polylexical (sans trait d'union)	*[die] Stadt Ber°lin / drei Pfund °Fleisch* (voir p. 283) la ville de Berlin / trois livres de viande *[der] Herr Gene°raldirektor / ein starker °Raucher* Monsieur le Directeur Général / un gros fumeur *Anfang / Ende A°pril / [der] Sturm und °Drang* début avril / le Sturm und Drang (période littéraire)

2 La catégorie du genre

• La base nominale donne son genre à l'ensemble du groupe nominal. Le genre peut être **masculin**, **féminin** ou - c'est une caractéristique de l'allemand par rapport au français - **neutre** :

der kleine Tisch : la petite table / *die kleinen Tische* : les petites tables

das große Haus : la grande maison / *die großen Häuser* : les grandes maisons

die grüne Anlage : l'espace vert / *die grünen Anlagen* : les espaces verts

• Le genre n'est significatif que si la base nominale désigne un **être animé** (mâle ou femelle).

der Mann : l'homme ↔ *die Frau* : la femme
der Hund : le chien ↔ *die Hündin* : la chienne
der Hengst : l'étalon ↔ *die Stute* : la jument

Il ne faut donc pas confondre le genre naturel (mâle, femelle, inanimé) avec le genre grammatical, qui a une fonction distinctive et permet de mieux pronominaliser les groupes nominaux.

Dans un certain nombre de couples, le genre permet de différencier des mots qui ont la même forme, mais un sens différent. Par exemple :

– en français :

le mousse ↔ la mousse
le tour ↔ la tour

– en allemand :

das Steuer : le volant ↔ *die Steuer* : l'impôt
das Gehalt : les appointements ↔ *der Gehalt* : la teneur
das Band : le ruban ↔ *der Band* : le volume (livre)...

Ces homonymes se différencient aussi parfois par un pluriel différent :

das Wort → *die Worte* : les paroles (mots en contexte)
die Wörter : les mots pris isolément

• Le genre du groupe nominal dépend (notamment quand la base désigne un être non animé) de critères :

– **morphologiques** et **phonétiques** :

Ainsi les noms composés ont le genre du déterminé :

Das Auto, ***die*** *Bahn* → ***die*** *Autobahn* : l'autoroute
das Jahr, ***die*** *Zeit* → ***die*** *Jahreszeit* : la saison.

Les noms dérivés à l'aide de suffixe(s) ont le genre de leur suffixe :

das *Mäd**chen*** : la jeune fille / ***die*** *Freude* : la joie / ***der*** *Lautsprech**er*** : le haut-parleur.

Les nominalisations sont au neutre, sauf quand elles désignent des êtres sexués :

das *Ich* : le moi / ***das*** *Alte* : la vieille chose, mais : ***der*** *Alte* : le vieux / ***die*** *Alte* : la vieille.

Certains sons terminaux entraînent ou excluent tel ou tel genre :

das *Kino* : le cinéma /***das*** *Radio* : la radio / ***das*** *Büro* : le bureau, mais ***die*** *Lava* : la lave

– **notionnels** :

Ainsi de nombreuses bases nominales font partie de classes de réalités ayant souvent le même genre. Par exemple, les quantités sont neutres (***das*** *Hundert*, ***das*** *Tausend* : la centaine, le millier), mais les chiffres sont féminins (***die*** *Hundert*, ***die*** *Tausend* : le chiffre 100, le chiffre 1000).

Il n'est pas rare non plus que le genre du terme générique s'étende aux éléments de la classe qu'il désigne. Ainsi les mois sont du masculin en raison de ***der Monat*** ; les voitures sont du masculin en raison de ***der Wagen*** ; les avions sont du féminin en raison du terme ***die Flugmaschine*** (*die Boeing*) alors que le composé ***das Flugzeug*** est du neutre (*das Zeug*) et le composé ***der Airbus*** du masculin (*der Bus*).

A savoir

1 Le nom simple

Le nom simple est formé d'**un radical sans préfixe, ni suffixe**. Son genre est quasiment imprévisible et doit être appris avec le nom.

die Frau mais *das Weib* (femme, sens péjoratif),
die Tür (la porte) et *das Tor* (**-e** : le portail), mais *der Tor* (**-en** : l'idiot),
der Bach (le ruisseau) et *das Dach* (le toit),
das Blei (le plomb), mais *der Stahl* (l'acier),
die Maus (la souris), mais *das Haus* (la maison).

2 Le nom dérivé

Le nom dérivé s'écrit en un mot ; il est constitué d'unités lexicales – simples ou complexes – et de suffixes, voire de préfixes, accompagnés éventuellement de modifications sonores (phonétiques), comme par exemple l'inflexion. Son genre (et souvent aussi son pluriel) est dans la plupart des cas prévisible.

Suivant l'unité lexicale sur laquelle est formé le nom dérivé, on distingue :

• **Le nom modifié**.

die Stadt → *das Städtchen* : la ville / la petite ville
der Feind → *die Feindschaft* → *feindschaftlich* : l'ennemi / l'inimitié / hostile.

• **La nominalisation**. Elle permet de transférer dans la classe des noms des unités lexicales ou des amalgames d'unités lexicales d'autres classes comme par exemple :

– un adjectif (*der Stolz* : la fierté),

– un verbe (*das Essen* : le repas),

– des complexes prédicatifs (*Brief[e] trag[en]* → *der Briefträger* : le facteur).

A **Les préfixes** n'ont pas d'influence sur le genre des noms modifiés, mis à part les dérivés à sens collectif constitués de ***Ge... [e]*** et qui sont, pour la plupart, neutres :

***das** Gestein* (← *der Stein*) : la pierraille
***das** Gebirge* (← *der Berg*) : les montagnes / la chaîne de montagnes,

mais : ***der** Geruch* (← *riechen*) l'odorat, l'odeur / ***die** Gefahr* : le danger.

Les préfixes apportent aussi leur signification propre, par exemple :

PRÉFIXES ALLEMANDS	
der **Aber***glaube* : la superstition	der **Mit***arbeiter* : le collaborateur
der **Alt***bundeskanzler* : l'ex-chancelier	der **Nicht***raucher* : le non-fumeur
der **Erz***bischof* : l'archevêque	das **Sonder***blatt* : l'édition spéciale (le journal)
die **Fehl***geburt* : la fausse-couche	das **Un***behagen* : le malaise
der **Grund***gedanke* : l'idée fondamentale	die **Un***summe :* la très grande somme
der **Haupt***bahnhof* : la gare centrale	die **Ur***großmutter* : l'arrière-grand-mère

PRÉFIXES ÉTRANGERS (SCIENTIFIQUES)	
'Anti-, ***'Epi-, Extra-***, ***'Hyper-***, ***'Hypo-***, ***'Ko-***,	***'Infra-***, ***Iso-***, ***-Makro-***, ***'Mega-***, ***'Meta-...***

PRÉFIXES GRADUATIFS	
(Composés dans lesquels le premier élément sert de métaphore, d'image pour une graduation, un degré.)	
ein **Bomben***erfolg* : un succès monstre	ein **Mord***sappetit* : un appétit terrible
ein **Höllen***tempo* : un train d'enfer	eine **Riesen***arbeit* : un travail de géant / immense / gigantesque
ein **Mammut***konzern* : un consortium gigantesque	eine **Spitzen***leistung* : une performance de premier ordre
ein **Monster***programm* : un programme monstre	

B **Les suffixes** permettent de modifier des noms et la plupart servent aussi à former des nominalisations. On a par exemple :

• **Des diminutifs** :

– ***(¨)chen***, ***-lein*** (neutres) :

*das Städt****chen*** : la petite ville / *das Büch****lein*** : le petit livre

– ***-ling*** (masculin) :

*der Jüng****ling*** : le jeune homme

– ***-i*** (qui ne modifie pas le genre du nom) :

*der Vati/ Schatz****i****, die Mutt****i*** : le petit papa/ le trésor, la petite maman.

• **Des noms** de **personnes** ou d'**animaux** de **sexe féminin** :

– ***-in*** (avec ou sans inflexion ; pluriel : ***-innen***) :

*die Ärz**tin*** : la doctoresse / *die Lehrer**in*** : l'institutrice / *die Beamt**in*** : la femme fonctionnaire / *die Löw**in*** : la lionne / *die Hünd**in*** : la chienne.

- **D'autres classes** d'**objets** ou de **personnes** abstraites ou concrètes, particulières ou collectives :

– ***-schaft***, ***-heit***, ***-ung*** (féminins) :

*die Freund**schaft*** : l'amitié / *die Bekannt**schaft*** : la connaissance, les connaissances / *die Christen**heit*** : la chrétienté / *die Zeit**ung*** : le journal *die Send**ung*** : l'émission

– ***-tum*** (en général neutre) :

*das König**tum*** : le royaume / *das Beamten**tum*** : le fonctionnariat.

Des termes déterminés dans des mots composés servent de suffixes pour des désignations surtout collectives. Par exemple :

– ***-gut*** (*das Gedanken**gut*** : la pensée)

– ***-kreis*** (*der Familien**kreis*** / *der Arbeiter**kreis*** : le cercle de famille / d'ouvriers)

– ***-mann***, ***-frau***, ***-leute***, ***-material***, ***-volk***, ***-welt***, ***-werk*** ***-wesen*** (*das Transport-/ Schul**wesen*** : les transports/ l'organisation scolaire), ***-zeug***...

3 Les nominalisations

Les nominalisations sont des bases nominales formées à partir de transpositions de complexes verbaux, adjectivaux, adverbiaux, et qui exigent que l'on tienne compte de la construction des éléments transposés. Elles peuvent être très complexes. Par exemple :

das gekidnappte Kind aus den Händen der Verbrecher befreien
libérer l'enfant kidnappé des mains des criminels

→ *die Befreiung des gekidnappten Kindes aus den Händen der Verbrecher*
la libération de l'enfant kidnappé des mains des criminels.

On distingue :

– les **conversions** sans préfixe, ni suffixe,

– les **transferts** avec préfixes et/ou suffixes et/ou d'autres changements.

LES CONVERSIONS SANS PRÉFIXES, NI SUFFIXES

Les conversions d'éléments ou de complexes non nominaux en bases nominales se font par le neutre :

das Für und Wider : le pour et le contre / *das Jenseits* : l'au-delà / *das Ich* : le moi / *das Schwimmen auf dem Rücken* : la natation sur le dos.

A Dans le cas d'**adjectifs** ou de **groupes adjectivaux**, on distingue :

• **La simple transposition.**

das Grün : la verdure / *das Dunkel* : l'obscurité / *der Ernst* : le sérieux / *der Stolz* : la fierté.

• **L'adjectif nominalisé**, c'est-à-dire les conversions déclinées dont le genre est significatif.

der/ die Bekannte : personne connue homme/ femme

das Bekannte : la chose connue

die Bekannten : les connaissances, personnes

ein Bekannter / eine Bekannte / etwas/ nichts Bekanntes / Bekannte : une personne connue homme ou femme / quelque chose/ rien de connu / des personnes connues.

Ne pas confondre

les adjectifs nominalisés (conversions)	**autres nominalisations ou noms en -e**
• *der Deutsche/ ein Deutscher - eine Deutsche/ Deutsche*	• *der/ ein Franzose/ Franzosen - eine Französin*
• *ein Langer/ eine Lange - etwas Langes*	• *die Länge :* la longueur
• *der Fremde/ die Fremde* : l'étrangère - *ein Fremder/ eine Fremde* : l'étranger	• *die Fremde* : l'étranger (en tant que lieu)

B Dans le cas de **groupes participes I et II**, seule la conversion déclinée est possible :

der/die Gefangene / ein Gefangener / eine Gefangene / Gefangene : le prisonnier

der/die Vorsitzende / ein Vorsitzender / eine Vorsitzende / Vorsitzende : le président de séance

der Alleinstehende / ein Alleinstehender : la personne seule [dans la vie]

C De nombreux **radicaux de verbes** donnent lieu à des dérivés sans suffixe dénommant l'action, l'état et/ou le résultat du procès. Beaucoup de ces dérivés sont **masculins**.

der Besuch : la visite rendue ou la visite reçue

Les conversions peuvent se faire :

• À partir du radical de l'infinitif.

– au masculin :

der Ärger : l'énervement, le scandale / *der Verkauf* : la vente

– au féminin :

die Arbeit : le travail / *die Klingel* : la sonnette

– au neutre :

das Leid : la souffrance / *das Spiel* : le jeu / *das Versteck* : la cachette...

• Avec changement de sonorité.

der Druck (l'impression : *drucken* ou la pression : *drücken*) / *der Tritt* (le pas : *treten*) / *die Furcht* (la peur : *fürchten*) / *die Scham* (la honte : *sich schämen*)...

• Sur le radical du prétérit ou du participe II.

der Abschied (l'au revoir : *scheiden*) / *der Fund* (la trouvaille, l'objet trouvé : *finden*) / der *Diebstahl* (le vol : *stehlen*) / *der Klang* (le son : *klingen*) / *der Pfiff* (le coup de sifflet : *pfeifen*)

• Avec un changement de voyelle ***o* → *u***.

der Betrug (l'escroquerie ; prétérit et participe : *betrog-*, *betrügen*) / *der Bruch* (la rupture : *brechen*) / *der Flug* (le vol : *fliegen*) / *der Fluss* (la rivière : *fließen*) / *der Schuss* (le coup de feu, le tir : *schießen*) / *der Spruch* (la sentence : *sprechen*) / *der Wurf* (le jet : *werfen*) / *der Zug* (le train : *ziehen*)...

LES TRANSFERTS AVEC PRÉFIXES ET/OU SUFFIXES

Les autres transferts ou nominalisations se font par l'addition de suffixes avec éventuellement des préfixes et des changements sonores.

A Les suffixes fréquents, aujourd'hui encore très productifs, sont :

• ***-ung*** (pour des dérivés féminins sur des verbes) :

*die Werb**ung*** (← *werben*) : la publicité

• ***-heit*** / ***-[ig]keit*** pour des dérivés féminins sur des adjectifs ou participes :

*die Frei**heit*** (← *frei*) : la liberté

• ***-er / -ler / -ner*** : pour des modifications de noms au masculin :

*der Schül**er*** : l'écolier / *der Rent**ner*** : le rentier, le retraité

ou pour des dérivés sur verbes :

*der Bäck**er*** : le boulanger / *der Weck**er*** : le réveil

ou sur des amalgames syntaxiques :

*der Briefträg**er*** : le facteur / *der Büstenhalt**er*** : le soutien-gorge
*der Viersitz**er*** : le quatre places / *der Zweimast**er*** : le deux-mâts.

B Les suffixes moins fréquents, mais encore productifs, sont :

• ***-e*** pour des dérivés féminins sur des adjectifs et des verbes :

*die Breit**e*** : la largeur (*breit*) / *die Wärm**e*** : la chaleur (*warm*) / *die Deck**e*** : la couverture (*decken*) / *die Gab**e*** : le don (*geben*)

• ***-[e][r/l]'ei*** accentué pour des dérivés féminins sur des noms ou des verbes :

*die Part**ei*** : le parti / *die Kart**ei*** : le fichier, le classeur / *die Schweiner**ei*** : la cochonnerie / *die Konditor**ei*** : la pâtisserie / *die Metzger**ei**, die Fleischer**ei*** : la boucherie / *die Träumer**ei*** : la rêverie / *die Schmeichel**ei*** : la flatterie

• ***-schaft*** pour des dérivés féminins sur des noms, adjectifs et verbes :

*die Mann**schaft*** : l'équipe / *die Schwanger**schaft***: la grossesse
*die Bürg**schaft*** : la caution, la garantie

• le préfixe **Ge-** souvent combiné avec le suffixe ***-e*** :

*das **Ge**rede* : le verbiage / *das **Ge**witter* : l'orage / *der **Ge**danke* : la pensée, l'idée / *die **Ge**walt* : la violence / *die **Ge**fahr* : le danger.

C **Les suffixes peu productifs** sont :

• ***-el / -sal / -sel*** :

*der Schlüss**el*** : la clé / *die Schacht**el*** : la boîte / *das Schick**sal*** : le destin
*das Rät**sel*** : l'énigme

• ***-ling*** pour des dérivés masculins :

*der Zwil**ling*** : le jumeau / *der Früh**ling*** : le printemps

• ***-nis*** : pour des féminins et des neutres sur des noms, verbes et adjectifs :

*das Verhält**nis*** : le rapport / *die Kennt**nis*** : la connaissance

• ***-t/ -de*** pour des dérivés anciens sur des verbes et des adjectifs :

*die °Unterschrif**t*** : la signature / *die °Übersich**t*** : le panorama, la vue générale
*die Freu**de*** : la joie

• ***-tum*** : pour des dérivés neutres :

*das Bis**tum*** : l'évêché / *das Eigen**tum*** : la propriété

mais :

*der Irr**tum*** : l'erreur / *der Reich**tum*** : la richesse.

D **D'autres suffixes**, **notamment** des **terminaisons** de **mots étrangers**, sont caractéristiques d'un genre dans des noms d'emprunt :

• **Le masculin** (ces noms désignent le plus souvent des personnes).

-**'and** : *Doktorand* : le thésard

-**'ant** : *Praktikant* : le stagiaire

-**'ar** : *Kommissar* : le commissaire

-**'är** : *Sekretär* : le secrétaire

-**'ast** : *Gymnasiast* : le lycéen

-**'at** : *Demokrat* : le démocrate

-**'ent** : *Konkurrent* : le concurrent / *Kontinent* : le continent

-'eur** / **-ör : *Ingenieur / Frisör* : le coiffeur

-'ier prononcé [i:r]: *Offizier* ou [je:] : *Bankier*

-iker : *Politiker*

-'ismus : *Optimismus*

-'ist : *Idealist* : l'idéaliste

-'log(e) : *Biologe* : le biologiste

-['at]or : *Ventilator* : le ventilateur / *Motor* : le moteur / *Doktor* : le docteur

-us : *Rhythmus* : le rythme

• **Le neutre**.

-'at (désignant le plus souvent des choses) : *Inserat* : la petite annonce

mais : *der Apparat/ der Automat/ der Salat*

-'ett : *Ballett* : le ballet / *Tablett* : le plateau

-'in [i:n] :*Vitamin*

-[i]um : *Stadium* : le stade / *Zentrum* : le centre

-[m]ent : *Argument* ou prononcé à la française : *Engagement*

-'phon / -'fon / -'skop: *Mikrophon/ Telefon/ Stethoskop*

• **Le féminin**.

-'ade : *Marmelade* : la confiture

-'age : *Etage*

-'anz /-'ance : *Bilanz/ Nuance*

-'ät / -'tät : *Diät/ Universität*

-'enz : *Tendenz*

-'esse : *Delikatesse :* la spécialité en cuisine

-'ette : *Tablette* : le comprimé

-ie [jə] : ou ['i:] (à la française) : *Familie/ Demokra'tie* [ti:], *Re'gie* [gi:]

-'ik : accentué ou non *Mu'sik*, mais *'Lyrik*

-'ine : *Margarine/ Blondine* : la femme blonde

-'ion : accentué *Na'tion/ Reli'gion* mais : *das °Stadion* : le stade

-'is : *'Basis, 'Dosis*

-'isse : *Ku'lisse*

-'ive : *Perspek'tive*

-'ose : *Neu'rose* : la névrose

-'ur : *Na'tur/ Kul'tur/ Mix'tur...*

4 Les noms composés écrits en un seul mot

Sur le plan formel, les noms composés offrent de nombreuses combinaisons. Mais sur le plan sémantique, ils ne se composent que de deux parties, que nous séparons, pour une meilleure lisibilité, par une double barre oblique (//) :

• **Le dernier élément** est un nom qui donne son genre, son nombre et sa déclinaison à l'ensemble.

• **Le premier élément** est très largement figé dans sa forme et ne peut plus recevoir d'expansions (sauf dans de rares expressions lexicalisées comme ***die deutsche Sprachwissenschaft*** : la linguistique allemande) ; il peut être de nature diverse. Par exemple :

– **nom** (simple, dérivé, composé) + **nom** (simple, dérivé, composé) :

der Bank//direktor : le directeur de banque

das Frauen//problem : le problème de femme

die Fußball//weltmeisterschaft : le championnat du monde de football

– **verbe** + **nom** :

das Ess//zimmer : la salle à manger / *das Lese//buch* : le livre de lecture

– **adjectif/ participe** + **nom** (souvent des amalgames syntaxiques) :

die Groß//stadt : la grande ville / *der Gebraucht//wagen* : la voiture d'occasion
die Höchst//geschwindigkeit : la vitesse maximum

– **élément invariable** + **nom** :

der Vor//ort : la banlieue / *der Aber// glaube* : la superstition

Du point de vue du moule sémantique qui relie les deux parties, on distingue l'immense majorité des **composés déterminatifs** et les autres structures que l'on regroupe sous le terme de **composés copulatifs.**

LES COMPOSÉS DÉTERMINATIFS

Les composés déterminatifs présentent la structure régressive typique de l'allemand : **le déterminant précède le déterminé.**

Sur la chaîne écrite, la gauche détermine donc la droite.

der Haus//schlüssel : la clé de la maison
déterminant + déterminé déterminé + déterminant

das Krankenhaus//personal : le personnel de l'hôpital

die Fernsprech//gebührentabelle : le tableau des taxes téléphoniques longues distances.

Dans une optique de production, ces composés posent deux types de problèmes :

– les relations sémantiques entre les termes du composé,

– les jonctures (ou jointures).

A **Bien des relations sémantiques sont possibles** entre les deux termes d'un nom composé à structure déterminative. Ces relations dépendent en réalité du sens des termes mis en présence et remplissent, tel des gâteaux différents, un même moule de détermination. Il s'agit d'une :

– relation d'appartenance ou de possession : *das °Vaterhaus* : la maison paternelle

– relation de sujet ou d'objet : *die °Schülerarbeit* : le travail de l'écolier (Qui fait le travail ?) / *die °Kinderbetreuung* : la garde des enfants (Qui est gardé ?)

– relation de lieu : *die °Frankreichreise* : le voyage en France

– relation de qualité : *die °Altstadt* : la vieille [partie de la] ville

– relation de matière : *die °Golduhr* : la montre en or

– relation de cause : *der °Liebeskummer* : le chagrin d'amour

– relation de but : *die °Waschmaschine* : le lave-linge

– relation de comparaison : *der °Staubzucker* : le sucre en poudre ...

Il n'est pas rare que les composés soient à prendre dans un sens **imagé** :

der °Dickkopf : l'entêté / *der °Geizkragen* : l'avare

der °Faulpelz : le paresseux / *der °Höllenlärm* : le bruit d'enfer

ou qu'ils renvoient à un usage **métaphorique** :

die °Schlafmütze : l'abruti / *der Kul°turpapst* : le pape culturel...

B **Les jonctures sont des marques de déclinaison figées**, portées par les premiers termes des composés : ***-s***, ***-es***, ***-en***, ***-ens***, ***-e***, ***¨e***, **¨** . Environ 60% des déterminants des composés n'en ont pas.

der Bahnhof : la gare / *das Gipfeltreffen* : la rencontre au sommet

der Weltmachtanspruch : la prétention d'être (ou de devenir) une puissance mondiale.

• Souvent étendues par analogie, les jonctures peuvent ne plus être justifiées du point de vue grammatical et le même lexème déterminant peut être muni de jonctures différentes.

das °Kindsein : le fait d'être enfant
nominalisation d'un amalgame syntaxique, pas de joncture

*ein °Kind**s**kopf* : un grand enfant/ être puéril

*das °Kind**es**alter* : l'enfance premier âge

*der °Kind**er**wagen* : la voiture d'enfant.

• Dans une centaine de couples de mots, les jonctures signalent des différences de sens.

der Par°teistaat : l'État à parti unique
der Par°teienstaat : l'État à plusieurs partis.

Dans l'exemple suivant, le pluriel ***-en*** est justifié :

die Ge°burtenkontrolle : le contrôle des naissances.

• Le ***-s*** est raccroché presque automatiquement à une terminaison d'infinitif et aux suffixes ***-heit***, ***-keit***, ***-schaft***, ***-ung***, ***-ion***, ***-[i]tät***, ***-mut***, ***-[l]ing***, ***-tum***. Dans ce cas, il n'est donc pas significatif, comme par exemple dans :

die °Daseinsberechtigung : le droit à l'existence
das °Lebensmittel : l'aliment
der °Freiheitskampf : le combat pour la libération/ liberté
der °Schwangerschaftsurlaub : le congé de maternité
die °Ansichtskarte : la carte postale illustrée.

Près de 90% des formations composées avec la joncture ***-s*** ont de ce fait un déterminant féminin pour lequel l'élément de liaison n'est pas justifié du point de vue grammatical.

Il en va de même pour d'autres jonctures comme ***-[e]n*** :
die °Nasenspitze : le bout du nez / *der °Krisenstab* : la cellule de crise...

• Dans les composés à multiples constituants, les jonctures ont assez souvent une fonction de **démarcation**. Comparer :

der °Hofplatz : la place de la cour ↔ *der °Bahnhofsplatz* : la place de la gare.

LES COMPOSÉS COPULATIFS

Les composés non déterminatifs sont moins nombreux. On les regroupe sous le terme de **composés copulatifs**. On distingue :

• **Les composés explicatifs** que l'on peut paraphraser par une structure verbale en ***sein*** ou ***heißen*** :

das °Rentier : le renne / *das °Maultier* : le mulet / *der °Walfisch* : la baleine / *der Vati°kanstaat* : l'État du Vatican / *die °Schillerstraße* : la rue Schiller.

• **Les composés additionnels** que l'on peut paraphraser par ***und*** :

der Strichpunkt : le point-virgule / *die Hemdhose* : la combinaison / *der Nord°westen* : le nord-ouest.

En réalité, il n'est pas toujours facile de distinguer le composé **déterminatif** du composé **explicatif**, voire additionnel.

À l'origine ***der Bürger°meister*** (le citoyen nommé maître) était du type **explicatif** ; aujourd'hui, prononcé ***der °Bürgermeister***, il est de type **déterminatif** : le maître des citoyens.

Das °Uhrenradio (le radio-réveil) est additionnel autant que déterminatif.

Der Tannenbaum (le sapin) est-il explicatif (l'arbre appelé ***Tanne***) ou déterminatif, ***Tanne*** sélectionnant une sous-espèce d'arbres ?

Souvent plusieurs interprétations sont possibles au niveau du « moule » sémantique de la relation, en fonction du « gâteau » fourni par les termes rapprochés, juxtaposés ou simplement amalgamés dans le mot composé.

Il faut parfois tenir compte de l'emploi du mot en contexte. Ainsi, les explicatifs ***das Jahr°hundert*** / ***das Jahr°tausend*** (l'année cent / l'année mille) ont subi une réinterprétation en « siècle » et « millénaire ».

Il n'en va pas de même du mot ***Aller°heiligen*** (Toussaint) qui n'est que le résidu amalgamé du membre au génitif du groupe nominal : ***das Fest aller Heiligen***, comme ***die Apfel°sine*** (l'orange amère) est l'amalgame explicatif de ***Apfel aus China*** et ***Mittwoch*** l'amalgame écourté de ***Mitt[e]woch[e][tag]*** comme l'atteste son genre masculin et non féminin.

5 Les complexes nominaux polylexicaux

Écrits en plusieurs mots, avec ou sans trait d'union, les complexes polylexicaux posent le problème de la différence entre la **base syntaxique** (l'élément décliné) et le **noyau sémantique** (l'élément qui apporte le sens principal). On distingue pour la structure interne :

A **Les complexes copulatifs** (déjà évoqués page 226).

- **De type additionnel** que l'on peut paraphraser par ***und***.

Baden[-]°Württemberg - Elsass[-]°Lothringen : *Mönchen[-]°Gladbach.*

- **De type explicatif** paraphrasable par une structure avec ***sein*** ou ***heißen***. L'élément qui identifie ou explique est accentué ; il peut être placé à droite ou à gauche du nom décliné qui est la base syntaxique.

Frau Doktor °Ebert : Madame le docteur Ebert / *das Schloss Sanssouci* : le château [de] Sanssouci / *die Stadt °Bochum* : la ville de Bochum

das Wort °Gott : le mot de dieu / *der Monat °Mai* : le mois de mai

Kapitel °10 : chapitre 10 / *Bahnsteig sieben* : quai 7

Pi°relli Reifen : les pneus Pirelli / *°Jakobs Kaffee* : le café Jakobs / *Glo°bal M°öbel* : les meubles Global / *Hans °Meier* ou *Meier °Hans...*

B **Les complexes polylexicaux occasionnels** sont reliés par un trait d'union. Leur structure sémantique varie.

der Albrecht-Dürer-Platz : la place Albrecht Dürer (explicatif)

die CDU-FDP-Koalition (die Koalition der CDU mit der FDP) : la coalition de la CDU et de la FDP

die Boden-Luft-Rakete (vom Boden in die Luft) : la fusée sol-air

der Moskauer Zwei-plus-Vier-Vertrag : la convention 2 + 4 de Moscou.

Il ne faut pas confondre les complexes nominaux en plusieurs mots avec ceux qui comprennent un groupe nominal de **quantité** ou de **mesure** (***zwei Glas Wein***, voir le chapitre 24, page 283), ni avec des complexes nominaux plus isolés comme :

– la **réduction de groupes** :

[am] Anfang : [au] début / *[am] Ende April* : [à la] fin avril

– le groupe nominal **à l'accusatif de mesure** :

vierzig Jahre nach dem Krieg : quarante ans après la guerre

zehn Kilometer hinter der Front : [à] dix kilomètres derrière le front

zwei Monate vor der Ausstellung : deux mois avant l'exposition

– les **nominalisations d'amalgames verbaux** :

ein starker Raucher : un gros fumeur

→ dérivé de *stark rauch[en]* (fumer beaucoup)

ein feiner Beobachter : un observateur perspicace

→ dérivé de *fein beobacht[en]* (observer finement)

eine glücklose Tätigkeit : une activité malheureuse

→ dérivé de *glücklos tätig [sein]*

20 L'orthographe et la ponctuation

A savoir

La nouvelle réforme

Le 1er août 1998 est entrée en vigueur une **réforme de l'orthographe** de l'allemand dont les règles remplacent celles de 1901. Cette réforme prévoit jusqu'au 31 juillet 2005 une **période de transition** pendant laquelle l'ancienne orthographe est acceptée.

Les objectifs de cette réforme sont de simplifier et de rationaliser les règles en réduisant les cas particuliers.

Dans ce chapitre, seuls les points essentiels de l'orthographe courante corrigée le cas échéant par l'orthographe réformée seront signalés.

Les principes de l'orthographe

L'orthographe allemande repose principalement sur la **correspondance entre les sons** (phonèmes) **et les graphèmes** (les lettres ou groupes de lettres de l'écriture). Mais elle est aussi conditionnée, comme l'orthographe française, par d'autres facteurs :

• **L'étymologie**, c'est-à-dire l'origine des unités lexicales, par exemple les mots étrangers et savants.

• **La grammaire**, par exemple les classes de mots : le nom s'ouvre sur une majuscule et l'adjectif sur une minuscule.

• **L'histoire**, **la logique**, **l'analogie** : ***der Runde Tisch*** (la table ronde) s'écrit avec deux majuscules comme un titre complexe.

• Et surtout **la visualisation** qui fait, par exemple, ressortir la différence entre ***das Lied*** (le chant) et ***das Lid*** (la paupière).

Ainsi il existe huit représentations graphiques du son */k/* :

***k**alt - Mo**kk**a - E**ck**e - **C**lown - **Ch**arakter - **Qu**arantäne - A**x**t [ks] - Ta**g**.*

Inversement, la lettre **g** peut représenter jusqu'à cinq sons :

/k/ → Tag - /g/ → gab, Dogge - /z/ → Genie - /ç/ → wenig (= ich!) et une partie de */n/ → jung*.

Le groupe de lettres ***sch*** peut représenter un son (***schön*** : beau) ou deux (***Häs-chen*** : petit lapin).

A savoir

1 La correspondance entre les sons et les lettres

L'alphabet allemand comprend trente lettres qui existent sous forme de minuscules et de majuscules, sauf le ***ß*** (*ess-tsett*) qui n'existe que sous forme de minuscule (par exemple : *die Straße* mais *DIE STRASSE*) :

a	**A**	**k**	**K**	**t**	**T**
b	**B**	**l**	**L**	**u** (ou)	**U**
c (tse)	**C**	**m**	**M**	**v** (faou)	**V**
d	**D**	**n**	**N**	**w** (vé:)	**W**
e (é:)	**E**	**o**	**O**	**x**	**X**
f	**F**	**p**	**P**	**y** (upsilonn)	**Y**
g (gué:)	**G**	**q** (khou)	**Q**	**z** (tsett)	**Z**
h (ha:)	**H**	**r**	**R**		
i	**I**	**s**	**S**		
j (iott)	**J**	**ß (**ess-tsett)			

et les trois voyelles infléchies (avec deux points sur la voyelle : **ä** (é, ê) - **ö** (eu, œu) - **ü** (u comme dans « butte » ou « but »), **Ä - Ö - Ü**.

LES VOYELLES LONGUES ET BRÈVES

L'environnement graphique fournit très souvent des indications sur la qualité des **voyelles**. Il indique notamment si la voyelle ***a***, ***ä***, ***e***, ***i***, ***o***, ***ö***, ***u*** ou ***ü*** est brève ou longue.

A Sont **longues** (en syllabe accentuée) :

• la voyelle qui, dans la racine lexicale, n'est suivie que d'**une seule consonne**.

*der **A**bend* : le soir / *das R**a**d* : la roue, le vélo / *die **Ä**ra* : l'ère / *die Di**ä**t* : le régime alimentaire
***e**del* : noble / der *W**e**g* : le chemin / *der Pla°n**e**t* : la planète
***o**ben* : en haut / *der **O**fen* : le fourneau / *der Ch**o**r* : le chœur
***ö**de* : désert / *sch**ö**n* : beau
*das **U**fer* : le rivage / *der H**u**t* : le chapeau / *die M**u**se* : la muse / *die Na°t**u**r* : la nature
ü**ben* : exercer / *l**ü**gen* : mentir / *das Me°n**ü : le menu / *das Mole°k**ü**l* : la molécule

et la voyelle ***i*** dans certains mots étrangers :

*die °D**i**va / die °**I**ris / die °Kr**i**se / das Ven°t**i**l / die Mu°s**i**k.*

• La voyelle qui est suivie, dans la même syllabe, d'un ***h*** non prononcé (La présence du ***h*** évite le plus souvent d'avoir une succession de deux voyelles brèves.).

*n**ah**en* : approcher / *bej**ah**en* : dire oui
*das R**eh*** : le chevreuil / *dr**eh**en* : tourner
*dr**oh**en* : menacer / *der Fl**oh***: la puce
*die K**uh*** : la vache / *die Sch**uh**e* : les chaussures
*f**äh**ig*: capable / *die H**öh**e* : la hauteur / *fr**üh*** : tôt.

> On trouve aussi la lettre *h* exceptionnellement après une diphtongue considérée dans tous les cas comme longue :
>
> ***leih**en* : prêter [≠ *Laien*, les amateurs] / *die R**eih**e* : la rangée / *verz**eih**en* : pardonner / ***weih**en* : consacrer (*W**eih**nachten* : Noël).

Ce ***h*** se trouve encore devant les consonnes ***l***, ***m***, ***n***, ***r*** :

*die °D**ahl**ie* : le dahlia / *sich ben**ehm**en* : se comporter / *beg**ehr**en* : désirer / *h**ohl*** : creux / *der S**ohn***: le fils / *das H**uhn*** : la poule / *die **Ähr**e* : l'épi / *die H**öhl**e* : la caverne / *f**ühl**en* : sentir / *die B**ühn**e* : la scène / *f**ühr**en* : conduire quelqu'un.

• La voyelle suivie, dans la même syllabe, d'un **e** non prononcé, notamment s'il s'agit du graphème ***ie*** (pour le ***-i-* long**).

das Lied : le chant / *riechen* : sentir (odeur) / *das Tier* : l'animal / *sie* : elle/ ils

et dans les suffixes accentués ***-ie***, ***-ier***, ***-ieren*** et ***-ierung***:

die Batte°rie : la batterie / *die Lotte°rie* : la loterie / *die Ma°nie* : la manie
das Schar°nier : la charnière / *mar'schieren* : défiler / *pro'bieren* : essayer
re'gieren / Re'gierung.

> Si ***-ie*** (ou ***-ee***) doit être suivi d'un ***-e***, ***-en***, ***-e***, ***-es***, ***-ell***, le ***-e-*** n'est écrit et prononcé qu'une fois : ***das Knie***, ***die Kni-e*** : le(s) genou(x).

• La voyelle redoublée dans de petites séries de mots : ***aa***, ***ee***, ***oo***.

*das H**aa**r* : la chevelure / *das P**aa**r* : le couple
*die F**ee*** : la fée / *der Schn**ee*** : la neige / *die Ar°m**ee*** : l'armée / *das Kli°sch**ee*** : le cliché / *das Varie°t**ee*** : les variétés (le spectacle)
*das B**oo**t* : la barque / *das M**oo**s* : la mousse / *der Z**oo*** : le zoo...

1. Les différents **signaux de voyelle longue** servent souvent à **différencier visuellement** à l'écrit des éléments qui se prononcent de la même façon (homophones) :

das Lid : la paupière / *das Lied* : le chant / *sie* : elle/ils / *sieh* : vois / *das Vita°min* : la vitamine / *die Mine* : la mine, l'arme / *die Miene* : la mine
leeren : vider / *lehren* : enseigner
die Waage : la balance / *der Wagen* : la voiture.

2. Certaines voyelles sont **longues**, bien qu'elles soient suivies de plusieurs consonnes. Il s'agit le plus souvent de :

• Mots dans lesquels il y a eu chute d'une lettre (souvent un ***-e-***). Par exemple :

der Adler (*der Adel*) : l'aigle / *der Jodler* (*jodeln*) : le iodleur / *die Jagd* (*jagen*) : la chasse / *der Lügner* (*lügen*) : le menteur / *der Redner* (*reden*) : l'orateur / *der Mond* (*der Monat*) : la lune / *das Obst* : les fruits / *prost* (*prosit*) : à votre santé / *übrig bleiben* (*über*) : rester (après soustraction).

• Voyelles longues devant les groupes de lettres :

-ch- : *der Kuchen* : le gâteau / *die Sprache* : la langue
-sch- : *die Dusche* : la douche / *die Nische* : la niche
-st- : *die Geste* : le geste / *husten* : tousser / *das Kloster* : le couvent
der Trost : la consolation / *rösten* : griller [mais *der Rost* (la grille) a un ***o*** bref.]

• Voyelles allongées sous l'effet d'un ***-r-*** + consonne qui suit :

die Behörde : l'autorité / *das Pferd* : le cheval / *der Bart* : la barbe / *das Erz* : le minerai / *die Geburt* : la naissance / *der Wert* : la valeur / *die Börse* : la bourse / *erst* : d'abord.

B Sont **brèves** (en syllabe accentuée) les voyelles suivies d'une **consonne redoublée** :

schlaff : flasque (≠ *der Schlaf* : le sommeil) / *denn* : car (≠ *den* démonstratif ou relatif)
statt : au lieu de [≠ *die Stadt* : la ville ≠ *der Staat* (longue) : l'État]
starr : raide (≠ *der Star* : la vedette/ l'étourneau)
sollen : devoir (≠ *die Sohle* : la semelle)
die Hölle : l'enfer (≠ *die Höhle* : la caverne).

1. Au lieu de ***-kk-*** et de ***-zz-***, on écrit généralement ***-ck-*** et ***-tz-*** :
*die E**ck**e* : le coin / *si**tz**en* : être assis.

2. La voyelle qui précède ***x*** [ks], ***ng*** [ŋ], ***pf*** [p^f] est toujours brève :
mixen : mixer / *faxen* : faxer
singen : chanter / *der Junge* : le garçon
der Apfel : la pomme.

3. Les groupes de lettres ne se redoublent pas. L'orthographe ne fournit donc pas d'indications sur la longueur de la voyelle qui les précède :
waschen (brève) : laver / *die Dusche* (longue) : la douche.

4. Le doublement d'une consonne n'est qu'un signe orthographique : on ne doit pas entendre deux fois la consonne comme cela peut être le cas à la jointure d'un composé ou dérivé :
kämmen : peigner / *betteln* : mendier
mais :
*ver//**r**eisen* : partir en voyage / das *Be**tt**//**t**uch* : le drap de lit.

5. Le doublement de la consonne ne se fait pas après la voyelle brève de :
– certains mots **anglais** d'une syllabe :
der Bus / der Jet / das Kap / der Slip,
– d'autres mots **étrangers** :
das Ho°tel / die °Kamera / das °Limit / der Kre°dit,
– mots **grammaticaux** d'une syllabe :
ab / an / bis / das / in / man / mit / ob / um / was / ich bin / er hat...
La consonne n'est pas non plus redoublée après la voyelle brève qui précède des suffixes qui ne forment qu'une syllabe avec le radical :
*der Bra**nd*** : l'incendie / *die Gun**st*** : la faveur / *das Geschä**ft*** : l'affaire/ le magasin.
En revanche, on redouble la consonne qui suit une voyelle brève dans des suffixes qui, au pluriel, forment une autre syllabe :
*die König**in**, die König**inn**en* : la(les) reine(s) / *die Kennt**nis**, die Kenntn**iss**e* : la(les) connaissance(s) / *die Anan**as**, die Anan**ass**e* : l'(les)ananas / *der Kürb**is**, die Kürb**iss**e* : la(les) citrouille(s).

C Quand **deux** ou **plusieurs consonnes** suivent la voyelle dans la racine lexicale, celle-ci est le plus souvent brève :

die Welt : le monde / *die Post* : la poste / *der Wolf* : le loup / *die Luft* : l'air
hübsch : joli.

Attention toutefois au **principe étymologique**, d'après lequel en général les **mots d'une même famille** s'écrivent de la même façon, même si la prononciation diffère.

• Ainsi ***sagen*** (***a*** long : une seule consonne !) garde son ***a*** long dans : *sagt - sagst - unsagbar*. ***Hoch*** conserve sa voyelle longue dans ***der hohe Turm***, dans le superlatif ***höchst*** et l'argumentatif ***höchstens***.

Il en va de même pour les consonnes :

*bra**v*** [f] et *Kin**d*** [t], mais *bra**v**e* [v] *Kin**d**er* [d],
*Köni**g*** [ch], mais *Köni**g**in* [g].

• Le ***[e]*** bref est écrit ***ä*** et non pas **e**, comme dans ***nett*** (gentil) ou ***hell*** (clair), quand il existe une forme radicale en ***a***.

*der B**a**nd* : le volume → *B**ä**nde*
*der Überschw**a**ng* : l'exubérance → *überschw**ä**nglich*

À l'exception de :

*die **E**ltern* : les parents ≠ *die **Ä**lteren* : les anciens
*die H**a**nd* : la main → *beh**ä**nde* : agile, preste, écrit jusque-là *beh**e**nde*.

• Il en va de même pour la diphtongue [oY] qui s'écrit ***-äu-*** et non pas ***-eu-*** quand il existe une forme radicale en ***-au-*** :

*die H**au**t* → *H**äu**te* : la(les) peau(x) / *die M**au**s* → *die M**äu**se* : la(les) souris /
*sich schn**äu**zen* : se moucher ← *die Schn**au**ze* : le museau, la gueule,

mais :

heu**te* : aujourd'hui / *das H**eu : le foin.

• Le même principe étymologique intervient dans les cas suivants :

platzieren de *Platz* au lieu de *plazieren*
Rohheit de *roh* au lieu de *Roheit*
nummerieren de *die Nummer* au lieu de *numerieren*
Karamell de *Karamelle* au lieu de *Karamel*...

D La réforme de l'orthographe prévoit d'intégrer (de germaniser) davantage les **mots étrangers** tout en laissant le plus souvent le choix entre deux formes :
die Dränage et *Drainage* / *die Mayonäse* ou *Mayonnaise*
das Exposee et *Exposé* / *das Kommunikee* ou *Kommuniqué*
der Kupon ou *Koupon* / *die Bravur* ou *Bravour* / *der Delfin* ou *Delphin* : le dauphin
essenziell ou *essentiel* / *fantastisch* ou *phantastisch* / *die Fassette* ou *Facette*

Notons aussi le pluriel : *das Baby* → *die Babys* et non *die Babies*.

LES CONSONNES

A Le francophone qui lit l'allemand doit faire surtout attention à la prononciation de ***-ch-*** qui a :

– le son /***ç***/ après ***-ä-***, ***-i-***, ***-e-***, ***-ü-***, ***-ö-***, ***-äu-/-eu-***, ***-y-***

– un son guttural (donc très différent du précédent) après ***-a-***, ***-o-***, ***-u-***, ***-au-*** :

SON /ç/	SON GUTTURAL
ich : moi/ je *das Mädchen* : la fille *das Schätzchen* : le petit trésor *das Mäuschen* : la petite souris *das Veilchen* : la violette...	*ach* : hélas *das Loch* : le trou *das Buch* : le livre *brauchen* : avoir besoin de *lachen* : rire...

D'autres sons sont difficiles pour les francophones :

- ***-ng-*** :

der Junge : le garçon / *die Länge* : la longueur / *singen* : chanter / *die Zange* : la tenaille.

- ***-j-*** [i/j] :

ja : oui / *das Objekt* : l'objet.

- ***-z-*** [ts] :

der Zement : le ciment / *die Zeit* : le temps.

- ***-w-*** [v] :

wann? quand ? / *wir* : nous / *die Wonne* : le plaisir / *die Möwe* : la mouette.

- le ***-h-*** fortement aspiré au début d'un mot :

ich habe : j'ai / *das Huhn* : la poule / *hinter'her* : après coup / *vehe'ment* : véhément.

- ***-qu-*** [kv] :

die Quelle : la source / *quälen* : torturer / *die Qualität* : la qualité / *quasi* : quasi.

B L'orthographe allemande ne tient pas compte du **durcissement de certaines consonnes** en fin de mot ou de syllabe radicale :

- */b/ → /p/* : *gi**b*** : donne / *das Gra**b*** : la tombe.
- */d/ → /t/* : *das Ba**d*** : le bain / *die Han**d*** : la main / *en**d**lich* : enfin.
- */g/ → /k/* : *der Sie**g*** : la victoire / *der We**g*** : le chemin / *der Flu**g**lotse* : le pilote d'avion.
- */v/ → /f/* : *der Ner**v*** : le nerf / *das Moti**v*** : le motif, mais au pluriel : *Ner**v**en* / *Moti**v**e* / *Nai**v**ität* [v].
- */z/ → /s/* : *der Prei**s*** : le prix / *lie**s*** : lis / *lo**s*** : allons-y.

Elle ne note pas davantage le durcissement des mêmes consonnes devant une consonne sourde [p], [t], [k], notamment à la jointure d'un radical et d'une terminaison :

*er h**eb**t* [p] devant [t] : il soulève / *er le**bt**e* [p] devant [t] : il vivait
*der Wo**d**ka* [t] devant [k] : la vodka / *er sa**gt*** [k] devant [t] : il dit
*es ta**gt*** [k] devant [t] : il fait jour / *du blä**st*** [s] devant [t] : tu souffles
*du lie**st*** [s] devant [t] : tu lis / *lö**s**bar* [s] devant [b] : soluble

C L'orthographe réformée a simplifié **l'emploi du *ß***, qui, du reste, n'est jamais obligatoire en Suisse. Désormais la règle est la suivante :

- La consonne sourde /s/ est écrite ***ß* après une voyelle longue ou une diphtongue**, sauf quand il s'agit du /s/ final durci dont il a été question au paragraphe précédent.

das Maß : la mesure / *die Straße* : la rue / *der Spieß* : le javelot, la broche
groß : grand / *die Größe* : la dimension / *grüßen* : saluer / *der Gruß* : le salut
draußen : dehors
beißen : mordre / *der Fleiß* : le zèle

mais :

die Maus [z] durci en [s] final → *die Mäuse* [z]
das Haus [z] durci en [s] final → *die Häuser* [z]

- Dans tous les autres cas, et toujours après une voyelle brève, on écrit ***-ss-***.

der Anlass : l'occasion / *der Einfluss* : l'influence / *das Fass* : le tonneau / *der Hass* : la haine / *der Kuss* : le baiser / *das Adressbuch* : le carnet d'adresses
essbar : comestible / *dass* : que / *du lässt* : tu laisses / *du musst* : tu dois
wissen - ihr wisst - ich wüsste : savoir - vous savez - je saurais.

Dans beaucoup de cas, cette règle est conforme au principe étymologique, mais elle ne supprime pas toutes les alternances ***-ss-* ↔ *-ß-*** dans la même famille de mot :

*mü**ss**en* (devoir) - *ich mu**ss** - ich mu**ss**te - gemu**ss**t*

mais :

*schlie**ß**en* (fermer) - *schlo**ss** - geschlo**ss**en - schlie**ß**lich*
*wi**ss**en* (savoir) - *gewu**ss**t - ich wei**ß**.*

D La nouvelle règle du ***ß*** a pour conséquence que l'on peut avoir dans un composé ou un dérivé **trois fois de suite la même consonne** :

*der Schlo**sss**ektor* : le secteur du château / *der Schlu**sss**trich* : le trait final.

Cette possibilité devient une règle générale de l'orthographe allemande. Ainsi on n'écrit pas seulement trois fois la même lettre + consonne (par exemple : *das Pa**ppp**lakat*, l'affiche de carton), mais aussi trois fois la même lettre devant voyelle :

*der Balle**ttt**änzer* : le danseur de ballet / *die Bre**nnn**esseln* : les orties

*der Schnel**l**läufer* : le sprinteur / *die Tee**e**rnte* : la récolte de thé, de tisane
*die Stres**s**situation* : la situation stressante / *die Schif**f**fahrt* : la croisière
*der Schrot**t**transport* : le transport de ferraille.

À la jointure de ces noms composés, on peut aussi mettre un trait d'union :

der Ballett-Tänzer / der Kaffee-Ersatz / der Schrott-Transport / die Tee-Ernte.

2 Un ou deux mots ?

Le principe retenu dans l'orthographe en général est que l'écriture séparée des mots est la norme et que la soudure (*Zusammenschreibung*) est donc réglementée.

• La soudure est obligatoire quand l'un des constituants n'existe pas comme élément ou mot autonome.

die Berufung : la vocation / *du rufst* : tu appelles / *gerufen* : appelé / *wissbegierig* : désireux de savoir.

• L'écriture séparée est obligatoire quand l'un des termes est susceptible d'avoir un membre ou une expansion.

viele Kilometer weit mais *kilometerweit* : à une distance de kilomètres.

À la base de l'orthographe réformée, on insiste donc plus sur la différence entre le mot composé (unité lexicale : par exemple ***fernsehen***) et le groupe syntaxique constitué d'une base lexicale et de membres séparés (***in die Ferne sehen***). En revanche, la sémantique intervient moins qu'auparavant : ***sitzen bleiben*** s'écrira désormais en deux mots, qu'il s'agisse du sens « rester assis » ou « redoubler une classe ».

► Pour la soudure des bases verbales, adjectivales et nominales, voir les chapitres correspondants.

3 La majuscule

La majuscule se met en début d'énoncé après un point et après deux points pour une citation ou un énoncé :

Achtung : Für Transportschäden übernehmen wir keine Haftung.
Attention! Nous ne garantissons pas les dommages dus au transport.

La réforme de l'orthographe allemande systématise l'usage de la majuscule. En effet **toutes les bases nominales** ou **nominalisations**, qu'il s'agisse de noms propres ou non, **prennent également une majuscule** dans les expressions verbales ainsi que dans la plupart des particules et préverbes d'origine nominale :

Albert Müller / der Schiefe Turm von Pisa : la tour penchée de Pise
ein Haus : une maison
das Vergissmeinnicht : le myosotis / *ein Abgeordneter* : un député
etwas Schönes : quelque chose de beau / *etwas Anderes* : quelque chose d'autre / *im Allgemeinen* : en général / *für Alt und Jung* : pour vieux et jeunes
zum ersten Mal : pour la première fois / *des Weiteren* : de plus
Auto fahren : faire de la voiture / *Rad fahren* : faire du vélo
Maschine schreiben : écrire à la machine / *Leid tun* : faire de la peine
Pleite gehen : faire faillite / *Eis laufen* : faire du patin à glace...

En revanche les tournures adverbiales qui répondent à la question ***wie?*** peuvent encore s'écrire avec une minuscule :

*Er hat alles aufs **S**chärfste/ aufs **s**chärfste kritisiert.*
Il a tout critiqué de la manière la plus tranchée.
*Mir ist **a**ngst*. J'ai peur.

4 Le trait d'union et la coupure en fin de ligne

A En plus de ses emplois courants, le trait d'union devient obligatoire dans les composés avec chiffres :

2-jährig : de deux ans / *14-tägig* : de quatorze jours

mais on écrit sans trait d'union dans les abréviations, par exemple : *100%ig.*

Le trait d'union est facultatif pour les mots qui comprennent une suite de trois consonnes identiques, par exemple : *das Bett-Tuch* (le drap).

Il peut s'employer pour éviter des confusions, comme dans l'exemple suivant :

das °Musiker/-/°Leben : la vie de musicien
das Mu°sik/-/er°leben : l'événement musical.

B La coupure des mots complexes en fin de ligne reste syllabique, la syllabe étant définie en fonction de la prononciation, de la lecture à haute voix (*Sprechsilbe* et non pas *Sprachsilbe*). La réforme ne fait qu'unifier ce principe.

• S'il n'y a qu'une consonne entre deux voyelles, celle-ci passe à la ligne suivante.

der La//den : le magasin / *der Va//ter* : le père.

• S'il y a plusieurs consonnes, seule la dernière passe à la ligne suivante.

die Mut//ter : la mère / *zeich//nen* : dessiner / *trin//ken* : boire / *die Städ//te* : les villes

et maintenant aussi :

die Kis//te : la caisse / *der Schus//ter* : le cordonnier / *has//tig* : pressé.

• Toutefois les groupes de lettres ***ch***, ***sch***, ***ph***, ***rh***, ***sh***, ***th*** ne se séparent pas (contrairement à ***st***) :

der La//cher : le rieur / wa//schen *: laver.*

• Il en est de même désormais pour ***-ck-*** :

die Bä//ckerei : la boulangerie / *die E//cke* : le coin.

• Étant donnée la priorité accordée au principe de la syllabe orale (et non de la syllabe morphologique), on peut couper indifféremment :

he//rum et *her//um*
ei//nan//der et *ein//ander*
da//rüber et *dar//über*...,

mais bien sûr seulement :

der Bass//sänger, *Bass/-/Sänger* : le chanteur de basse
der Schul//bus, *Schul/-/Bus* : le bus scolaire
der Emp//fang : la réception...

5 La ponctuation

Les nouvelles règles concernent surtout **la virgule** qui n'est **plus obligatoire** :

• Dans l'énumération des groupes verbaux, par exemple avec ***und*** ou ***oder.***

Der Wind wehte (,) und der Schnee wirbelte.
Le vent soufflait et la neige virevoltait.

• Avec les groupes infinitifs compléments et les groupes participes I et II juxtaposés.

Bettina hofft (,) pünktlich anzukommen. Bettina espère arriver à l'heure.

Durch ihren Erfolg selbstbewusst gemacht (,) entschloss sie sich (,) ihn fallen zu lassen. Rendue confiante par ses succès, elle décida de le laisser tomber.

Bien sûr, le principe selon lequel on sépare les autres groupes de type verbal par un signe de ponctuation reste valable :

Wir sind, um das ganz deutlich zu sagen, verärgert.
Nous sommes, pour le dire très clairement, fâchés.

Karl stellt den Antrag, ohne nachzudenken.
Charles fait sa demande sans réfléchir.

Der Vater, der das nicht wollte, verließ den Verein.
Le père, qui ne voulait pas cela, quitta l'association.

« *Werde bald wieder gesund!* », *rief er ihr zu.*
« Guéris bien vite! » lui lança-t-il.

Contrairement au français, l'allemand emploie l'ordinal suivi d'un point :

Er war am 16. Juli gekommen. Il était venu le 16 juillet.

En revanche, après une abréviation, on n'emploie le point que si celle-ci est destinée à être prononcée en toutes lettres :

u. a. → *unter anderem* (entre autres) / *Dr.* → *Doktor*
mais :

Kripo → *Kriminalpolizei* / *Uni* → *Universität.*

21 Le participe et le groupe participial

A savoir

1 Participes et adjectifs

Le participe I (participe présent) et le participe II (participe passé) sont deux formes **impersonnelles** du verbe.

*ein schlaf**end**es Kind*	*Das Kind hat gut **ge**schlaf**en**.*
un enfant qui dort	L'enfant a bien dormi.

Le participe peut être **lexicalisé**, c'est-à-dire être employé dans une fonction d'adjectif. Il n'est pas toujours facile de savoir si l'on est encore en présence d'un (groupe) participe ou si celui-ci est déjà un adjectif.

Er wurde mit einem Preis ausgezeichnet. (participe du passif)	*eine ausgezeichnete Rede* (participe lexicalisé épithète)
On lui a attribué un prix.	un discours excellent

En allemand, on ne différencie pas le participe I et l'adjectif verbal, alors que le français les distingue par un traitement différent de l'accord :
– non accord du participe présent (des avions **volant** trop bas),
– accord de l'adjectif verbal (des soucoupes **volantes**).

Les **participes lexicalisés** dont le sens est souvent éloigné du verbe d'origine sont très nombreux :

andauernd : constant / *aufgebracht* : furieux / *ausgezeichnet* : excellent *bedeutend* et *unbedeutend* : important et insignifiant / *erwiesen* : prouvé, établi / *reizend* : ravissant / *spannend* : captivant / *verrückt* : fou / *vorübergehend* : provisoire…

Certains **participes de forme** ne sont pas dérivés de bases verbales, mais de bases nominales :

beamtet ← *das Amt* : chargé de fonction / *bebrillt* ← *die Brille* : qui porte des lunettes / *beleibt* ← *der Leib* : corpulent / *betagt* ← *der Tag* : âgé / *gut, schlecht gelaunt* ← *die Laune* : bien, mal luné / *unverschämt* ← *die Scham* : impudent.

Un certain nombre de **groupes participiaux amalgamés** s'écrivent en un mot quand ils sont sans expansions :

ein ordnungsliebender Mensch : un homme d'ordre / *ein Paar pelzgefütterte Handschuhe* : une paire de gants fourrés / *ein luftgekühlter Motor* : un moteur refroidi par air…

mais avec expansions :

hoch fliegende Pläne : des plans ambitieux
das schwer zu ertragende Warten : l'attente difficile à supporter.

Participes et formes verbales

Tout verbe allemand peut former un participe I et un participe II, mais seul le participe II sert à la formation des temps composés de la base verbale.

Ainsi, le participe II sert à former :

– le **parfait de l'actif** :
Er hat/ hatte/ habe/ hätte gelesen. Il a/ avait/ aurait lu.

– le **passif** :
Er wird/ wurde/ werde/ würde gerufen. Il fut/ serait appelé.
Er ist/ war/ sei/ wäre gerufen worden. Il est/ fut/ avait été/ aurait été appelé.

Dans ce chapitre, on ne tient pas compte des participes I et II lexicalisés, ni des participes II qui entrent, en tant que constituants, dans des formes verbales complexes.

A savoir

1 La formation des participes

A **Le participe I** a comme marque ***-end*** qui s'ajoute au **radical de l'infinitif**.

*blüh**end*** : florissant / *verblüff**end*** : étonnant, épatant / *sei**end*** : étant / *tu**end*** : faisant.

Cette marque est réduite à ***-nd*** quand le radical de l'infinitif se termine par une syllabe **atone *-el-*** ou ***-er-*** :

*fröstel**nd*** : frissonnant / *erschütter**nd*** : bouleversant.

B **Le participe II** est formé de la façon suivante :

• ***[ge]*** + radical de l'infinitif + ***[e]t*** pour les verbes faibles réguliers.

gespielt : joué / *geläutet* : sonné / *stu'diert* : étudié.

• ***[ge]*** + radical propre + ***t*** pour les verbes faibles irréguliers.

gedacht : pensé / *gerannt* : couru / *gesandt* : envoyé

et les verbes prétérito-présent (verbes de modalité : ***gedurft, gekonnt*** et ***wissen*** : ***gewusst***).

• ***[ge]*** + radical propre + ***[e]n*** pour les verbes forts.

getragen : porté / *genommen* : pris / *gesungen* : chanté.

• **Variantes** :

– la variante ***-et*** apparaît pour les verbes faibles au contact gauche de ***-d/t-*** et après un groupe de consonnes comprenant un ***-n-*** ou un ***-m-*** autre que ***-hm/hn-***, ***-lm/lm-***, ***rm/rn*** :

*verarbeit**et*** : travaillé / *ausgerechn**et*** : calculé / *herabgeregn**et*** : tombé du ciel / *geleugn**et*** : nié

– la variante ***-n*** apparaît pour les verbes forts obligatoirement dans :

*geta**n*** : fait

et dans une prononciation négligée après un /i:/ long ou après une diphtongue :

*geschrie**n*** : crié / *gehau**n*** **:** battu.

C Le préfixe ***ge-*** du participe II se met uniquement devant une syllabe accentuée.

gekauft : acheté / *geliebt* : aimé / *gefaxt* : faxé / *geworfen* : jeté / *ge'kenn-zeichnet* : caractérisé / *ge'rechtfertigt* : justifié.

On ne met donc pas ***ge-*** si la première syllabe du lexème verbal est **atone**.

be'antragt : demandé / *be'tont* : accentué / *em'pfunden* : ressenti / *ent'laufen* : échappé / *er'fahren* : expérimenté / *miss'fallen* : déplu / *ver'bracht* : passé / *zer'rissen* : déchiré / *wider'legt* : contredit / *durch'sucht* : fouillé / *um'geben* : entouré / *voll'bracht* : achevé / *infor'miert* : informé / *telefo'niert* : téléphoné / *prophe'zeit* : prophétisé / *po'saunt* : crié sur les toits / *offen'bart* : manifesté...

L'addition d'une unité accentuée (mot lexical, groupe, particule/ préverbe) à gauche du lexème verbal à préfixe atone ne change rien à cette règle.

Prennent ***ge-*** :

'ausgestrahlt : diffusé / *'eingefangen* : rattrapé / *vo'raufgegangen* : précédent / *'Rad gefahren* : qui a fait de la bicyclette / *Ma'schine geschrieben* : écrit à la machine / *spa'zieren gegangen* : parti en promenade / *'heimgegangen* : rentré chez soi

mais :

nach 'Hause gekommen.

Ne prennent pas ***ge-*** :

'anvertraut : confié / *'einberufen* : enrôlé / *vor'herbestimmt* : prédéterminé / *'missverstanden* : mal compris...

2 La formation des groupes participiaux

A Presque tous les verbes donnent lieu à un groupe participe I, dont la valeur est **processuelle** (le procès est « en cours »). Ces groupes participiaux peuvent être formés à partir d'un verbe :

- **Transitif.**

die das Museum betretenden Besucher
→ *die Besucher, die das Museum betreten*
les visiteurs qui entrent dans le musée

- **Intransitif.**

die allmonatlich erscheinende Zeitschrift
→ *die Zeitschrift, die allmonatlich erscheint*
le magazine qui paraît chaque mois

- **Pronominal.**

der sich erholende Kranke → *der Kranke, der sich erholt*
le malade qui se rétablit

B La formation d'un groupe participe II n'est possible qu'avec les verbes :

- **Transitifs,** avec un complément d'objet à l'accusatif et qui fonctionnent au **passif**.

Man dreht einen Film. (processuel actif)
→ *Der Film wird gedreht.* (processuel passif)
→ *Der Film ist gedreht.* (passif bilan)
→ *der gedrehte Film* (passif processuel ou bilan ?)
le film tourné.
Ein Amerikaner dreht den Film in der Toscana. (processuel actif)
→ *Der Film wird von einem Amerikaner in der Toscana gedreht.* (processuel passif)
→ *der von einem Amerikaner in der Toscana gedrehte Film/ der Film, von einem Amerikaner in der Toscana gedreht* (processuel ou bilan ?)
Le film tourné en Toscane par un Américain.

Dans ce cas, le participe II passif exprime un **bilan** (accompli) ou un **aspect processuel** (en cours).

- **Intransitifs** qui forment leurs temps composés à l'**actif** avec ***sein***.

die vor einer Stunde eingetroffenen Gäste : les invités arrivés depuis une heure
das im Hotel zurückgebliebene Gepäck : les bagages restés à l'hôtel.

Ici, le participe II actif exprime le seul **bilan** (accompli), il est opposable au groupe participe I « en cours » :

das im Hotel zurückbleibende Gepäck : les bagages restant à l'hôtel.

• **Pronominaux.**

Le groupe participe II, qui a une valeur de bilan, ne comprend plus de pronom.

Die Studentin verliebt sich. → *Die Studentin hat sich verliebt.*
L'étudiante est tombée amoureuse.

→ *die verliebte Studentin* : l'étudiante amoureuse.

Parfois, le groupe participial épithète dans un groupe nominal constitue une entorse au sujet logique. Par exemple, dans l'expression « une soirée dansante », ce n'est pas la soirée qui danse ! Ainsi on dit :

En allemand	En français
die betreffende Person	la personne concernée
ein Tanzabend	une soirée dansante
ein gelernter Mechaniker	un mécanicien de métier
ein studierter Mensch	un homme érudit
ein erfahrener Jurist	un juriste expérimenté

3 Les fonctions des participes et des groupes participiaux

Les participes I et II (et les groupes participiaux I et II) permettent à des prédicats verbaux d'assurer des fonctions d'adjectif et de groupes adjectivaux.

A Le groupe participe peut être en **fonction d'énoncé exclamatif** ou **injonctif**.

Abgemacht! Affaire conclue !
Hier geblieben! On reste ici ! (Ordre dépersonnalisé)
Verdammt! Au diable !

Abstellen von Fahrzeugen aller Art ***verboten.***
Le stationnement de véhicules de toute nature est interdit.

Mais il est le plus souvent membre d'un groupe d'accueil qui peut être un groupe adjectival, un groupe verbal ou un groupe nominal.

B Dans le groupe **adjectival**, les participes (qui sont alors très rarement des groupes participiaux) servent à **indiquer le degré** ou à **exprimer un autre jugement**. Ils ont souvent le sens de « très », « extrêmement », « vraiment ».

Sie wollte es ***brennend*** *gern.* Elle voulait cela passionnément.

Alle fanden das Stück ***ausgesprochen*** *komisch.*
Tous trouvèrent la pièce particulièrement drôle.

Er hat es immer ***verdammt*** *schwer gehabt.*
Il a toujours eu une existence extrêmement difficile.

C Comme **membre d'un groupe verbal**, les (groupes) participes peuvent avoir la fonction :

- **D'attribut du sujet.**

Er war ohne Erlaubnis ***abwesend****.* Il était absent sans autorisation.
Dieser Stoff wirkt ***wasserabstoßend****.* Cette étoffe a un effet déperlant.

- **D'attribut de l'objet.**

Ich fand die Atmosphäre sehr ***bedrückend****.*
Je trouvai l'atmosphère très pesante.

Sie betrachteten das Problem als ***gelöst****.*
Ils considérèrent le problème comme résolu.

- **De détermination adverbiale** avec diverses nuances possibles :

– la **manière** :
Die Pflicht wurde ihm ***zwingend*** *bewusst.*
Il ne put s'empêcher de prendre conscience de son devoir.

Ich muss ihn ***dringend*** *sprechen.* Il faut que je lui parle de toute urgence.

Sie kamen ***lachend*** *zurück.* Ils revinrent en riant.

Er sah leicht ***angeheitert*** *aus.* Il avait l'air légèrement éméché.

– des circonstances **temporelle, causale**, **conditionnelle**, **finale**. Le groupe participe peut alors être remplacé par un groupe conjonctionnel (voir les exemples du point D).

- D'**appréciation** ou d'**estimation**, de **commentaire**, d'**articulation textuelle** (le sujet logique qui apprécie ou intervient est alors l'énonciateur).

Er war anscheinend nicht darauf gefasst. Apparemment, il ne s'y attendait pas.
modalisateur de vérité

Anschließend/ abwechselnd/ wiederholt fuhren wir aufs Land.
adverbes aspectuels
Tout de suite après/ Pour changer/ Plusieurs fois, nous allions à la campagne.

Schonend ausgedrückt, ist es kein Meisterwerk.
commentaire
Pour le dire avec ménagement, ce n'est pas un chef d'oeuvre.

Grob geschätzt, hat er 1000 DM verdient.
Grosso modo, il a gagné 1000 DM.

Streng genommen darf ich überhaupt keinen Wein trinken.
En principe je n'ai pas du tout le droit de boire du vin.

Voir encore :

verglichen mit : comparé à / *abgesehen von* : indépendamment de
angenommen/ vorausgesetzt [dass] : à supposer que
ausgerechnet : justement.

D **En relation sémantique avec un groupe nominal**, les groupes participes I et II peuvent être soit membres intégrés à gauche de la base nominale, soit juxtaposés au groupe nominal à sa gauche ou à sa droite.

• Intégré comme **membre à gauche de la base nominale**, la structure du groupe participe I ou II est régressive avec le participe en dernière position. Cette structure avec groupe participe épithète n'est courante à l'oral que si le groupe participe n'est pas trop long : elle caractérise plutôt le style écrit, littéraire et journalistique.

das laut weinende Kind : l'enfant qui pleure fort
eine sitzende Beschäftigung : une occupation assise
die abwesenden Schüler : les élèves absents
etwas schräg stehende Augen : des yeux en amande
der 1916 in Wien geborene Komponist : le compositeur né à Vienne en 1916

*Die **in den Museen von Florenz ausgestellten Meisterwerke** sind zum Teil durch die Überschwemmung des Arnos beschädigt worden.*
Les chefs d'oeuvre exposés dans les musées de Florence ont été en partie endommagés par l'inondation de l'Arno.

[dass] die Meisterwerke	*in den Museen von Florenz ausgestellt*	*sind/ waren*
die Meisterwerke, die	*in den Museen von Florenz ausgestellt*	*sind/ waren*
die	*in den Museen von Florenz ausgestellt* ***-en***	***Meisterwerke***

• Si le groupe participial est **juxtaposé au groupe nominal** que ce soit à sa gauche ou à sa droite, sa base reste **invariable.** Mais dans ce cas aussi, le groupe peut précéder ses membres.

***Im Museum von Florenz ausgestellt**, ist das Meisterwerk zum Teil durch die Überschwemmung des Arnos beschädigt worden.*
Exposé au musée de Florence, le chef-d'oeuvre a été partiellement endommagé par l'inondation de l'Arno.

*Das Meisterwerk, **ausgestellt im Museum von Florenz**, ist zum Teil durch die Überschwemmung des Arnos beschädigt worden.*
Le chef d'oeuvre, exposé au musée de Florence, a été partiellement endommagé par l'inondation de l'Arno.

C'est en définitive la référence au sens qui permet de dire à quoi il faut rapporter un groupe participe I ou II membre d'un groupe verbal.

1. À droite d'un groupe nominal, il peut être remplacé par une relative s'il se rapporte à ce groupe nominal :

Ich bin lediglich im Besitz eines Führerscheins, ***ausgestellt auf einen türkischen Arbeiter/ → der auf einen türkischen Arbeiter ausgestellt ist.***
Je ne suis qu'en possession d'un permis de conduire établi au nom d'un ouvrier turc.

2. À gauche d'un groupe nominal (notamment en 1re position d'un énoncé verbal) ou ailleurs dans l'énoncé verbal, sa fonction est ambiguë. Il peut se rapporter au groupe nominal sans que l'on puisse en faire une relative, mais il peut aussi par un affinement des relations sémantiques être remplacé par un groupe conjonctionnel explicitant une circonstance temporelle, causale, conditionnelle ou autre.

In Berlin angekommen*, fuhr er sofort zum Alexanderplatz.*
(→ *Als/ Nachdem er in Berlin angekommen war,...*).
Arrivé à Berlin, il se rendit sans attendre à l'Alexanderplatz.
Durch den Unfall schwer verletzt*, musste der Fahrer ins Krankenhaus eingeliefert werden.* (→ *Weil/ Da er durch den Unfall schwer verletzt wurde, ...*).
Ou bien :

Der Fahrer, ***durch den Unfall schwer verletzt****, musste ins Krankenhaus eingeliefert werden.*
Grièvement blessé dans l'accident, le conducteur dut être admis à l'hôpital.

La tranformation en relative est possible, ce qui montre que le groupe participe se rapporte au groupe nominal, mais la transformation en groupe conjonctionnel est également possible ; on peut donc considérer que le groupe participe est aussi un complément circonstanciel de cause :

Der Fahrer, ***der durch den Unfall schwer verletzt wurde / → weil er durch den Unfall schwer verletzt wurde...***

3. Le groupe participe I ou II en fonction de commentaire exige lui aussi, pour être compris, une paraphrase explicitant l'intervention de l'énonciateur :

Abgesehen vom Preis *gefällt mir die Farbe nicht.*
(Wenn ich vom Preis absehe...).
Si je fais abstraction du prix/ Indépendemment du prix, la couleur ne me plaît pas.

4 Difficultés contrastives : en + participe présent

A Le groupe ***sein* + groupe infinitif avec *zu*** a un sens modal. Il peut se transformer en participe I en fonction d'épithète dans lequel ***zu*** reste obligatoire :
*die **zu erwartende** Reaktion = die Reaktion, die zu erwarten war/ ist* :
la réaction à attendre
*das **schwer zu ertragende** Warten = das Warten, das schwer zu ertragen ist/ war* : l'attente difficilement supportable/ difficile à supporter.

B Associé au verbe ***kommen***, un participe II peut indiquer la manière dont se produit la venue :
*Das Kind kam **hereingelaufen**.* L'enfant entra en courant.

C Les emplois du participe présent en français sont plus nombreux que ceux de l'allemand qui utilise d'autres moyens d'expression :

• Les **groupes conjonctionnels** suivant la nuance circonstancielle.

– la cause :
Weil/ Da ich kein Geld mehr hatte, blieb ich zu Hause.
N'ayant plus d'argent, je restai chez moi.

– la condition :
Wenn du zu Hause bleibst, gibst du weniger Geld aus.
En restant à la maison, tu dépenseras moins d'argent.

– le moyen :
Ich konnte ihn benachrichtigen, indem ich ihn anrief.
Je pus l'avertir en lui téléphonant.
Er hat ihn geweckt, indem er klingelte. En sonnant, il l'a réveillé.

– le temps :
Als er daheim ankam, war er erschöpft. En arrivant chez lui, il était épuisé.

• ***Beim*** (lors de, au cours de) + **infinitif nominalisé.**

*Er hat sich **beim Rasieren** geschnitten.* Il s'est coupé en se rasant.

Ainsi que d'autres prépositions ou tournures :

***Über dem Lesen** ist er eingeschlafen.* Il s'est endormi en lisant.
Im Vorübergehen. En passant.
*Sie vertreibt sich die Zeit **mit Stricken**.* Elle passe le temps à tricoter (en tricotant).
Übung macht den Meister. C'est en forgeant qu'on devient forgeron.

• La **coordination** ou le **groupe verbal relatif**.

*Sie sagte Gute Nacht **und** ging schlafen*.
Elle dit bonne nuit en allant se coucher.
*Ich suche einen, **der diesen Brief übersetzen kann/ könnte**.*
Je cherche quelqu'un sachant traduire cette lettre.

22 Les particules

A savoir

Définition

On trouve, en allemand, beaucoup de mots invariables habituellement classés parmi les « adverbes ». Cependant, ils ne fonctionnent pas comme les adverbes, parce que, même dans un groupe verbal, ils ne sont pas autonomes et ne peuvent pas occuper seuls la première position dans un énoncé verbal avec verbe en 2e position (voir le chapitre 5, pages 45-46).

Dans l'exemple :

*Die Kirschen sind **bald** reif, **bald*** peut se placer en 1re position.
***Bald** sind die Kirschen reif.*
Les cerises seront bientôt mûres.
Il s'agit donc d'un adverbe autonome.

Mais dans l'exemple suivant :

*Ich glaube es **einfach** nicht.* Je ne le crois pas, un point c'est tout.

einfach n'est pas un adverbe, car il ne peut pas se mettre en 1re position.

On appelle **particules** de tels mots **invariables** mais **non autonomes** pour les distinguer des adverbes autonomes.

Ne pas confondre ces particules avec les **préverbes** appelés aussi « particules verbales » (voir le chapitre 27).

Classification

Dans ce chapitre, on distingue :

- Les particules de mise en relief.
- Les particules d'interactivité.
- Les particules d'organisation du discours et du texte (que sont par exemple, les conjonctions de coordination).
- Les particules et autres mots de l'affirmation et de la négation et, en particulier, ***nicht*** et ***kein***.

► Les éléments exprimant le degré de qualification et d'intensité sont traités au chapitre 8.

A savoir

1 Les particules de mise en relief

CARACTÉRISTIQUES

Les particules de mise en relief servent à mettre en valeur un groupe ou un élément de l'information, généralement marqué d'un accent contrastif. L'interprétation sémantique de ces particules dépend du contexte.

Ainsi quand on dit :

Nur °Paul *war gekommen*. Seul Paul était venu.

c'est ***Paul*** qui est accentué et mis en relief par la particule ***nur***. Il est également présenté comme la réduction d'un ensemble plus important de personnes (sens de ***nur***) dont on attendait implicitement la venue.

PLACE

Le plus souvent les particules (ou locutions) de mise en relief se trouvent devant l'unité qu'elles mettent en valeur et qui est marquée par un accent d'insistance.

Allein °er *kann die Lösung finden*. Seul lui peut trouver la solution.

Parfois elles se trouvent après l'élément mis en relief et même parfois à distance de cet élément. Ce groupe mis en valeur porte alors généralement un accent de démarcation.

Er a°llein *kann die Lösung finden*. Lui seul peut trouver la solution.
Er *kann* ***a°llein*** *die lösung finden*. Il peut trouver seul la solution.

CLASSIFICATION

Les particules de mise en relief indiquent :

A La plus ou moins grande précision.

annähernd : approximativement
beinahe/ nahezu/ fast : presque
circa/ [in] etwa /ungefähr /rund : à peu près
schätzungsweise : à vue d'œil
kaum : à peine
nicht [partiel] : ne/ non pas
genau : exactement

Ich habe ***fast/ genau/ rund/ kaum*** *zwei Stunden geschlafen.*
J'ai dormi presque/ exactement/ environ/ à peine deux heures.

Autres exemples :

gut *zwei Stunden* : deux bonnes heures / ***knapp*** *ein Jahr* : à peine un an/ une petite année.

B La restriction ou réduction d'un ensemble.

allein : seul
ausschließlich : exclusivement
nur/ bloss/ lediglich : simplement/ seulement
*Das hat mich **bloss**/ **nur**/ **lediglich** hundert Mark gekostet.*
Cela ne m'a coûté que cent Marks.

C L'ajout à une donnée ou à un présupposé.

auch : aussi

Si la donnée est inattendue, ***sogar**/ **selbst*** (même) est placé devant le groupe sur lequel il porte :

***Sogar**/ **Selbst** der Kapi°tän wurde seekrank.* Même le capitaine eut le mal de mer.
***Sogar** beim °Essen musst du lesen!* Même à table il faut que tu lises !

> Ne pas confondre avec ***selbst** / **selber*** (même) postposés :
> *Der Präsident **selber**/ **selbst**/ **persönlich** war gekommen.*
> Le président lui-même/ en personne était venu.
> *Sie wurden im Dorf **selbst** untergebracht.*
> Ils furent hébergés au village même.

D La mise en valeur d'un élément par rapport à un ensemble.

besonders/ insbesondere : particulièrement
hauptsächlich : principalement
gerade[zu], eben, ausgerechnet : justement, précisément
namentlich : notamment
zumal : surtout

*Diese Maßnahmen treffen **besonders** die °Arbeiter.*
Ces mesures frappent surtout les travailleurs.

***Gerade**/ **ausgerechnet** °heute muss es regnen!*
Juste aujourd'hui il faut qu'il pleuve !

E Une limite par rapport à laquelle se situe celui qui parle ou qui écrit.

schon (déjà) opposé à ***noch nicht*** (pas encore) et à ***noch*** (encore)

nur (ne... que/ seulement [restriction absolue]) opposé à ***erst*** (ne... que /seulement [restriction relative ou provisoire])

*Er ist **schon** da.* ↔ *Er ist **noch** nicht da.* Il est déjà là. ↔ Il n'est pas encore là.
*Er ist **schon** zehn Jahre alt.* ↔ *Er ist **erst** zehn Jahre alt.*
Il a déjà dix ans. ↔ Il n'a que dix ans !

*Er hat **nur** zwei Stunden geschlafen.* ↔ *Er hat **erst** zwei Stunden geschlafen.*
Il n'a dormi que deux heures (en tout et pour tout). ↔ Il ne dort que depuis deux heures (et l'on s'attend à ce qu'il continue).

2 Les particules d'interactivité

Les particules d'interactivité sont également appelées particules **modales** ou **illocutoires**.

CARACTÉRISTIQUES

Un mot invariable peut, selon le contexte, avoir des fonctions différentes. Ainsi :

Tu le fais **bien**, toi.

peut être interprété au moins de deux façons :

- « Bien » peut avoir la fonction d'adverbe déterminant le verbe « faire » (Le contraire serait : « Tu le fais mal, toi. »).
- « Bien » peut être paraphrasé par « aussi » : « Tu le fais aussi, toi. » (sous-entendu : « Pourquoi ne le ferais-je pas ? »).

Dans le deuxième cas, l'acte de langage change, l'énoncé n'est plus un compliment, mais devient un reproche. L'élément «bien» marque ici le désir d'un des locuteurs d'**influer sur l'autre**. Sa fonction est alors celle d'une particule d'**interactivité**.

PLACE

Les particules d'interactivité n'apparaissent jamais en avant-première ni en 1re position devant la forme variable du verbe. Sinon ces éléments ont une autre fonction.

Il faut donc distinguer des emplois comme :

Das war einfach nicht zu verstehen! ↔ *Einfach war es nicht, das zu verstehen.*
einfach : particule d'interactivité — Einfach : adjectif attribut

C'était tout simplement incompréhensible ! ↔ Il n'était pas simple de comprendre cela.

Ich war ja zum Glück nicht zu schnell gefahren. ↔ *Ja, zum Glück war ich nicht zu schnell gefahren.*
ja : particule d'interactivité — Ja : particule d'affirmation

Heureusement, je n'avais pas roulé trop vite. ↔ Oui, par bonheur, je n'avais pas roulé trop vite.

EMPLOI

A Les particules d'interactivité expriment une **connivence entre communicants** et soulignent l'argumentation ou encore l'acte de langage. Il existe un rapport entre elles et le type d'énoncé dans lesquelles elles sont employées.

• Ainsi ***denn*** se rencontre surtout dans les énoncés **interrogatifs**.

*Was machst du **denn**?* Que fais-tu donc ?

• ***Aber*** et ***vielleicht*** sont fréquents dans l'**exclamative**.

*Der hat mir **vielleicht** Nerven!* Il est drôlement gonflé, celui-là !
*Das war **aber** nett von dir!* C'était rudement gentil de ta part !

• ***Überhaupt*** est particulièrement lié aux énoncés **interrogatifs et déclaratifs**.

*Hören Sie mir **überhaupt** zu?* Dites, je vous parle, vous m'écoutez au moins ?
*Er ist **überhaupt** unausstehlich.* De toute façon, il est insupportable.

B Dans un texte suivi, les particules d'interactivité peuvent aussi exprimer une **relation logique entre énoncés**. Ainsi ***ja*** et ***doch*** peuvent contribuer à exprimer une relation de **cause.**

*Lass ihn in Ruh; er ist **ja** schon krank!* Laisse-le tranquille, (tu vois bien qu') il est déjà malade !
*Lass das sein; das ist **doch** blöd!* Laisse ça, veux-tu, (tu sais que)c'est idiot !

D'autres éléments, dont des **adverbes connecteurs** (voir chapitre 5), peuvent assurer, quand ils sont placés à l'intérieur de l'énoncé verbal, une fonction proche de celle des particules d'interactivité. C'est, par exemple, le cas pour :

allerdings : certes, assurément / *immerhin* : au moins / *jedenfalls* : en tout cas / *sowieso* : de toute façon / *schließlich* : finalement, en fin de compte / *übrigens* : du reste.
*Das war **immerhin** schon besser als das letzte Mal.*
C'était tout de même mieux que la dernière fois.

Il en va de même pour quelques éléments comme :

– ***ruhig*** : *Bleiben Sie **ruhig** sitzen!* Ne vous dérangez pas !

– ***schön*** : *Jetzt gehst du mal **schön** ins Bett.* Maintenant, (tu vas être gentil et) tu vas au lit.

- ***gefälligst*** : *Bleib **gefälligst** hier.* Tu resteras ici, je te dis !

- ***bitte*** : *Kommen sie **bitte**!* Venez s'il vous plaît !

3 Les particules organisatrices du discours et du texte

Ces particules peuvent assurer une fonction de **contact**, une fonction de **commentaire** et une fonction **d'organisation** du texte. Il n'est pas rare que ces fonctions soient aussi assurées par des groupes autres que l'élément invariable.

UNE FONCTION DE CONTACT ENTRE LES COMMUNICANTS

Fréquents dans le dialogue, les **contactifs** et **expressions rituelles** sont codifiés socialement. Ils dépendent du moyen de communication (lettre, téléphone...), varient suivant les régions et établissent des procédures de communication.

Ils assurent des rôles divers.

A La prise de contact.

[*Guten*] *Tag!* - [*Guten*] *Morgen!* (standard) : Bonjour !
Grüß Gott! (Sud) - *Gruezi!* (Suisse) - *Servus!* (Autriche)
Meine Damen und Herren ! (conférence) : Mesdames et Messieurs !
Lieber Hans! (lettre) Cher Jean / *Hallo!* (téléphone) : Allo !
He, Sie / Du da! Schau mal her! / Hören Sie mal.... He, vous/ toi là-bas ! Regarde ! Écoutez !

B Le maintien du contact.

Par exemple, ***ja*** et ***hm*** au cours d'une conversation téléphonique.

C La rupture du contact.

[*Auf*] *Wiedersehen!* (standard) / *Wiederschauen!* (Sud) / *Auf Wiederhören!* (téléphone) Au revoir !
Tschüs, [*wir sehen uns ja noch*]! (familier) Salut, [on se reverra]. ! - *Ciao ! Bye!* (jeunes)
Mit freundlichen Grüßen. (lettre). Bien cordialement.
Herzlichst. Amicalement.

D Des rites et comportements conventionnels.

Guten Appetit! [*Gesegnete*] *Mahlzeit* (vieilli) : Bon appétit !
Zum Wohl! Prosit! Prost! Santé ! tchin !
Bitte! S'il te/vous plaît, je vous en prie.
Danke! Merci !
Hauruck... Ho hisse...

E Diverses procédures de communication.

Weißt du.../ Weißt du was? Tu sais [quoi] ?

Und dann... Et puis - *äh/ euh/ also...* : donc... / *Moment* [*mal*]*!* Un instant ! /
Nicht [wahr]? Pas vrai ? / *Gell(t)? Oder?* Hein ?
Na, wie war's denn? Alors, c'était comment ?

UNE FONCTION DE COMMENTAIRE

Une 2e fonction de ces particules organisatrices est de **signaler un commentaire.**

Les particules et expressions qui assurent cette fonction, soit juste avant, soit après les éléments commentés, signalent par exemple :

A Une explication ou une énumération.

besonders : en particulier / *etwa* : à savoir / *und zwar* : c'est-à-dire, à savoir / [*oder*] *gar* : voire / *hauptsächlich* : principalement / *namentlich* : notamment / *nämlich* : à savoir / *so* : ainsi / *vor allem* : avant tout / *wie* : comme, tel / *zumal* : surtout
zum Beispiel : par exemple
das heißt : c'est-à-dire / *das ist* : soit / *geschweige denn* : pour ne pas parler de...

B Une reprise, une correction ou un résumé.

oder [*besser*] : ou mieux / [*oder*] *vielmehr* : plutôt / *also* : donc / *genug* : je m'arrête / *im großen und ganzen* : en gros, grosso modo / *kurz*[*um*] : bref
[*ich*] *will sagen* : je veux dire
mit anderen Worten/ in einem Wort : en d'autres mots/ en un mot.

C Un commentaire sur le choix d'un mot ou d'une expression (commentaire métalinguistique).

auf gut deutsch : en bon allemand / *geradezu* : proprement, justement / *gewissermaßen* : d'une certaine façon / *gleichsam/ sozusagen* : pour ainsi dire / *praktisch* : pratiquement / *nicht eben/ nicht gerade* : pas vraiment
Sie ist nicht gerade hübsch. On ne peut pas dire quelle soit jolie./Elle n'est pas vraiment jolie.

D Un commentaire émotionnel par des onomatopées ou des interjections diverses.

Hurra! Juchhe! Prima! Bravo!
Oh! Uh! Pfui! Puh! Aua! Oho! Oje[mine]!
Verdammt [noch mal]!
Mensch! Mein Gott! Meine Güte!
Zuck! Brr! Bumms! Dalli! Husch! Peng! Tjuff!...

E D'autres commentaires ou incises.

so [*sagte x*] : d'après x/ dit x / *meiner Meinung nach/ meines Erachtens* : à mon avis / *wie gesagt/ erwähnt/ geplant* : comme cela a été dit/ mentionné/ prévu...
um....zu (+ inf.) : *um es gleich zu sagen* : pour le dire tout de suite ...

UNE FONCTION D'ORGANISATION DU TEXTE

Une 3e fonction concerne l'organisation du texte de manière plus générale.

Les particules qui assurent cette fonction sont, entre autres, **les conjonctions de coordination**. Elles relient des éléments et des groupes de même niveau. Les conjonctions de coordination jouent un rôle important d'orientation de l'auditeur ou du lecteur. Elles occupent dans l'énoncé verbal l'**avant-première position**.

> Ces mots peuvent occuper d'autres fonctions, auxquelles correspondent alors d'autres positions. Par exemple ***denn*** peut aussi être employé comme particule d'interactivité ; dans ce cas, il n'occupe plus l'avant-première position.

On compte parmi les conjonctions de coordination :

'aber - a'llein - denn - doch - entweder... oder - jedoch - oder - beziehungsweise (souvent abrégé en *bzw*) - *sondern - und - weder... noch - sowie - sowohl... als/wie auch*.

• ***Aber*** (mais) signale une rectification et peut occuper diverses places :

– en avant-première position (en tant que conjonction de coordination):

*Ich werde dir helfen, **aber** ich muss um fünf Uhr wieder °weg.*

Je t'aiderai, mais il faut que je reparte à cinq heures.

– après l'unité mise en relief :

*Alle blieben, °ich **aber** musste wieder weg.*

Tous restèrent, quant à moi il fallut que je reparte.

– après le verbe conjugué :

*Meine Eltern fuhren weg, ich hatte **aber** noch zu tun.*

Mes parents partirent, mais j'avais encore des choses à faire.

• ***Allein*** (mais) est d'un emploi plus rare.

*Ich hätte ihn gern eingeladen, **al°lein** ich hatte keinen Platz mehr.*

Je l'aurais volontiers invité, mais je n'avais plus de place.

• ***Denn*** (car, en effet) ne se place comme conjonction de coordination qu'en avant-première position.

*Ich komme nicht mit, **denn** ich habe noch zu tun.*

Je ne viens pas car j'ai encore à faire.

• ***Doch*** (pourtant, cependant) se place en avant-première position et parfois aussi, comme adverbe, en première position.

*Er versuchte dreimal, **doch** er vermochte es nicht, die Tür zu öffnen.*

*Er versuchte dreimal, **doch** vermochte er es nicht, die Tür zu öffnen.*

Il essaya trois fois, pourtant il ne parvint pas à ouvrir la porte.

• ***'Entweder... 'oder*** (ou bien... ou bien/ soit...soit) marque une alternative.

Entweder se place en avant-première ou en première position, ***oder*** toujours en avant-première position.

Entweder *er kommt*, ***oder*** *er ruft an*. Soit il viendra, soit il appellera.
Entweder *kommt er*, ***oder*** *er ruft an*. Soit il viendra, soit il appellera.

• ***Je'doch*** (pourtant/ cependant) comme ***doch*** se place en avant-première position et parfois aussi en première position, voire après le verbe conjugué.

Er wollte gern Jockei werden, ***jedoch*** *er war zu schwer.*
Er wollte gern Jockei werden, ***jedoch*** *war er zu schwer.*
Er wollte gern Jockei werden, er war ***jedoch*** *zu schwer.*
Il aurait bien voulu devenir jockey, cependant il était trop lourd.

• ***Oder*** (ou/ ou bien) marque le choix possible.

Er liest ***oder*** *er hört Musik*. Il lit, ou bien il écoute de la musique.
Kommst du ***oder*** *[kommst du] nicht?* Viens-tu ou non ?

• ***Beziehungsweise*** (ou bien/ ou plutôt/ respectivement) est interchangeable avec ***oder*** pour exprimer **l'alternative.**

Das Modell gibt es in Blau, ***beziehungsweise*** *in Grün*.
Le modèle existe en bleu ou en vert.

Mais il ne peut être remplacé par ***oder*** quand il apporte une rectification. Il signifie alors : « c'est-à-dire », « ou plutôt », « éventuellement », « peut-être aussi ».

Er wohnt in München, ***beziehungsweise*** *in einem Vorort von München.*
Il habite à Munich ou plutôt dans un faubourg de Munich.

• ***Sondern*** (mais/ au contraire) marque une **opposition** avec un élément antérieur qui est obligatoirement nié ou de sens négatif.

Sie geht nicht aus, ***sondern*** *sie setzt sich vor den Fernseher.*
Elle ne sort pas, mais s'installe devant la télévision.

Mais on dira :

Er ist nicht groß, ***aber*** *[dafür ist er] sehr sportlich.*
Il n'est pas grand mais [il est] très sportif.

car il n'y a pas d'opposition entre « grand » et « sportif ».

• ***Und*** (et) coordonne deux éléments ou deux groupes.

Du mähst den Rasen (,) ***und*** *ich kaufe ein*.
Tu tonds le gazon et je fais les courses.

• ***Sowie, sowohl... als/ wie auch*** (aussi bien que) peut remplacer *und* quand on attache autant d'importance au second élément qu'au premier.

Wir fahren ***sowohl*** *in die Schweiz,* ***als [auch]*** *nach Österreich.*
Nous allons en Suisse autant qu'en Autriche.

• ***Weder... noch*** (ni... ni) est la forme négative de ***'entweder... oder***.

Er kam ***weder*** *am Sonntag* ***noch*** *am Montag*. Il ne vint ni dimanche ni lundi.

4 Les particules et mots de l'affirmation et de la négation

A Les mots-phrases (appelés parfois « phrasillons ») tels que ***nein*** (non), ***keineswegs*** (en aucun cas), ***ja*** (oui), ***jawohl*** (bien sûr), ***doch*** (si [réponse affirmative à une question posée négativement]) servent à refuser ou à accepter des propos tenus ou une situation présupposée.

Kommst du mit? - Nein/ Ja. Tu nous accompagnes ? - Non/ Oui.
Kommst du nicht mit? - Nein/ Doch. Tu ne nous accompagnes pas ? - Non/ Si.
Ach nein, so was! Ah non !/ Que diable !

B Les négateurs indéfinis ***nichts*** (rien), ***keiner*** (aucun [pronom décliné]) , ***nie/ niemals***, (ne... jamais), ***niemand*** (personne), ***nirgends / nirgendwo*** (nulle part), ***nirgendwohin***, ([vers] nulle part), ***nirgendwoher*** (de nulle part), signalent le vide d'une catégorie sémantique, qui, elle, est introduite positivement dans l'information communiquée.

Ainsi dans les exemples :

Ich habe ***nichts*** *gefunden*. Je n'ai rien trouvé.
Er kommt ***nie***. Il ne vient jamais.

nichts pose la catégorie des objets inanimés, mais dit qu'elle est vide, et ***nie*** pose la catégorie du temps, mais dit qu'elle est vide.

En revanche, ***etwas*** (quelque chose), ***einer*** [décliné]/ ***man*** (quelqu'un), ***je/ immer*** (jamais/ toujours), ***jemand*** (quelqu'un), ***irgendwo/ -wohin/ -woher*** ([vers/ de] quelque part), indiquent à chaque fois, de la façon la plus indéterminée, que la catégorie sémantique correspondante n'est pas vide.

C Une double négation syntaxique n'est plus possible dans l'allemand d'aujourd'hui. Ainsi pour :

Il ne peut pas ne pas venir.

on a :

Er muss unbedingt kommen. Il faut absolument qu'il vienne.

En revanche, les préfixes et suffixes privatifs qui inversent le sens du lexème-base peuvent se combiner avec un négateur pour exprimer une nuance de degré :

*ein **nicht un**interessantes Buch* : un livre qui n'est pas inintéressant
*das ist **nicht** grund**los*** : ce n'est pas sans raison
***nicht ohne** Vergnügen* : non sans plaisir.

D ***Nicht*** est le négateur pur et simple.

• Il peut servir à maintenir le contact ou à relancer la conversation au sens de ***nicht wahr*** (n'est-ce pas).

*Das hat er doch wirklich gut gemacht, **nicht**?* Il l'a vraiment bien fait, non ? / n'est-ce pas ?

• En tant que négateur partiel ou de membre, ***nicht*** rejette comme inadéquat ou non-pertinent, la partie de l'information sur laquelle il porte, le reste de l'énoncé demeurant valable. Dans ce cas, ***nicht*** précède le plus souvent le membre rejeté, qui porte alors un accent d'insistance (voir, plus haut, la particule de mise en relief).

Ich komme nicht am °Mittwoch, [sondern am °Donnerstag].
Je ne viens pas mercredi, [mais jeudi].
Sie ist nicht °meinetwegen gekommen, [sondern wegen meiner °Eltern].
Elle n'est pas venue pour moi, [mais pour mes parents].

Il arrive cependant que ***nicht*** ne soit pas placé à côté du membre accentué qui est rejeté comme non-pertinent.

*°Den habe ich °**nicht** gesehen.* Celui-là, je ne l'ai pas vu.

• En tant que négateur global, ***nicht*** refuse la validité de l'action, du procès ou de l'état, donc la validité de l'ensemble de l'information.

*Ich sehe ihn °**nicht**.* Je ne le vois pas. (pas de vision)
*Heute ist sie °**nicht** gekommen.* Aujourd'hui, elle n'est pas venue.

Dans ce cas, ***nicht*** est souvent accentué et occupe sa place normale devant le seul groupe verbal en structure régressive, c'est-à-dire avec verbe à la fin (voir le chapitre 25).

*Er ist °**nicht** nach Hause gekommen. [weil] er °**nicht** nach Hause gekommen ist.*
[parce qu'] il n'est pas rentré à la maison.

• Dans une proposition interro-négative ou exclamative, ***nicht*** est souvent rhétorique.

*Wollen Sie sich **nicht** setzen?* Vous ne voulez pas vous asseoir ?
*Was °der **nicht** alles weiß!* Il en sait des choses, celui-là !

E Le négateur ***nicht*** peut être lui-même déterminé.

auch nicht / auch noch nicht : pas non plus
durchaus nicht / gar nicht / überhaupt nicht / absolut nicht : pas du tout
nicht mehr : ne... plus ↔ *noch* : encore

°*nicht einmal* : pas même ↔ *sogar* : même,
nicht nur… sondern auch : pas seulement… mais encore
noch nicht : pas encore
noch immer nicht / immer noch nicht : toujours pas
noch lange nicht : encore loin de
unbedingt nicht : absolument pas
sozusagen nicht / praktisch nicht : pour ainsi dire / pratiquement pas.

F L'article négatif *kein*.

Si l'on excepte le pronom ***keiner***, ***keine*** comme équivalent de ***niemand*** (***kein Mensch***, ***keine Frau***), l'article négatif ***kein-*** est le négateur du groupe nominal : il signale comme vide la classe des objets que l'on peut désigner par le groupe nominal. ***Nicht*** est donc remplacé par ***kein*** quand le groupe nominal signale le vide d'un ensemble.

Ich trinke ***keinen*** *Wein [sondern Wasser]*. Je ne bois pas de vin [mais de l'eau].

Ich habe ***keine*** *Zeit*. Je n'ai pas le temps.

Sie ist ***keine*** *gute Köchin*. Elle n'est pas [une] bonne cuisinière.

1. Toutefois, lorsque ***kein*** précède un nombre il fonctionne comme graduatif.

Er verdient ***keine*** *fünf Hundert Euros*. Il ne gagne [même] pas cinq cents euros.

2. Lorsque le groupe nominal fait partie d'une locution à sens générique, c'est ***nicht*** qu'il faut utiliser (et non pas ***kein***).

Er hat uns ***nicht*** *Bescheid gesagt*. (négation de ***Bescheid sagen***)
Il ne nous a pas mis au courant.
Er kann ***nicht*** *Maschine schreiben.* (négation de ***Maschine schreiben***)
Il ne sait pas dactylographier.
°*So benimmt sich ein °Gentleman °**nicht***. (négation de ***sich wie ein Gentleman benehmen***)
Ce n'est pas le comportement d'un gentleman.

Comparer à :

*So benimmt sich °**kein** Gentleman*.
Aucun gentleman ne se comporte comme cela.

3. L'allemand emploie cependant ***nicht*** devant ***ein***, le chiffre accentué.

Nicht *°ein Haus ist übrig geblieben*. Il n'est même pas resté une maison. (« moins que rien »)

23 Les pronoms

A savoir

Les pronoms forment un ensemble d'**éléments hétérogènes**.

Du point de vue de leur **forme**, il s'agit :

• De **groupes nominaux** d'un type particulier. Ils ont alors un **genre**, un **nombre** et un **cas**. Ils sont **définis** ou **indéfinis** et, le plus souvent, **déclinables**.

Par exemple, ***wer*** est une base nominale qui a les catégories grammaticales du masculin, singulier, nominatif et qui est indéfinie. C'est donc un groupe nominal mais il ne peut cependant pas avoir d'expansions à sa gauche.

• D'**éléments invariables**.

Par exemple, ***wo*** (où) et ***einander*** (l'un l'autre) sont des pronoms invariables.

Du point de vue du **sens**, les pronoms sont des éléments qui représentent des classes entières de réalités - par exemple, ***man*** (on), ***was*** (que/ quoi), ***alles*** (tout)... - ou des réalités particulières déjà mentionnées dans la situation ou le contexte (***ihn***, ***ihnen***, ***meiner***...). On distingue notamment :

• Les **pronoms définis personnels** qui renvoient aux participants de la communication.

ich (je) - ***du*** (tu) - ***Sie*** (vous)...

• Les **pronoms indéfinis personnels**, par exemple ***wer*** (qui), ***man*** (on), ***jemand*** (quelqu'un), et impersonnels, par exemple ***was*** (quoi), ***nichts*** (rien), ***alles*** (tout), qui renvoient à des personnes, des êtres humains ou à des « non-personnes » (objets ou choses).

Du point de vue de leur **emploi**, on distingue les pronoms :

• **Interrogatifs** : *wer* (qui) - *was* (que) - *warum* (pourquoi)...

• **Démonstratifs** : *dieser/ -es/ -e*... (ceci).

• **Possessifs** : *meiner* (le mien) - *deiner* (le tien)...

• **Relatifs** : *der - das - die - was* ...

• **Réfléchis** : *mir - mich - sich*...

• **Réciproques** : *sich gegenseitig - einander*...

En allemand, on appelle aussi « pronoms » les **déterminants du groupe nominal** (voir le chapitre 9, pages 97 et suivantes). Ceci n'est pas l'usage en français, où le terme de « pronom » désigne des éléments qui fonctionnent de façon **autonome** et constituent à eux seuls des groupes.

***Der** Mensch benimmt sich merkwürdig.*
déterminant article défini
L'homme/ Cet homme a un comportement étrange.

*°**Der** hat sie wohl nicht mehr alle.*
pronom démonstratif
Celui-là a perdu la raison/ n'a plus toute sa tête

A savoir

1 Les pronoms définis personnels

CAS	moi : *ich* **LOCUTEUR**		vous : *Sie* **ALLOCUTÉ**	tu : *du* **ALLOCUTÉ**		il : *er* **TIERS**			
	sing.	plur.	sing. et plur.	sing.	plur.	masc.	neutre	fém.	plur.
Nom.	*ich*	*wir*	*Sie*	*du*	*ihr*	*er*	*es*	*sie*	*sie*
Acc.	*mich*	*uns*	*Sie*	*dich*	*euch*	*ihn*	*es*	*sie*	*sie*
Dat.	*mir*	*uns*	*Ihnen*	*dir*	*euch*	*ihm*	*ihm*	*ihr*	*ihnen*
Gén.	*meiner*	*unser*	*Ihrer*	*deiner*	*euer*	*seiner*	*seiner*	*ihrer*	*ihrer*

On appelle **locuteur** celui/ ceux qui parlent (*ich* : je / *wir* : nous).

On appelle **allocuté** celui/ ceux à qui s'adresse(nt) le(s) locuteur(s) (*du* : tu /*Sie* : vous [vouvoiement] / *ihr* : vous [groupes]).

Le **tiers** correspond à *er* : il - *sie* : elle - *es* - *sie* : ils/ elles.

***Sie** liebt **dich**.* Elle t'aime. *Er kennt **mich** nicht.* Il ne me connaît pas.
***Wir** glauben **es Ihnen** nicht.* Nous ne vous croyons pas.
***Ihm** stehen alle Türen offen.* Toutes les portes lui sont ouvertes.
***Sie** nahm **sich seiner** an.* Elle s'occupa de lui.
*Gehört dieses Auto **euch**?* Cette voiture est-elle à vous ?
*Seid **ihr** fertig?* Êtes-vous prêts ?

1. Comme en français, la forme du tutoiement ***du*** s'emploie quand on s'adresse à des enfants, en milieu familial, et d'un commun accord entre les communicants. La forme de vouvoiement ***Sie*** est d'un emploi normal entre personnes adultes : elle est identique à celle de la 3e personne grammaticale du pluriel, mais elle prend une majuscule à l'écrit.

2. ***Ihr***, la 2e personne du pluriel, n'est employée, en principe, que si l'on s'adresse à un groupe de personnes dont on tutoie, au moins, un des membres.

2 Les pronoms définis réfléchis et réciproques

A Les pronoms réfléchis n'existent pas, bien sûr, au nominatif. Leur génitif, qui est d'un emploi rare, est emprunté aux **possessifs** : *meiner*, *deiner*, *seiner/ ihrer*, *unser*, *euer*, *ihrer*.

CAS	moi : *ich* **LOCUTEUR**		vous : *Sie* **ALLOCUTÉ**	tu : *du* **ALLOCUTÉ**		il : *er* **TIERS**
	sing.	plur.	sing. et plur.	sing.	plur.	
Acc. **Dat.**	*mich* *mir*	*uns* *uns*	*sich* *sich*	*dich* *dir*	*euch* *euch*	*sich* *sich*

Sie sonnen ***sich*** *bei jeder Gelegenheit.*
Ils prennent des bains de soleil en toute occasion.
Du wäschst ***dir*** *bitte zuerst die Hände.*
Commence s'il te plaît par te laver les mains.
Er war ***seiner*** *selbst nicht mächtig.* Il n'était pas maître de soi.
Sie war ***ihrer*** *selbst nicht mächtig.* Elle n'était pas maître de soi.
Sie waren ***ihrer*** *selbst nicht mächtig.* Ils/ Elles n'étaient pas maître de soi.

1. Contrairement au français contemporain, l'allemand emploie le **pronom réfléchi** quand celui-ci renvoie au sujet grammatical après une préposition :

Er hatte kein Geld bei ***sich.*** Il n'avait pas d'argent sur lui.
Er war außer ***sich.*** Il était hors de lui.

2. Contrairement au français, les verbes pronominaux allemands se conjuguent, pour la plupart, avec ***haben*** aux formes de l'accompli :

Hast *du* ***dir*** *den Bart geschnitten?* Tu t'es coupé la barbe ?

B **La réciprocité**, qui nécessite en général un sujet pluriel, s'exprime par le pronom ***sich***, éventuellement complété par ***gegenseitig*** (mutuellement).

*Sie wünschten **sich [gegenseitig]** gute Fahrt.*
Ils se souhaitèrent [mutuellement] bon voyage.

La relation de l'un à l'autre/ des uns aux autres s'exprime aussi par ***einander***, qui est invariable et peut fonctionner comme membre de groupes prépositionnels : ***aneinander***, ***aufeinander***, ***auseinander***, ***beieinander***, ***gegeneinander...***

*Sie wünschten **einander** gute Fahrt.*
Ils se souhaitèrent l'un à l'autre bon voyage.
*Die beiden Mannschaften spielen im Finale **gegeneinander**.*
Les deux équipes joueront l'une contre l'autre en finale (= se rencontreront en finale).

3 Les pronoms indéfinis impersonnels

A ***Was*** qui reste invariable est, comme la plupart des pronoms en ***w-***, par nature **adéterminé** (Il peut être, en contexte, **défini** et/ou **indéfini**). Cette adétermination fait que l'on trouve ***was*** comme pronom interrogatif ou exclamatif au nominatif et à l'accusatif.

***Was** war das?* Qu'était-ce ? ***Was** du nicht sagst!* Que ne me dis-tu pas !

• S'il a un sens **collectif**, ***was*** est accompagné de ***alles***.

***Was** doch **alles** passieren kann!* Il en arrive des choses !

• ***Was*** sert aussi à introduire des groupes verbaux de définition, comme dans les exemples suivants.

***Was er sagt**, hat Hand und Fuß.* Ce qu'il dit se tient.
*Ich weiß nicht, **was soll es bedeuten**, dass ich so traurig bin.*
Je ne sais pas ce que signifie la grande tristesse qui m'envahit.

Comme **pronom relatif indéfini**, ***was*** s'emploie (pour former des groupes verbaux de définition) avec les antécédents neutres ***alles***, ***das***, ***etwas***, ***einiges***, ***manches***, ***nichts*** ou avec un **adjectif nominalisé au degré II** (superlatif) :

***Alles**, **was** ich gekauft hatte...* Tout ce que j'avais acheté...
*Es ist **das Billigste**, **was** man produzieren kann.*
C'est le meilleur marché que l'on puisse produire.
*Ich muss **etwas** finden, **was** mir gefällt.*
Il faut que je trouve quelque chose qui me plaise.

Was peut alors s'opposer au **relatif défini *das*** dans des groupes nominaux de reprise dont la base est sous-entendue, précédemment évoquée ou définie comme concrète :

Hier ist ein schönes Modell, ***das schönste****,* ***das*** *man finden kann.*
Voici un beau modèle, le plus beau que l'on puisse trouver.

Ich werde nur ***etwas*** *kaufen,* ***das*** *mir gefällt.*
Je n'achèterai que quelque chose qui me plaît.

B Beaucoup de **déterminants de groupes nominaux** peuvent être pronominalisés au **neutre singulier** ou, pour quelques-uns, sous **forme invariable** ; ils fonctionnent dès lors comme **pronoms indéfinis impersonnels.** Par exemple :

- Au neutre singulier.

alles : tout / *anderes* : autre chose / *beides* : les deux / *einiges* : un certain nombre de choses

folgendes : ce qui suit / *jedes* : chaque chose / *manches* : un certain nombre de, bien des choses / *sämtliches* : la totalité de / *sonstiges* : d'autres choses, diverses choses / *vieles* : beaucoup de, bien des choses / *weniges* : peu de

Bald war ***alles*** *wieder in Ordnung.* Tout rentra bientôt dans l'ordre.

Wir haben ***einiges*** *geleistet.* Nous avons quelques réalisations à notre actif.

Er begnügt sich mit ***wenigem****.* Il se contente de peu.

- Sous forme invariable.

allerhand : toutes sortes de, un tas de choses / *allerlei* : toutes sortes de choses / *etwas* : quelque chose / *irgendetwas* : n'importe quoi / *mancherlei* : toutes sortes de, maintes choses / *nichts* : rien

so [et]was : une chose pareille / *zweierlei* : deux sortes de

allerlei Süßigkeiten : toutes sortes de friandises.

4 Les pronoms indéfinis personnels

A ***Wer*** (***wen***, à l'accusatif - ***wem***, au datif - ***wessen***, au génitif préposé dans un groupe nominal) réfère à des personnes en général ou à une personne particulière. ***Wer*** fonctionne aussi comme **pronom interrogatif** et, en langue courante, au sens de ***jemand***.

Wer *nicht sehen will, dem hilft keine Brille.* (proverbe)
Il n'y a pire sourd que celui qui ne veut entendre.

Wen *es juckt, der kratze sich.* On se gratte là où ça démange.

Wem *Gott will rechte Gunst erweisen.*
Celui à qui Dieu veut accorder une vraie faveur.

***Wessen** Auto ist das?* C'est l'auto de qui ?

*Da ist **wer** im Garten.* Il y a quelqu'un dans le jardin.

*Suchen Sie **wen**?* Cherchez-vous quelqu'un ?

B **Man** (on) n'existe qu'au nominatif. On peut le remplacer, à l'accusatif, par ***einen*** et, au datif, par ***einem***.

***Man** tut, was man kann.* On fait ce que l'on peut.

*Und das soll **einer** glauben!* À qui fera-t-on croire cela !

*Das kann **einem** auch passieren.*
Cela peut vous arriver/ peut arriver à tout le monde.

*Was **man** nicht weiß, macht **einen** nicht heiß.*
Ce qu'on ignore ne vous dérange pas.

C ***[Irgend]einer/ keiner*** se déclinent comme le déterminant ***dieser***.

Quand la quantité est indéterminée ou pour le pluriel de ***einer***, ***eins***, ***eine***, on emploie ***welch-***.

*Alle Mitglieder des Vereins waren gekommen, nur **einer** fehlte.*
Tous les membres du club étaient venus, il n'en manquait qu'un.

*Hast du Kleingeld? - Ja, ich habe **welches**.* As-tu de la monnaie ? - Oui, j'en ai.

*Hast du eine Ansichtskarte? - Ja, ich habe **eine**.*
As-tu une carte postale ? - Oui, j'en ai une.

*Die Ansichtskarten waren schön, ich habe **welche** gekauft.*
Les cartes postales étaient belles, j'en ai acheté.

*Hier soll es Pilze geben, aber bis jetzt habe ich noch **keine** gefunden.*
Il paraît qu'il y a des champignons ici, mais jusqu'à présent je n'en ai pas trouvé.

D ***Jemand*** (quelqu'un), ***irgendjemand*** (quiconque) et ***niemand*** (personne) restent généralement **invariables**. Le génitif, l'accusatif et le datif sont rares.

*Er wartet auf **jemand**/ jeman**den**.* Il attend quelqu'un.

5 Les pronoms possessifs

Les pronoms possessifs identifient quelque chose ou quelqu'un par rapport à un pôle de référence appelé **possesseur**. Celui-ci est soit un **communicant** (le locuteur qui parle ou l'allocuté auquel on s'adresse), soit un **tiers**. Ils sont formés à partir du **radical des déterminants possessifs** (voir le chapitre 9, page 107) et prennent les terminaisons de ***dies-***.

A Les radicaux des pronoms possessifs

Personne grammaticale Pôle de référence « possesseur »	Radical
1re pers. du sing. : locuteur « je »	***mein-***
2[e] pers. du sing. : allocuté « tu »	***dein-***
3[e] pers. du sing. : allocuté « vous »	***Ihr-***
3[e] pers. du sing. : tiers masculin ou neutre « il »	***sein-***
3[e] pers. du sing. : tiers féminin « elle »	***ihr-***
1[re] pers. du plur. : locuteur « nous »	***uns[e]r-***
2[e] pers. du plur. : allocutés tutoyés « vous »	***eu[e]r-***
3[e] pers. du plur. : tiers masculins/ féminins/ neutres « ils/ elles »	***ihr-***

B **Les terminaisons** des pronoms possessifs dites marques premières (voir page 19) sont les suivantes :

Cas	Masculin	Neutre	Féminin	Pluriel
Nom.	***-er***	***-[e]s***	***-e***	***-e***
Acc.	***-en***	***-[e]s***	***-e***	***-e***
Dat.	***-em***	***-[e]m***	***-er***	***-en***
Gén.	***-es***	***-[e]s***	***-er***	***-er***

*Kannst du mir dein Buch leihen? Ich habe **meines**/ **meins** vergessen.*
Peux-tu me prêter ton livre ? J'ai oublié le mien.

*Das ist meine Jacke. Wo ist **deine**?* Voici ma veste. Où est la tienne ?

*Wem gehört der Bleistift? - Das ist **meiner**.*
À qui est ce crayon ? - C'est le mien.

*Mit welchem Auto kommst du? - Mit **meinem**.*
Avec quelle voiture viendras-tu ? - Avec la mienne.

*Euer Haus liegt in der Hauptstraße. **Unseres** in der Adenauerallee.*
Votre maison est située dans la rue principale. La nôtre dans l'allée Adenauer.

C Les pronoms possessifs ont d'autres formes moins fréquentes :

• Avec l'article défini : ***der/ das/ die meine***, ***die meinen*** (déclinaison : marques premières + marques secondes, voir pages 19 et 21) :

Es ist nicht mein Regenschirm, der meine ist nicht so alt.
(der : marque 1re ; meine : marque 2e)

Ce n'est pas mon parapluie, le mien n'est pas si vieux.

• Avec l'article défini et le suffixe ***-ig*** (langue plus recherchée) : ***der/ das/ die meinige***, ***die meinigen*** - ***der/ das/ die deinige, die deinigen...***

*Dieses Spielzeug gehört ihm, das andere ist **das meinige**.*
Ce jouet lui appartient. L'autre est le mien.

Die Meinen, die Meinigen : les miens (les membres de ma famille) sont des bases nominales et prennent la majuscule.

6 Les pronoms démonstratifs

A Der, das, die se déclinent à peu près comme les pronoms relatifs.

Cas	Masculin	Neutre	Féminin	Pluriel
Nom.	***d-er***	***d-as***	***d-ie***	***d-ie***
Acc.	***d-en***	***d-as***	***d-ie***	***d-ie***
Dat.	***d-em***	***d-em***	***d-er***	***d-enen***
Gén.	***d-essen***	***d-essen***	***d-eren***	***d-eren/ d-erer***

Au génitif pluriel, on a deux formes :

• ***Deren***, quand il s'agit de mentionner une seconde fois un groupe nominal déjà évoqué. ***Deren*** est donc anaphorique.

Gestern bin ich meinem Kollegen, seinen Kindern und ***deren*** *Freunden begegnet*. Hier j'ai rencontré mon collègue, ses enfants et leurs amis (= *die Freunde der Kinder* = les amis de ceux-ci).

• La forme ***derer*** est obligatoire quand elle correspond à ***derjenigen*** et, notamment, quand elle annonce une relative (valeur cataphonique).

Die Zukunft ***derer****, die im Lotto gewinnen, ist nicht immer gesichert.*
L'avenir de ceux qui gagnent au loto n'est pas toujours assuré.

B *Dieser*, *jener*, *derjenige*, *derselbe*

• ***Dieser*** (celui-ci) et ***jener*** (celui-là) ont, dans leur déclinaison, les marques premières (voir ci-dessus). ***Dieser*** fait référence à quelqu'un ou à quelque chose de connu qu'il mentionne une seconde fois (c'est un **anaphorique**).

Jener fait référence à ce qui va être dit (c'est un **cataphorique**) ; il peut aussi supposer une opposition, comme dans l'exemple suivant :

Die beiden Bücher unterscheiden sich grundsätzlich : ***dieses*** *ist ein Roman und* ***jenes*** *eine Biographie.*
Les deux livres sont fondamentalement différents : celui-ci est un roman et celui-là une biographie.

• ***Derjenige*** et ***derselbe*** sont composés de deux parties qui sont toutes les deux déclinées (marque première, puis marque seconde).

Cas	Masculin	Neutre	Féminin	Pluriel
Nom.	**der***jenige*	**das***jenige*	**die***jenige*	**die***jenig***en**
Acc.	**den***jenig***en**	**das***jenige*	**die***jenige*	**die***jenig***en**
Dat.	**dem***jenig***en**	**dem***jenig***en**	**der***jenig***en**	**den***jenig***en**
Gén.	**des***jenig***en**	**des***jenig***en**	**der***jenig***en**	**der***jenig***en**

– ***derjenige*** est **cataphorique**, c'est-à-dire qu'il annonce ce qui suit :

***Diejenigen**, **die am meisten reden**, tun oft am wenigsten.*
Ceux qui parlent le plus en font souvent le moins.

Zu Hause haben wir zwei Computer. **Der[jenige]** *meines Bruders ist der ältere.*
À la maison, nous avons deux ordinateurs. Celui de mon frère est le plus ancien.

– ***dasselbe*** (le même, à l'identique) et ***das gleiche*** (le semblable) mentionnent une nouvelle fois quelqu'un ou quelque chose qui a déjà été évoqué ; ils sont donc le plus souvent **anaphoriques** :

Er drehte das Licht aus. ***Im selben*** *Augenblick hörte er den Knall.*
Il éteignit la lumière. Au même moment, il entendit la détonation.

Mais ce n'est pas toujours le cas :

Er sagte immer ein und **dasselbe**. Il répétait toujours la même chose.

Sie hat sich gestern **das gleiche** *Kleid gekauft wie ich.*
Hier, elle s'est acheté la même robe que moi / que la mienne.

7 Les pronoms relatifs

A ***Der***, ***das***, ***die*** sont les pronoms relatifs les plus fréquents. Ils se déclinent comme suit :

Cas	Masculin	Neutre	Féminin	Pluriel
Nom.	***d-er***	***d-as***	***d-ie***	***d-ie***
Acc.	***d-en***	***d-as***	***d-ie***	***d-ie***
Dat.	***d-em***	***d-em***	***d-er***	***d-enen***
Gén.	***d-essen***	***d-essen***	***d-eren/ d-erer***	***d-eren***

Der Wind, **der** *im Alpengebiet weht, reizt die Nerven.*
Le vent qui souffle dans les Alpes irrite les nerfs.

Wer ist der Mann, **dem** *dieses wunderschöne Haus gehört?*
Quel est celui à qui appartient cette magnifique maison ?

Die Fabrik, **in der** *er sein Leben lang gearbeitet hat, wird jetzt abgerissen.*
L'usine dans laquelle il a travaillé toute sa vie est en cours de démolition.

Die Wasserkuppe ist der Berg, auf ***dessen*** *Gipfel der erste Segelflug stattfand.*
La Wasserkuppe est la montagne sur le sommet de laquelle eut lieu le premier vol à voile.

B Les pronoms en ***w-*** sont en soi **adéterminés**, c'est-à-dire susceptibles d'être interprétés en contexte comme **définis** ou **indéfinis**. Ils fonctionnent comme des :

– pronoms relatifs dans des groupes verbaux membres de groupes nominaux et ils ont alors un antécédent :

Die Stadt, ***wo*** *er wohnt/ in* ***der*** *er wohnt...* La ville, où il habite...

– pronoms dans des groupes verbaux de définition qui peuvent ne pas avoir d'antécédents :

Was *er sagt / Das,* ***was*** *er sagt, hat Hand und Fuß.* Ce qu'il dit, se tient.

Les pronoms en ***-w*** sont :

• ***Welcher/ welches/ welche*** qui peut remplacer ***der/ das/ die***. Peu fréquent et généralement réservé à l'écrit, il évite les répétitions. Il n'est pas employé au génitif.

Die Stadt, ***in welcher*** *der Kongress stattfindet...*
La ville, dans laquelle le congrès a lieu...

• ***Was*** (voir dans ce chapitre, page 269).

Er hatte ***alles*** *ausgegeben,* ***was er hatte***. Il avait dépensé tout ce qu'il avait.

Das Schönste, ***was*** *es auf der Welt gibt...* La plus belle chose au monde...

• ***Wo*** fait référence à une indication de lieu et parfois de temps.

Die Stadt, ***wo*** */ in der er lebt...* La ville, où/ dans laquelle il vit...

Jetzt, ***wo*** *die Tage länger sind.* Maintenant que les jours sont plus longs.

Wo est souvent associé à ***-hin*** et ***-her*** :

Der Ort, ***wohin*** *wir gehen...* à, où nous allons...

• ***Wo[r]*** **+ préposition** s'emploie lorsque l'antécédent est ***alles***, ***das***, ***etwas***, ***einiges***, ***manches***, ***nichts...*** ou un superlatif nominalisé au neutre et que la préposition est régie par le verbe du groupe verbal relatif.

Das ist ***alles***, ***worüber*** *er gesprochen hat.* C'est tout ce dont il a parlé.

Wo(r) **+ préposition** a, comme son correspondant démonstratif ***da(r)*** **+ préposition**, une structure inversée, car la préposition suit le pronom. Il peut aussi renvoyer à un groupe nominal, sauf quand celui-ci renvoie à un être animé :

Das Thema*, *worüber *er sprach*. Le thème dont il a parlé.
Der Tisch*, *worauf *die Vase stand*. La table sur laquelle se trouvait le vase.
(plus fréquemment : *Der Tisch*, ***auf dem*** *die Vase stand*.)

Mais pour un être animé :

Der Freund, ***von dem*** *er sprach*. L'ami dont il parla.

• ***Wie*** et ***warum*** ne sont pronoms relatifs qu'avec de rares bases nominales.

Die Art*, *wie *er singt, ist einmalig*. Sa façon de chanter est unique.

Niemand weiß ***[den Grund], warum*** *er so schnell weggefahren ist.*
Personne ne sait pour quelle raison il est parti si vite.

• Les pronoms en ***w-*** fonctionnent aussi comme pronoms dans des interrogations directes et indirectes.

Warum *ist er nicht gekommen?*
Ich weiß nicht, ***warum*** *er nicht gekommen ist*.
Pourquoi n'est-il pas venu ? Je ne sais pas pourquoi il n'est pas venu.

Wo *ist er? Weißt du nicht*, ***wo*** *er ist?* Où est-il ? Ne sais-tu pas où il est ?

• Quelques pronoms en ***w-*** ouvrent aussi, comme anaphoriques, des groupes verbaux dits **continuatifs**, parce que, tout en reprenant ce qui précède, ils permettent d'enchaîner le texte.

Wir waren früh aufs Land gefahren, ***was*** *uns erfreut hatte* (= ***und das*** *hatte uns erfreut*).
Nous étions partis très tôt à la campagne, ce qui nous avait réjouis.

Der Schulleiter bezeichnete den Ausflug als abenteuerlich, ***wobei*** *er nicht ganz unrecht hatte* (= ***Dabei*** *hatte er nicht ganz unrecht*).
Le directeur de l'école dit que l'excursion était aventureuse, en quoi il n'avait pas tout à fait tort.

Quand ***als*** et ***da*** ouvrent un groupe verbal avec forme variable du verbe à la fin, ils sont considérés comme des **bases de groupes conjonctionnels** (conjonctions de subordination) plutôt que des pronoms relatifs invariables :

An dem Mittwoch, ***als/ da*** *er ankam.*
Le mercredi, quand/ où il arriva. Le mercredi de son arrivée.

24 Les quantifieurs du groupe nominal

A savoir

Définition

Les quantifieurs ou quantificateurs sont habituellement traités dans le chapitre des **déterminants du groupe nominal** (voir le chapitre 9). Ils regroupent les unités qui contribuent à exprimer **la catégorie du nombre**, c'est-à-dire qui complètent du point de vue du sens le singulier ou le pluriel.

das *Kind -* ***jedes*** *Kind*		***die*** *Blumen -* ***einige*** *Blumen*	
article	déterminant quantifieur	article	déterminant quantifieur

L'enfant-chaque enfant — les fleurs-quelques fleurs

Classement

Parmi les quantifieurs, on distingue :

- Les articles comme ***ein-*** et ***kein*** (voir les chapitres 9 et 22).
- Les adjectifs dits **numériques** (les nombres).
- Les adjectifs **non numériques** (les déterminatifs indéfinis) parmi lesquels on distingue encore :

– les quantifieurs **globaux,**
– les quantifieurs **partiels,**
– les **groupes nominaux de mesure** qui expriment la quantité.

A savoir

1 Les quantifieurs numériques

A Les nombres cardinaux entiers

• **De 1 à 12**.

eins - zwei - drei - vier - fünf - sechs - sieben - acht - neun - zehn - elf - zwölf.

• **De 13 à 19** : unité + ***zehn.***

dreizehn - vierzehn - fünfzehn - ***sech****zehn -* ***sieb****zehn - achtzehn - neunzehn.*

• **Les dizaines** ont le suffixe ***-zig*** après une consonne et ***-ßig*** après une diphtongue.

zwanzig - dreißig - vierzig - fünfzig - ***sech****zig -* ***sieb****zig - achtzig - neunzig.*

• **De 21 à 99**, les unités sont prononcées avant les dizaines et on les relie par ***und***.

*ein****und****zwanzig* (21) - *zwei****und****dreißig* (32) - *drei****und****vierzig* (43) - *vier****und****fünfzig* (54) - *sechs****und****sechzig* (66) - *sieben****und****siebzig* (77) - *fünf****und****achtzig* (85) - *acht****und****neunzig* (98).

• **Un million, un milliard et un billion** sont des noms et font leur pluriel en ***-(e)n***.

eine/ die Million (1 000 000) - *eine/ die Milliarde* (1 000 000 000)
eine/ die Billion (1 000 000 000 000).

• **Les nombres inférieurs à un million** s'écrivent en un seul mot.

2 633 425 =
zwei Millionen sechshundertdreiunddreißigtausendvierhundertfünfundzwanzig

• **Les numéros d'identification** (téléphone, fax, immatriculation...) se disent en général chiffre par chiffre.

00 49 520 8562 =
null null vier neun fünf zwei (zwo) null acht fünf sechs zwei (zwo).

B La déclinaison des nombres

• ***Eins*** est invariable.

Seite ***eins*** : page un. *Es ist* ***eins***. Il est une heure.

Dans :

Um ***ein*** *Uhr*. À une heure.

Uhr (nom de mesure) reste invariable et ***ein*** n'est pas au féminin.

Comparer avec :

eine *Uhr* : une montre/ horloge.

• ***Eins (ein)*** se décline quand il ouvre un groupe nominal.

*Das Märchen aus Tausendund****einer*** *Nacht* (= singulier)
Le conte des Mille et une nuits (= pluriel)

Mais :

Ich bleibe ***ein*** *bis zwei Tage*. Je reste un à deux jours.

• ***Eineinhalb*** ou ***anderthalb*** (un et demi) sont invariables et suivis du pluriel.

in ***anderthalb*** *Jahren* : dans un an et demi.

• **Les autres nombres** se déclinent rarement aujourd'hui, sauf :

– au datif singulier :

zu zweit / zu dritt : à deux / à trois

zu zweien = je zwei zu zwei : deux par deux
eine Million von den vieren : un million sur les quatre

– au génitif pluriel pour *zwei* et *drei* :

die Laufbahn zweier Politiker/ von zwei Politikern
la carrière de deux politiciens.

C Les fractions et les opérations mathématiques

• **Les fractions** se forment à l'aide du suffixe :

-tel : de 3 à 19

-stel : à partir de 20.

ein drittel/ viertel/ hundertstel : un tiers/ un quart / un centième
zwei tausendstel : deux millièmes

Er hat eine viertel Million Euro gewonnen. Il a gagné 250 000 euros.

Elles peuvent être transformées en nominalisations :

das Drittel : le tiers / *das Viertel* : le quart

Er wohnt erst seit kurzem in diesem Viertel.
Ça ne fait que peu de temps qu'il habite ce quartier.

Zwei Prozent : deux pour cent / *zwei Promille* : deux pour mille

2,56 = *zwei Komma sechsundfünfzig.*

• **L'addition.**

Zwei und/ plus zwei ist/ gleich/ sind/ macht vier : 2 + 2 = 4

• **La soustraction.**

Fünf minus/ weniger drei gleich zwei : 5 - 3 = 2

• **La multiplication.**

Zwei multipliziert mit zwei/ zwei mal zwei macht vier : 2 x 2 = 4

• **La division.**

Acht durch/ geteilt durch zwei sind vier : 8 : 2 = 4

• **La puissance.**

Zwei hoch zwei : deux puissance deux

• **La racine.**

Zweite Wurzel aus zwei : la racine carré de deux

Dans les **expressions idiomatiques**, les nombres ne sont pas toujours à prendre à la lettre, par exemple :

in vierzehn Tagen : dans quinze jours

Nun lass mal fünf gerade sein. Ne cherche pas midi à 14 heures.

die gerade Zahl : le nombre pair / *die ungerade Zahl* : le nombre impair

hin- und hergehen, auf- und abgehen = faire les cent pas

2 Les quantifieurs non numériques

LES QUANTIFIEURS GLOBAUX

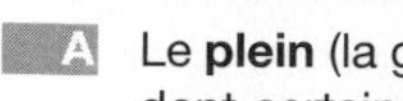

A Le **plein** (la globalité d'un ensemble) est signalé par des déterminants dont certains (voir ci-dessous ***beid-***, ***d- beiden*** et ***jeder***) renseignent aussi sur le nombre d'éléments de l'ensemble visé.

• ***All-*** exprime, au singulier (= ***jeder***) comme au pluriel, le plein d'un ensemble d'éléments dénombrables.

°***Aller*** *Anfang ist schwer.* Tout début est difficile.

Alle *Freunde waren gekommen.* Tous les amis étaient venus.

• Au seul singulier, ***all-*** marque aussi le plein d'une qualité.

in ***aller*** *Ruhe* : en toute quiétude

allem *Anschein nach* : selon toute apparence

bei ***aller*** *Geduld* : en dépit de toute patience

1. ***All-*** prend la série des marques premières, mais il s'emploie aussi de façon **invariable** quand il est suivi d'un déterminant **démonstratif** ou **possessif**.

All der/ dieser *Unsinn.* Tout ce non-sens.

Gegen ***all seine*** *Macht.* Contre tout son pouvoir.

All[e] unsere *Freunde.* Tous nos amis.

2. ***All-*** suivi d'un nombre marque une **totalité identifiée** ou une **répétition**, par exemple : ***alle beide*** (tous les deux).

Mais :

Alle vier *Jahre kommt ein Schaltjahr.*
Tous les quatre ans, on a une année bissextile.

Ne pas confondre avec ***jedes Jahr***, ***jedes dritte Jahr***, ***jeden zweiten Monat*** qui marquent des proportions : chaque année, une année sur trois, un mois sur deux.

3. Pour insister sur la totalité « sans exception », on utilise l'adjectif ***sämtlich-*** ou la combinaison ***d- ganz-*** ou ***d- gesamt-***.

sämtliches *Material* : l'ensemble des matériaux

die ganze *Familie* : toute la famille

die gesamte *Bevölkerung* : l'ensemble de la population

• ***Beid-*** et ***d- beiden*** sont variables. Ils ne fonctionnent qu'au pluriel et renvoient à un **couple d'éléments identifiés**.

Meine ***beiden*** *besten Freunde wohnen in derselben Stadt.*
Mes deux meilleurs amis habitent dans la même ville.

• ***Jeder*** ne fonctionne qu'au singulier, car il représente chaque élément d'un ensemble dénombrable ou quantifiable.

jedes *Kind* : chaque enfant / ***jedes*** *Geschrei* : tout cri

Sie hat ***jedem*** *Spieler gratuliert*. Elle a félicité chaque joueur.

Er hat ***jede*** *Hoffnung aufgegeben*. Il a abandonné tout espoir.

• ***Ein- jeder*** (*einen jeden / einem jeden / eines jeden*) a une valeur généralisante.

Ein jeder (= *Jedermann*) *wird das einsehen*.
Tout un chacun / Tout le monde le reconnaîtra.

D Le **vide** d'un ensemble d'éléments (dénombrables ou non) s'exprime par ***kein-*** (l'article négatif, voir le chapitre 22, page 264). ***Kein*** fonctionne au singulier comme au pluriel.

Ich habe ***keine*** *Ahnung*. Je n'en ai aucune idée.

Ich trinke ***kein*** *Bier*. Je ne bois pas de bière.

Sie haben ***keine*** *Kinder*. Ils n'ont pas d'enfants.

• **Devant un nombre**, ***kein-*** est un graduatif et signifie « moins de, pas même, pas tout à fait ».

Es hat ***keine*** *zwei Stunden gedauert*. Cela n'a [même] pas duré deux heures.

Das kostet ***keine*** *1000 DM*. Cela coûte moins de 1 000 marks (ou D-marks).

• Avec un groupe nominal en fonction d'attribut (avec le verbe ***sein***, par exemple), ***kein-*** marque un refus de **classement** alors que ***nicht*** refuse une **qualité** (un attribut qui caractérise).

Er ist ***kein*** *Berliner*.
Ce n'est pas un Berlinois./ Ce n'est pas ce qu'on attend d'un Berlinois.

Er ist ***nicht*** *Berliner*. Il n'est pas de Berlin.

• Devant un **adjectif nominalisé**, ***kein-*** est remplacé par ***nichts*** qui reste invariable.

nichts *Anderes* / ***nichts*** *Schönes* : rien d'autre / rien de beau

Kannst du von ***nichts*** *Wichtigerem sprechen?*
Ne peux-tu pas pas parler de choses plus importantes ?

LES QUANTIFIEURS PARTIELS

A ***D- meist-*** fonctionne au singulier et au pluriel (***d-*** prend les marques premières et ***meist-*** les marques secondes).

die meiste *Arbeit* : la plus grande partie du travail / la plupart du travail.

B Les quantifieurs ***einig-***, ***etlich-***, ***manch-*** fonctionnent au singulier et au pluriel.

mit ***einigem*** *Glück* : avec un peu / pas mal de chance

***einige**/ **etliche** Häuser* : quelques maisons
***manches** wertvolle Werk* : plus d'une œuvre valable
***manche** berühmte Leute* : certaines personnes célèbres.

• ***Ein paar*** (quelques) est invariable et implique le pluriel.

*Ich borge dir gern **ein paar** CDs.* Je te prête volontiers quelques CD.

Dans l'exemple suivant, ***Mark*** (nom de mesure féminin à une syllabe) reste invariable :

*Mit **ein paar** Mark komme ich aus.* Quelques marks me suffisent.

• Le déterminant ***mehrer-*** ne fonctionne qu'au pluriel.

*Er hat **mehrere** Bücher geschrieben.* Il a écrit plusieurs livres.

C Les quantifieurs ***wenig-*** et ***viel-*** sont des adjectifs qui fonctionnent au singulier et au pluriel.

*die **vielen** (= zahlreichen) Blumen* : les nombreuses fleurs
*das **wenige**/ das bisschen Geld* : le peu d'argent
*das **viele** Bier* : la grande quantité de bière

Quand ils ne sont pas précédés d'un déterminatif, ***wenig-*** et ***viel-*** sont en général :

• **Invariables** au singulier.

***Viel** Spaß.* Amusez-vous bien.
Mais : ***Vielen** Dank.* Merci beaucoup.

• **Déclinés** au pluriel.

*Ich wünsche Ihnen **viele** schöne Urlaubstage.*
Je vous souhaite beaucoup de beaux jours de congé.

LE GROUPE NOMINAL DE MESURE

Le groupe nominal exprimant une mesure n'est pas, au sens strict, un déterminant, mais **il quantifie le groupe nominal**.

zwei Pfund	*Tomaten* : deux livres de tomates
groupe nominal de mesure	groupe nominal quantifié
sechs Tage	*Urlaub* : six jours de congé
groupe nominal de mesure	groupe nominal quantifié

A Les groupes nominaux de mesure restent **invariables** quand ils sont employés avec une **indication de nombre** :

• Les noms **masculins** et **neutres**.

– masculins :

tausend Dollar : mille dollars / *fünf Grad* [*Kälte*] : cinq degrés [de froid] *zwanzig Mann* : un groupe de vingt personnes / *fünf Kilometer/ Schritt* : cinq kilomètres/ pas

– neutres :

zehn Kilo[gramm] : dix kilo[gramme]s / *zehn englische Pfund* : dix livres anglaises / *fünf Glas [Wein]* : cinq verres de vin

• Les noms **féminins à une syllabe**.

fünf Uhr : cinq heures / *siebzig Mark* : 70 marks / *zwei Hand voll Salz/ Handvoll [Salz]* : deux poignées de sel.

Font exception :

– les noms masculins et neutres exprimant des **unités de temps** :

*sechs Tag**e**/ Monat**e**/ Jahr**e** Gefängnis* : six jours/ mois/ années de prison

– les noms **féminins** en **-e** :

*drei Woche**n** Urlaub* : trois semaines de congé / *zwei Flasche**n**/ Kiste**n** Bier* : deux bouteilles/ caisses de bière / *vier Tonne**n*** : quatre tonnes · *zehn Meile**n*** : dix milles.

B Si le groupe nominal de mesure est suivi d'un **nom sans déterminant** qui représente ce qui est mesuré ou quantifié, celui-ci :

• Reste **invariable** au nominatif singulier et pluriel.

sechs Pfund Äpfel : six livres de pommes / *vier Zentner Weizen* : quatre quintaux = 400 kg de blé
zwei Dutzend Eier : deux douzaines d'œufs / *drei Paar Schuhe* : trois paires de chaussures
fünf Glas Wein : cinq verres de vin / *zwei Stück Kuchen* : deux morceaux de gâteau.

• **S'aligne sur le cas** exigé par la préposition ou le contexte.

*mit sechs Pfund Äpfel**n** / mit zwei Dutzend Eier**n** / neben drei Paar Schuhe**n***.

C Le groupe nominal de mesure peut être suivi d'un **groupe nominal** représentant la matière mesurée. Lorsque ce dernier comprend **un déterminant et/ ou un adjectif épithète**, il est généralement mis au génitif.

*die Hälfte d**es** Staatshaushalt**es*** : la moitié du budget de l'État

*mit einem Korb reif**er** Früchte* : avec une corbeille de fruits mûrs

Toutefois, dans certains cas, le génitif peut aussi être remplacé :

• Par un groupe prépositionnel.

*die Hälfte **vom** Staatshaushalt* : la moitié du budget de l'État

*Hunderte **von** Zuschauern* : des centaines de spectateurs

• Par le cas demandé en contexte par l'ensemble « groupe nominal de mesure + groupe nominal mesuré » (cas parallèle).

Es wimmelt von Tausenden kleinen Mäusen
cas parallèle : datif demandé par *von*

C'est un grouillement de milliers de petites souris.

On a donc parfois plusieurs possibilités :

Wir tranken ein Glas guten Wein/ heißen Tee.
cas parallèle : emploi normal

Wir tranken ein Glas guten Weins/ heißen Tees.
génitif correct, mais rare

Wir tranken ein Glas mit gutem Wein/ mit heißem Tee.
groupe prépositionnel : emploi langue parlée

Nous avons bu un verre de bon vin/ de thé très chaud.

D Un nom **commun collectif** peut fonctionner occasionnellement comme nom de mesure. Dans ce cas, le génitif continue à s'imposer pour le groupe nominal du mesuré si celui-ci comprend un adjectif épithète.

*eine Reihe **wichtiger Themen**/ von wichtigen Themen* : une série de thèmes importants.

Dans l'exemple suivant, il n'y a pas d'autres possibilités que le génitif :

*ein Schwarm **wilder Turteltauben*** : un vol de tourterelles sauvages.

25 Les structures des énoncés verbaux

A savoir

La notion de **phrase** est ambiguë. Elle désigne d'abord l'unité syntaxique de la « proposition grammaticale simple » appelée ici **groupe verbal**. Mais elle désigne aussi l'unité de communication qu'est **l'énoncé**. Celui-ci se caractérise par une attitude de communication nommée « illocution » et un effet visé, souvent appelé « perlocution ».

1 Description de l'énoncé verbal

On peut décrire la construction de l'énoncé verbal en fonction de :

• **L'alignement des groupes ou de la linéarisation en chaîne.** On distingue des **positions** qui sont alors de gauche à droite : l'avant-première position, la première et la deuxième position, puis après les autres membres éventuels du groupe verbal, la dernière position et l'après-dernière position.

Avant-1re position	1re position	2e position	...	Dernière position	Après-dernière position
Peter, Pierre,	*dein Vater* ton père	*hat* t' a	*dich*	*angerufen,* appelé,	*weißt du?* tu sais ?

• **L'attitude de communication.** Elle est marquée entre autres par l'intonation et par la place de la forme variable du verbe en 2e position. On distingue essentiellement l'attitude déclarative, interrogative, injonctive, exclamative.

• **L'information communiquée** permet de distinguer sur le plan du sens :

– le **thème**, c'est-à-dire le sujet de la communication ou les données regroupées dont on parle (ce n'est pas toujours le sujet grammatical, mais celui-ci fait le plus souvent partie du thème). Par exemple dans l'énoncé :

Peter, dein Vater hat dich angerufen, weißt du?
Pierre, ton père t'a appelé, tu sais ?

le thème est à la fois ***Peter*** et ***dein Vater*** dans la situation décrite avec au minimum le cadre temporel ;

– le **propos** ou **rhème**, c'est-à-dire l'information qu'on fournit à propos du thème. Dans l'exemple précédent, il s'agit de l'acte d'avoir été appelé ; il comprend sur le plan de l'expression au moins le verbe lexical ;

– l'ensemble des éléments qui permettent de nuancer tout l'énoncé, à savoir l'adéquation du propos par rapport au thème, donc la qualité de l'énonciation, les éléments d'appréciation du discours (*ja*, *doch*, *eben*...), de la vérité (*sicher*, *vielleicht*...), de la normalité, de la négation, etc. On peut regrouper ces éléments d'adéquation ou d'appréciation dans une **partie centrale** disposée entre le thème et le rhème. Comme ces unités caractérisent souvent la stratégie de l'énonciateur, on appelle aussi cette partie centrale le **centre stratégique** :

Avant-1re	**1re**	**2e**	**Thème**	**Centre**	**Rhème**	**Après-dernière**
Was?	*Du*	*hast*	*den Aufsatz*	*noch nicht*	*fertig-geschrieben,*	*du Faulpelz!*
Quoi ?	Tu	n'as		pas encore	fini ta rédaction ?	paresseux, va !

Caractéristiques de la structure du groupe verbal

La structure syntaxique du groupe verbal allemand est caractérisée par les deux phénomènes de la **construction régressive du rhème** et par la **position de la forme variable du verbe**.

• La **construction déterminative régressive** est, en comparaison avec le français, la structure typique de l'allemand. Pour rendre compte du sens, les membres s'enchaînent à partir de la fin, c'est-à-dire que l'élément le plus à droite dans la langue écrite est déterminé par ceux qui sont placés devant lui.

Comparer par exemple :

En français (progressif)	En allemand (régressif)
trente et °un ⟶	*°einunddreißig* ⟵
les légumes du jardin le jardin de légumes ⟶	*das °Gartengemüse* *der Ge°müsegarten* ⟵

En français (progressif)	En allemand (régressif)
une maison de rêve →	ein °*Traumhaus* ←
une réception amicale →	*ein freundlicher Empfang* ←
la porte de la chambre à coucher →	*die °Schlafzimmertür* ←
aller vite à la maison →	*°schnell nach Hause gehen* ←
Ils voulaient acquérir une nouvelle maison →	*Sie wollten ein neues °Haus kaufen* ←
parce qu'ils voulaient acheter une nouvelle maison →	*weil sie ein neues °Haus kaufen wollten* ←

• La place occupée par la **forme variable du verbe** peut être :

– la **dernière position** du groupe verbal. Elle est, en principe, neutre du point de vue de l'attitude communicative, mais peut aussi être constitutive d'un énoncé :

Dass er immer so früh ***aufsteht** !* Bizarre qu'il se lève toujours si tôt ! (énoncé exclamatif)

Bitte, die Fahrkarten nicht ***wegwerfen**!* (groupe infinitif)
S'il vous plaît, ne pas jeter les billets ! (énoncé injonctif)

Elle peut aussi être suivie en après-dernière position d'autres éléments hors construction :

weil er nicht °mitkommt, der °Feigling :
parce qu'il ne vous/ nous accompagnera pas, le lâche

– la **deuxième position** qui est la place caractéristique des énoncés marqués du point de vue communicatif :

Er ***steht** immer so früh auf.* Il se lève toujours si tôt. (énoncé déclaratif)

Wann ***steht** er denn auf?* Quand se lève-t-il donc ? (énoncé interrogatif partiel)

Was? Ø ***Steht** er immer so früh auf?*
Quoi ? Est-ce qu'il se lève toujours si tôt ? (énoncé interrogatif global)

Peter, Ø ***komm** doch!* Pierre, viens donc ! (énoncé injonctif)

A savoir

1 La structure avec le verbe en dernière position

A **La forme variable du verbe en dernière position** est la différence la plus importante avec la construction des groupes verbaux correspondants du français. On la trouve :

• Dans les **groupes verbaux, membres des groupes conjonctionnels** (voir le chapitre 12, pages 131 et suivantes).

*Dass **er mir nicht mehr ins Haus kommt**.*
Qu'il ne mette plus les pieds chez moi.

*[Ich weiß nicht,] ob **er morgen früh mitkommt**.*
[Je ne sais pas] s'il nous accompagnera demain matin tôt.

*Damit **ich es nicht vergesse** : Dein Freund kommt heute Abend.*
Avant que je n'oublie : ton ami vient ce soir.

• Dans les **groupes verbaux en *w-* et en *d-*** membres de groupes verbaux d'accueil.

***Was er sagt**, kann man glauben.* On peut croire ce qu'il dit.

***Die Geld haben**, können bezahlen.* Ceux qui ont de l'argent payeront.

• Dans les **groupes verbaux interrogatifs**, **exclamatifs** et **concessifs partiels**, membres d'un groupe d'accueil.

*Ich frage dich, **wann sie ihren Geburtstag feiert**.*
Je te demande quand elle fêtera son anniversaire.

*Die Frage, **wann sie ihren Geburtstag feiert**.* La question de savoir quand...

*Weißt du, **wo sie wohnen**?* Sais-tu où elles habitent ?

*Sie erzählte, **wie schön das Fest gewesen war**.*
Elle raconta combien la fête avait été belle.

***Was er auch immer sagt**, mir ist es egal.* Quoi qu'il dise, ça m'est indifférent.

***So schwer es auch ist**, ich komme.* Quelle que soit la difficulté, je viendrai.

• Dans les **groupes verbaux relatifs**, c'est-à-dire membres de groupes nominaux.

*Der Mann, **dem er die ganze Geschichte erklären musste**...*
L'homme auquel il dut expliquer toute l'histoire...

*Die Art, **wie er das sagte**...* Sa manière de dire cela...
*Ich glaube dem[jenigen], **der die Wahrheit sagt**.* Je crois quiconque dit la vérité.

• Dans d'**autres groupes verbaux dépendants**.

***Je öfter ich ihn sah**, umso seltsamer kam er mir vor.*
Plus je le voyais, plus il me paraissait étrange.

Wie du sagst! Comme tu dis !

Wie [es] geplant [war]! Comme prévu !

***Wenn du willst**.* Si tu veux.

Le terme de (proposition) **subordonnée** de la grammaire traditionnelle est ambigu. Il désigne la structure d'un groupe verbal avec la forme variable du verbe en dernière position (en ce sens le « verbe » est en position finale dans toutes les subordonnées, sauf dans le cas du double infinitif). Mais il désigne aussi la fonction d'un groupe verbal dépendant, c'est-à-dire membre d'un groupe d'accueil. Dans ce cas, toutes les subordonnées au sens de dépendantes n'ont pas le verbe en position finale :

***Kommt er**, so besichtigen wir die Stadt.* S'il vient, nous visiterons la ville.

*Und er erzählte, **er sei zu spät nach Hause zurückgekehrt**.*
Et il raconta qu'il était revenu trop tard à la maison.

*Und er fragte, **kommst du mit**?* Et il demanda si j'allais l'accompagner.

*[Er tat,] als **sei er krank gewesen**.* [Il fit] comme s'il avait été malade.

B **L'ordre des éléments des formes verbales** à la fin du groupe verbal est grammaticalisé. On peut distinguer le cas général et le cas particulier qui présente un type de séquence avec un verbe de modalité entraînant la construction dite du « double infinitif ».

	Cas général	Cas particulier
ACTIF *[weil] er ja doch nicht*	*mitkommt* *mitkommen wird* *mitgekommen ist* *mitgekommen sein wird*	*mitkommen kann* *mitkommen können wird* ou ***wird** mitkommen können* ***hat** mitkommen **können*** ***wird haben** mitkommen können*
PASSIF *[weil] er doch schon*	*angerufen wird* *angerufen werden wird* *angerufen worden ist* *angerufen worden war*	*angerufen werden kann* ***wird** angerufen werden können* ***hat** angerufen werden **können*** ***hatte** angerufen werden **können***

Traductions :

– actif :

parce que de toute façon → il ne nous accompagne / accompagnera pas
il ne nous a pas accompagné / il ne nous aura pas accompagné
parce que de toute façon → il ne peut pas / ne pourra pas / n'a pas pu
n'aura pas pu nous accompagner

– passif :

parce que de toute manière → on l'appelle / l'appellera / on l'a/ l'avait appelé
parce que de toute manière → il peut être appelé / il pourra être appelé / il a pu être appelé / il avait pu être appelé.

Le cas particulier est celui de la **construction dite du double infinitif** avec laquelle, comme le montrent les formes imprimées en gras, la forme variable du verbe précède les infinitifs et ne les suit pas.

En réalité, il s'agit d'une **deuxième forme de participe II** des verbes de modalité :

können / dürfen / müssen / sollen / wollen / mögen / [nur / nicht] brauchen,

ainsi que des verbes :

lassen / heißen [+ groupe infinitif : vouloir/ souhaiter]

et parfois :

sehen / hören / helfen / spüren / fühlen / lehren / lernen.

Aux formes du parfait / plus-que-parfait de l'actif, ces verbes de modalité ou semi-auxiliaires peuvent être précédés d'un autre infinitif. Ils ont alors cette 2e forme du participe II qui est identique à celle de l'infinitif. Donc :

*weil er **hat** kommen können* et non pas : *weil er kommen können hat*
*weil er **hat** angerufen werden können* et non pas : *weil er angerufen werden können hat.*

Dans la langue courante, on emploie cependant dans ce dernier cas le prétérit :

weil er kommen konnte / weil er angerufen werden konnte.

On trouve la même construction avec ***werden* + deux infinitifs** dans un registre littéraire.

C Dans la construction avec forme variable du verbe en dernière position, **le groupe nominal sujet au nominatif précède le groupe nominal objet à l'accusatif**, même quand le marquage n'est pas ambigu ; cette priorité n'existe évidemment pas dans les structures dont la forme variable du verbe est en 2e position :

Der Vater suchte seinen Sohn. → Seinen Sohn suchte der Vater.
Le père cherchait son fils. → C'est son fils que cherchait le père.

mais : *als der Vater seinen Sohn suchte.*

Dans *wenn die Mutter die Tochter sucht* (quand la mère cherche la fille) et *wenn Paul Frida besucht* (quand Paul rend visite à Frida), c'est clairement le premier groupe nominal qui est sujet grammatical.

D Dans la construction du groupe verbal avec verbe final, les **pronoms personnels sont placés en tête du thème.** Ils ne peuvent être précédés que par le groupe nominal en fonction de sujet au nominatif :
dass ***mir*** *meine Mutter nichts gesagt hat/ dass meine Mutter* ***mir*** *nichts gesagt hat* : que ma mère ne m'a rien dit

Dans les cas d'ambiguïté, l'ordre peut être exploité pour marquer des fonctions différentes :

dass jemand ***sie*** *belogen hatte* : que quelqu'un lui avait menti

dass ***sie*** *jemand belogen hatte* : qu'elle avait/ ait menti à quelqu'un.

Quand on a **plusieurs pronoms personnels** sans effet contrastif, l'ordre est le suivant : le pronom au nominatif avant le pronom à l'accusatif, avant le pronom au datif, avant le pronom au génitif :

da ***du dich seiner*** *erbarmt hast* : puisque tu as eu pitié de lui

weil ***sie es dir*** *erzählt hat* : parce qu'elle te l'a raconté.

Le pronom ***sich*** fait exception suivant les régions et les styles ; il est relativement libre, mais suit toujours les pronoms sujets ***er*** / ***es*** / ***sie*** :

dass ***sich*** *die Kranken heute wegen der Hitze beklagt haben*
dass die Kranken ***sich*** *heute wegen der Hitze beklagt haben*
dass die Kranken heute ***sich*** *wegen der Hitze beklagt haben*
dass die Kranken heute wegen der Hitze ***sich*** *beklagt haben*
dass ***sie sich*** *heute wegen der Hitze beklagt haben*
que les malades aujourd'hui se sont plaints de la canicule

E Dans la construction du groupe verbal avec verbe final - à l'exception des formes verbales, du sujet grammatical thématique et des pronoms personnels - les autres unités ou groupes sont rangés selon l'ordre d'importance de l'information, c'est-à-dire suivant leur appartenance au **thème**, au **centre stratégique** ou au **rhème**.

• Le **rhème** comprend les membres du groupe verbal qui forment avec la base verbale un bloc de sens. Il occupe **la fin de l'énoncé verbal**. Sa structure est **régressive**. Les membres situés à gauche déterminent un (complexe de) sens placé à leur droite. Un déplacement d'élément entraînerait soit un énoncé incorrect soit une modification de sens importante. Cet **ordre de détermination** est strict au point que l'on ne peut infiltrer **ni greffe, ni commentaire**. C'est ce qui explique la solidarité des ensembles comme :

– les verbes à **particules/ préverbes séparables** accentués :

weil er // keinen °Rucksack mitnimmt : parce qu'il n'emporte pas de sac à dos

(Les deux barres obliques montrent la place qu'occupe ou que pourrait occuper le centre stratégique.)

– les verbes + **adverbe ou attribut** :

da sie // °laut spricht : puisqu'elle parle fort
weil sie den Brief // °fertig schreibt : parce qu'elle termine la rédaction de sa lettre

– les verbes + **verbes** :

Sie wollen spazieren gehen. Ils veulent aller se promener.

– les verbes + **base nominale** :

Radio hören : écouter la radio / *Karten spielen* : jouer aux cartes
Schi fahren : faire du ski…

– les verbes + **groupes prépositionnels** plus ou moins figés :

ums Leben kommen : perdre la vie / *in die Schule gehen* : aller à l'école
von den Freunden träumen : rêver des amis.

• Le **thème** rassemble les données qui expriment la situation ou l'état de choses dont le rhème dit quelque chose. Dans la structure à verbe final, le thème est au début de l'énoncé verbal. S'il comprend plusieurs membres, ils sont, à l'exception des pronoms, moins strictement ordonnés que ceux du rhème. Leur déplacement à l'intérieur du bloc n'entraîne le plus souvent pas de changement de sens notable. Il n'est pas rare qu'il puisse accueillir des greffes et des commentaires, y compris des unités qui ont normalement leur place dans le centre stratégique :

[nachdem] im letzten Jahr die Volkswagen-Werke /schließlich/ Kurzarbeit einführen mussten
→ *[nachdem] die Volkswagen-Werke im letzten Jahr /schließlich/ Kurzarbeit einführen mussten*
→ *[nachdem] schließlich im letzten Jahr die Volkswagen-Werke…*
→ *[nachdem] schließlich die Volkswagen-Werke im letzten Jahr…*
Après qu'en définitive les usines Volkswagen furent obligées d'introduire l'an dernier la réduction du travail…

• Le **centre stratégique** rassemble en principe l'ensemble des éléments qui permettent de nuancer le rapport du rhème au thème ou la qualité de l'énonciation. Ces éléments expriment un jugement de réalité, vérité, normalité, négativité ou répondant à d'autres critères logiques ou émotionnels. Ces éléments peuvent également nuancer l'information en totalité ou en partie ou encore l'attitude de communication :

*[weil] mein Freund heute Morgen / **°nicht/ leider °nicht/ °noch nicht/ vielleicht °doch nicht/ tatsächlich °doch/ endlich °doch/ ja °doch**/ angekom-*

men war : parce que mon ami n'était pas/ n'était malheureusement pas/ n'était pas encore/ n'était sans doute pas/ était effectivement/ était enfin et malgré tout... arrivé.

• **L'appartenance du même élément** au **rhème**, au **thème** ou au **centre stratégique** engendre des divergences de sens.

Er ist °oft/ °nicht/ gekommen. Souvent il n'est pas venu.

Er ist/ °nicht / oft gekommen.
Je dis que l'affirmation qu'il soit venu souvent est fausse.

Er ist // nicht °oft gekommen. Il est venu rarement.

C'est elle aussi qui détermine en fin de compte l'ordre relatif **des groupes nominaux objets au datif et à l'accusatif** :

[als] der Mann den Kindern // Ge°schenke überreichte.
Quand l'homme remit aux enfants des ca°deaux.

[als] der Mann die Geschenke // den °Kindern überreichte.
Quand l'homme remit les cadeaux aux en°fants.

2 La structure avec le verbe en deuxième position

La forme variable du verbe en **deuxième position** est la structure la plus fréquente et celle qui se rapproche le plus du français. Elle marque l'énoncé verbal du point de vue de l'attitude communicative. Avec l'intonation, elle signale le **type d'énoncé verbal**. Mais elle ne suffit jamais seule pour caractériser syntaxiquement une attitude communicative. La forme variable du verbe est en deuxième position (=V) dans les cas suivants :

• Des énoncés verbaux **indépendants**, c'est-à-dire autonomes du point de vue syntaxique et constituants immédiats d'un texte.

• Certains énoncés verbaux **dépendants**.

Énoncé	1re position	2e position	Exemples
Déclaratif (phrase énonciative)	occupée	V	*Peter ist leider nicht zu Hause.* Pierre n'est malheureusement pas chez lui. *Leider ist Peter nicht zu Hause. Zu Hause ist Peter leider nicht.*

ÉNONCÉ	1re POSITION	2e POSITION	EXEMPLES
Interrogatif **• global**	Ø	V	*Ø Kommst du mit ?* *Ø Fährst du nicht weiter ?* Tu nous accompagnes ? Tu ne continues pas ta route ?
interro-injonctive	Ø	V	*Ø Würden Sie mir bitte folgen?* Voulez-vous me suivre ?
• partiel	occupée*(1)	V	*Wann kommst du? Mit wem fährst du?* Quand viendras-tu ? Avec qui pars-tu ?
• de confirmation	occupée		*Du °kommst doch heute Abend °mit ins °Kino?* Tu nous accompagnes bien au cinéma ce soir ?
Exclamatif **• global**	occupée	V	*°Der hat vielleicht °Nerven!* Il est gonflé, celui-là ! *Ist das aber schön!* Mais que c'est beau !
souhait/ regret	Ø		*Hättest du doch deinen Mund gehalten.* Si tu avais gardé le silence ! *Möge er noch lange leben!* Qu'il vive encore longtemps !
• partiel	occupée*	V ou V final	*Wie schön ist das!* Que c'est beau ! *Wie schön das ist!* *Würden Sie mich bitte hereinlassen!* Voulez-vous me laisser entrer !
Injonctif **• avec un impératif**	Ø	V	*Komm mal her! Hören Sie mal!* Viens ici ! Écoutez !
	occupée*		*Nun sag mal, was los ist!* Maintenant dis un peu ce qui se passe !
• sans impératif	occupée		*Du bleibst hier, verstanden?* Tu restes ici, compris ?

(1) L'astérisque après « occupée » ne dit pas que la 1re position est obligatoirement occupée. Quand elle est occupée, elle l'est par un même type de groupe fonctionnel. Par exemple dans l'interrogative partielle, la 1re position est obligatoirement occupée par le groupe sur lequel porte l'interrogation.

A **L'énoncé déclaratif** est aussi appelé **phrase énonciative.** Il fournit simplement une information. **Le verbe est en 2e position** ; la première position est occupée par un membre ou un élément thématique, stratégique ou appartenant au rhême :

Pierre n'est malheureusement pas chez lui. Malheureusement, Pierre n'est pas chez lui.

Mais tout énoncé verbal dont le verbe est en 2e position avec une première position occupée n'est pas nécessairement déclaratif. Accompagné d'autres signaux, notamment des particules (voir le chapitre 22, pages 256-257), il peut constituer :

– une **question**, dite « de confirmation » :

Du °kommst doch heute Abend °mit ins °Kino?
Tu nous accompagneras bien ce soir au cinéma ?

– une **interrogation partielle** ; la 1re position est alors obligatoirement occupée par l'élément ou le groupe sur lequel porte la question :

Wann kommst du? Quand viendras-tu ?

– une **exclamation** :

°Der hat vielleicht °Nerven! Il est gonflé !

– et même une **injonction** (ordre, invitation) :

Du bleibst hier, verstanden? Tu restes ici, compris ?
Nun/ Jetzt sag mal, was dir eigentlich ist!
Maintenant, dis-moi ce que tu as vraiment !
Hier wird gearbeitet! Ici on travaille !

B **L'énoncé interrogatif pose une question ou émet au minimum un doute**. Dans le style direct, la forme personnelle du verbe est en 2e position. Mais quand l'interrogation est **globale**, c'est-à-dire qu'elle porte sur toute l'information, la 1re position reste vide. En revanche, quand l'interrogation est **partielle**, le groupe sur lequel porte la question est obligatoirement en 1re position :

Kommst du mit? Est-ce que tu nous accompagnes ?
Fährst du nicht weiter? Tu ne continues pas ?

Mais :

***Wann** kommst du?* Quand viendras-tu ?
***Mit wem** fährst du?* Avec qui pars-tu ?

C **L'énoncé exclamatif peut lui aussi être global ou partiel**. À côté de la structure à verbe final, la forme variable du verbe est en 2e position. Mais si l'exclamation est **globale**, la 1re position reste vide. En revanche, si elle est **partielle**, le groupe sur lequel elle porte est obligatoirement en 1re position :

Ist das aber schön! Qu'est-ce que c'est beau !
***Wie schön** ist das!* Comme c'est beau !

> Il n'est pas rare qu'un énoncé exclamatif ou interrogatif ait une deuxième illocution, c'est-à-dire exprime, par exemple, un souhait, un regret ou un ordre déguisé.
> *Möge er noch lange leben!* Qu'il vive encore longtemps !
> *Würden Sie mir bitte folgen?* Si vous voulez bien me suivre !

D **L'énoncé injonctif exprime un ordre, un conseil ou une invitation.** La forme variable du verbe est en 2e position. Si le verbe est à l'**impératif**, la 1re position est en général inoccupée. Toutefois cette 1re position peut être occupée par un adverbe qui renvoie à la situation ou organise le texte.

nun, *jetzt* : maintenant / *zuerst*, *zunächst* : d'abord / *dann* : puis, alors / *vor allem* : avant tout...

LES ÉNONCÉS VERBAUX DÉPENDANTS

Ces énoncés sont membres d'un groupe d'accueil et ont aussi le verbe en 2e position.

A Il s'agit d'énoncés en fonction d'objet, dépendant de verbes signifiant « dire, croire, penser, sentir ». Ces énoncés peuvent aussi apparaître sous la forme d'un groupe conjonctionnel avec ***dass*** (voir chapitre 12, page 135) :

Er denkt wohl, er kann/ könnte sich alles erlauben.
Il pense sans doute qu'il peut/ pourrait tout se permettre.

Seuls fonctionnent ainsi des **énoncés déclaratifs**. Ils peuvent aussi être membres d'un groupe nominal dont la base est une nominalisation d'un verbe de communication :

Die Behauptung, er hätte gelogen... L'affirmation qu'il aurait menti...

B La plupart des **énoncés hypothétiques** dont la forme est celle d'un groupe conjonctionnel avec ***wenn*** peuvent aussi apparaître sous forme d'un énoncé avec **verbe en 2e position** précédé d'une 1re position inoccupée (ø) :

Wenn ich Geld gehabt hätte, wäre ich ein paar Tage länger geblieben.
→ *Hätte ich Geld gehabt, [so] wäre ich ein paar Tage länger geblieben.*
Si j'avais eu de l'argent, je serais resté quelques jours de plus.

Certains groupes conjonctionnels avec ***ob*** (si/ que) peuvent être transformés de la même manière :

***Ob** er kommt oder nicht, mir ist das egal.*

→ *Kommt er oder kommt er nicht, mir ist das egal.*
Qu'il vienne ou non, ça m'est égal.

Et surtout :

*Es war mir, **als ob** die Nacht nicht enden wollte.*
→ *Es war mir, **als wollte** die Nacht nicht enden.*
J'avais l'impression que la nuit ne voulait pas finir.

C **Un énoncé justificatif** avec ***doch*** ou ***ja*** mérite d'être signalé ; son verbe est en 1re position et il a une construction alternative avec un groupe conjonctionnel en ***da*** (puisque/ étant donné que/ vu que) :

*Das Fernsehen war auch dabei, ist sie **doch** die Frau des Außenministers.*
*Das Fernsehen war auch dabei, **da** sie doch die Frau des Außenministers ist.*
La télévision était également présente ; cela n'a rien d'étonnant puisqu'elle est la femme du ministre des Affaires étrangères.

3 La première position occupée ou non occupée

Les énoncés actualisés de l'allemand ont le verbe en 2e position, **la 1re position est donc pertinente**.

A **La première position n'est pas occupée** en général dans :

• Un **énoncé injonctif** avec un verbe à l'impératif ou au subjonctif avec ***würde***.

Geben Sie mir doch bitte den Hammer!
Donnez-moi donc s'il vous plaît le marteau.
Würden Sie bitte das Fenster aufmachen.
Soyez assez aimable pour ouvrir la fenêtre.

• Un énoncé **interrogatif** ou **exclamatif global**.

Kommen Sie mit? Est-ce que vous nous accompagnez ?
Ist °der aber nett! Qu'il est gentil, cet homme !
Hätte ich doch nur auf ihn gehört! (regret/ souhait sans ***wenn*** !)
Si seulement je l'avais écouté !

• **Des énoncés verbaux** particuliers, membres d'un groupe **d'accueil** exprimant :

– une virtualité (sans ***ob***) :

Kommt er oder kommt er nicht, mir ist das egal.
Qu'il vienne ou ne vienne pas, ça m'est égal.

– une hypothèse (sans ***wenn***) :

Kommt er, so gehen wir ins Kino. S'il vient nous irons au cinéma.

– une justification avec ***doch/ ja*** ou ***wo... doch*** :

Lass ihn eben malen, ***wo*** *er* ***doch*** *nichs anderes kann.*
Eh bien, laisse-le peindre, puisqu'il ne sait pas faire autre chose.

B Dans les énoncés verbaux déclaratifs, **la première position est occupée** :

• Énoncés **indépendants**.

Peter ist leider nicht zu Hause. Pierre n'est malheureusement pas chez lui.

• Énoncés **dépendants** (membres d'un groupe d'accueil).

Er behauptet/ Die Behauptung, er sei gekommen.
Il affirme/ L'affirmation qu'il est venu.
Der Arzt entscheidet nach gewissenhafter Untersuchung : der Patient muss operiert werden.
Après une auscultation consciencieuse le médecin décide qu'il faut opérer le patient.
« *Das geht nicht* », *antwortete er.* « Cela ne va pas », répondit-il.

4 Les deux positions hors-construction

Par hors-construction, on entend tout ce qui peut précéder les éléments en première position (y compris Ø) donc tout ce qui peut apparaître en **avant-première position**, ainsi que tout ce qui peut suivre la dernière position ou le dernier élément du rhème, donc tout ce qui peut occuper l'**après-dernière position**.

L'AVANT-PREMIÈRE POSITION

L'avant-première position peut être occupée par des groupes ou des éléments qui peuvent avoir **trois fonctions** différentes.

A **Une fonction communicative**.

Les éléments qui expriment une prise de contact, un maintien de contact ou une rupture de contact (voir les contactifs : ***hallo***, ***du***, chapitre 22, pages 258-259) et/ou ceux qui marquent des réactions (***doch***, ***ja***, ***nein***, ***oje***, ***aber*** et autres interjections) se trouvent souvent en début d'énoncé sans faire vraiment partie de l'information de cet énoncé.

Hallo Franz*, wie geht es dir?* Allo, François, comment ça va ?
Doch*, er kommt!* Si, il viendra !

Les **termes d'adresse**, c'est-à-dire les unités employées pour appeler/ attirer l'attention des allocutés, ont aussi cette fonction contactive, par exemple ***Franz*** cité précédemment ou bien :

*Ja, **Kinder**, die Geschichte begann so:* ...
Oui, mes enfants, l'histoire commença ainsi : ...

B Une fonction d'information sur le texte.

Cette fonction est celle des **conjonctions de coordination** qui occupent précisément l'avant-première position sans être séparées par des virgules et qui fournissent des instructions très larges comme « ce n'est pas fini » (***und***), « attention, on dévie » (***aber***), « attention, on oppose » (***doch***)... (voir le chapitre 22).

***Und** der Peter, ja, Kinder, der ging wieder weinend nach Hause.*
Et Pierre, oui, mes enfants, Pierre, il retourna chez lui en pleurant.

Cette fonction d'organisation textuelle ou argumentative est aussi en règle générale celle des **adverbes connecteurs** qui, eux, sont placés le plus souvent en première position et marquent une transition **anaphorique** ou **logique** (voir le chapitre 5, pages 52-54) :

Avant-première position	1re position	2e position	
Der Peter, ja, Kinder,	*der*	*ging*	*wieder weinend nach Hause*

Pierre, oui, mes enfants, il retourna chez lui en pleurant

avant-première position	1re position	2e position
und	***deshalb***	*konnten wir auch nicht froh sein.*

et voilà pourquoi nous ne pouvions pas être heureux.

C Une fonction informative sur un contenu hors construction et mis en relief.

Une fonction informative sur un contenu hors construction et mis en relief. C'est le cas pour le membre sujet ***Der Peter*** qui passe en avant-première position et est remplacé dans le groupe verbal par le pronom anaphorique ***der*** :

***Der Peter**, °**der** ging nach Hause*. Pierre, il alla à la maison.

Cette construction de l'énoncé segmenté est caractéristique de l'expression orale.

Si l'on tient compte d'éventuelles greffes et commentaires qui peuvent encore s'ajouter en avant-première position, on peut avoir, par exemple, au début d'un énoncé verbal :

coordinateur	terme d'adresse	commentaire	extraposition avant
Allerdings,	*lieber Freund,*	*wenn ich ehrlich sein soll,*	*diesem Mann -*

dem traue ich alles zu.
groupe verbal

Certes, cher ami, s'il me faut être honnête, cet homme - je le crois capable de tout.

organisateur textuel — commentaire — terme d'adresse — groupe verbal

Nun, *wenn ich fragen darf,* *liebes Fräulein* *– wie alt sind Sie denn?*
Eh bien, si je peux me le permettre, chère mademoiselle, quel âge avez-vous ?

L'APRÈS-DERNIÈRE POSITION

L'après-dernière position peut être occupée par des groupes ou des éléments qui peuvent avoir **trois fonctions** :

A **Une fonction communicative** : elle concerne, par exemple, le maintien ou la relance du contact par un terme d'adresse et/ou un autre contactif.

Das ist eine herrliche Gegend, (groupe verbal) *nicht wahr,* (contactif de relance) *lieber Freund?* (terme d'adresse)
C'est une région superbe, n'est-ce pas, cher ami ?

Beaucoup d'unités à valeur commentative (appréciatifs, modalisateurs, rectificatifs, organisateurs textuels) sont mises en relief en après-dernière position :

*Es ist ja nichts passiert, **zum Glück**.* Ça s'est bien passé, par chance.
*Ich muss ihn sprechen**, und sei es nur eine Minute**.*
Je dois lui parler, ne fût-ce qu'une minute.
*Er war um vier im Verlag, **wie vereinbart**.*
À quatre heures, il était dans la maison d'édition, comme convenu.

B **Une fonction informative hors-construction de mise en relief**. Le(s) groupe(s)/ l'élément peut représenter :

- Le rejet d'un groupe informatif lourd et étoffé comme une **énumération** ou des **appositions**.

*Der Bezirk hat allein in diesem Semester fünfhundert Sozialwohnungen gebaut, **sechs Schulen sowie zwei Gymnasien mit Schwimmhalle**.*
Le district a au cours de ce seul semestre construit cinq cents logements sociaux, six écoles ainsi que deux lycées avec piscine couverte.
*Wir interessieren uns für Malerei, **vor allem expressionistische**.*
Nous nous intéressons à la peinture, et avant tout à la peinture expressionniste.

- Le rejet d'une unité **peu informative** (construction fréquente à l'oral pour les groupes prépositionnels par exemple).

*Ich hatte dich doch ge°warnt °**damals in °München**.*
Je t'avais bien mis en garde à ce moment-là à Munich.

*Ich gebe °nichts mehr her **für °so was**!*
Je ne donnerai plus un sou pour quelque chose comme ça !

• La position **hors-construction** d'une information dans un énoncé segmenté. L'information mise en relief vers l'arrière est ainsi remplacée dans le groupe verbal par un pronom.

*Die °spinnen, **die Römer**!* Ils sont fous, ces romains !

*Sein °Wort hat er natürlich °nicht gehalten, **der Prahlhans**.*
Sa promesse, il ne l'a évidemment pas tenue, ce vantard !

À l'oral, le français fait sans doute davantage appel à l'énoncé segmenté que l'allemand :

Maman, **elle** sait bien **les** faire, **les frites** !

C Quand il s'agit de groupes de type verbal, la raison de leur place en après-dernière position est différente. Ainsi sont rejetés en **après-dernière position** :

• Obligatoirement les groupes verbaux dépendants compléments d'un **pronom-relais**.

*Mich interessiert überhaupt nicht, **was Sie denken**.*
Ça ne m'intéresse pas du tout, ce que vous pensez.

*Weil ich leider nicht immer tun kann, **was ich will**.*
Parce que je ne peux malheureusement pas toujours faire ce que je veux.

*Freust du dich nicht [°darüber], **dass deine Eltern in °Urlaub fahren?***
Est-ce que tu ne te réjouis pas que tes parents partent en vacances ?

• Facultativement **les groupes verbaux** ou **groupes infinitifs membres d'autres groupes**.

*Er konnte das Gefühl nicht loswerden, **dass man ihm folgte**.*
Il ne pouvait se débarrasser de l'impression qu'on le suivait.

*Er hat mit seinem Freund gespielt, **der im Nachbarhaus wohnte**.*
Il a joué avec son ami, qui habitait la maison voisine.

Mais :

Er hat mit seinem Freund, der im Nachbarhaus wohnte, Tennis gespielt.
Il a joué au tennis avec son ami qui habitait la maison voisine.

• Facultativement **les expansions de termes graduatifs** avec ***wie*** ou ***als***.

*Wir werden uns **so viel** Zeit nehmen **wie** nötig.*
Nous prendrons le temps nécessaire.

*Wir werden uns **so viel** Zeit nehmen, **wie** wir brauchen.*
Nous prendrons le temps dont nous avons besoin.

26 Les temps verbaux : leurs emplois

A savoir

Temps grammatical et temps chronologique

• Le temps chronologique ou physique (*Zeit*) est le temps qui passe et qui conditionne toute expérience historique. Il est souvent représenté par un axe que l'on peut diviser en trois segments :

- l'**actuel** (l'actualité) qui est le moment où je m'exprime, le moment de l'énonciation,

- l'**avenir** (l'ultériorité) qui est le segment de temps qui est devant nous,

- le **révolu** (l'antériorité) qui est le segment de temps qui est derrière nous.

• Le temps grammatical (*tempus*) est le marquage sur la base lexicale verbale ; il se fait à l'aide des marques présentées au chapitre 7. Ces marques combinées (terminaisons, changements vocaliques, séquences discontinues) donnent les **formes verbales simples** et **composées**, appelées aussi temps verbaux.

• La distinction entre temps grammatical et temps chronologique est importante, car il n'y a pas de correspondance automatique, par exemple, entre le temps grammatical présent et le temps physique ou chronologique de l'actualité ou de l'énonciation, ni entre le temps grammatical du prétérit et le passé interprété comme antériorité ou temps révolu.

Problèmes de terminologie

Pour bien marquer la différence entre le **temps chronologique** et le **temps grammatical**, on emploie deux séries de termes différents.

• Pour les temps grammaticaux (*tempora*), on garde la terminologie traditionnelle.

• Pour le temps chronologique ou physique (*Zeit*), et surtout pour la chronologie subjective (temps psychique) telle qu'elle se reflète dans la conscience des énonciateurs et des allocutés, on parlera d'actualité, d'antériorité, distancée ou non, et d'ultériorité, distancée ou non.

Le temps et les autres catégories du groupe verbal

Dans le marquage des formes verbales, le **temps** (*tempus*) n'est qu'une des catégories du groupe verbal, les autres catégories marquées étant le **mode**, l'**aspect**, la **personne** et le **nombre** (deux catégories qui sont toujours marquées ensemble) et la structure de la **voix** (voir chapitre 28).

Les marquages de ces catégories sont faciles à repérer sur le plan de la forme (voir chapitre 7), mais ils posent des problèmes délicats du point de vue de leur **interprétation sémantique**.

• Les trois structures **active**, **passive**, **pronominale** de la **voix** sont parfois difficiles à différencier: *brennen* est formellement à l'actif, mais, suivant le sujet grammatical, le lexème verbal a un sens actif (causatif : *Die Sonne brennt*. Le soleil brûle.) ou passif (non-causatif : *Das Gas brennt*. Le gaz brûle.)
Dans *Er leidet unter der Kälte*. (Il souffre du froid.), on a les marques de l'actif, mais le sens est celui d'un sujet grammatical non causatif, c'est-à-dire d'un patient qui subit.

• Les **marques** de la **personne** et du **nombre** se confondent parfois sur le plan des êtres auxquels elles renvoient : *wir* (pluriel) peut renvoyer à un *ich* de majesté (singulier) ; *du* (employé normalement pour l'allocuté singulier) peut vouloir dire « on », c'est-à-dire n'importe quelle tierce personne :

Du arbeitest und arbeitest, und kommst doch auf keinen grünen Zweig.
On ne cesse de travailler, et pourtant on ne fait pas fortune.

• L'**aspect** sert à l'énonciateur pour exprimer, suivant les bases verbales, diverses distinctions comme :

– imperfectif (duratif, non délimité) et perfectif (ponctuel, délimité),

– accompli et non accompli,

– perspective processuelle (en cours) ↔ perspective de bilan (résultative).

Ainsi la forme du parfait dans *Jetzt hat es zu regnen aufgehört*. (Maintenant, il a cessé de pleuvoir.) exprime une perspective de bilan que l'énonciateur fait dans le présent (l'auxiliaire est au présent et on a *jetzt)* alors que dans *Gestern Abend hat es erst um 11 zu regnen aufgehört*. (Hier soir, la pluie n'a cessé qu'à 11 heures.), la perspective est processuelle, car située dans l'antériorité *gestern*.

• Les **modes**, c'est-à-dire l'indicatif, les subjonctifs I et II, expriment la position de l'énonciateur par rapport à la réalité, mais les interprétations sur le plan du sens diffèrent suivant les bases verbales. On peut distinguer ainsi selon les critères des interprétations comme :

– monde factuel (faits à l'indicatif) ↔ monde virtuel (potentialité au subjonctif I) ↔ monde simplement pensé (non réel au subjonctif II),

– information présentée comme réelle (indicatf) ↔ posée comme réalisable (subjonctif I) ↔ posée comme irréalisable ou irréalisée (subjonctif II),

– fait certain (indicatif) ↔ douteux (subjonctif I) ↔ faux (subjonctif II), et dans le discours indirect :

– information assumée (indicatif) ↔ médiatisée (subjonctif I/II dit de médiatisation) (voir chapitre 18, pages 209 et suivantes).

A savoir

1 Le sens fondamental des temps verbaux

Les formes temporelles du verbe n'ont pas de valeur chronologique immédiate. Elles ne renvoient pas à un temps physique objectif dans lequel il faudrait situer l'information de l'énoncé verbal, mais au **temps de la conscience du locuteur** qui envisage le procès, l'évènement ou l'état auquel on renvoie.

A Les formes du présent

Elles signalent la **conscience d'actualité** du locuteur, quel que soit le moment chronologique objectif (actuel, antérieur, ultérieur) où se situe l'évènement ou l'état par rapport au moment d'énonciation et quelle que soit la durée de cet évènement ou de cet état :

Da kommt er schon. Le voilà qui arrive.

Er arbeitet [jeden Vormittag] im Garten.
Il travaille (chaque matin) dans le jardin.

Die Erde dreht sich um die Sonne. La terre tourne autour du soleil.

À l'indicatif, ce signal « procès intégré dans ma conscience d'actualité » est accompagné du signal du **mode** « procès présenté comme réel ou comme allant de soi », alors qu'au subjonctif II le procès est présenté comme « contre-réel ou comme hypothèse non réalisée » et au subjonctif I comme « virtuel », voire, dans le discours indirect, comme simplement « médiatisé ».

Si l'on admet que le temps grammatical du présent date l'information (le procès, l'évènement, l'état...) dans le temps chronologique, on ne peut que distinguer des emplois parfois contradictoires des présents :

– le présent ponctuel/ momentané (*er findet* = il trouve) opposé au présent duratif (*er sucht* = il cherche),

– le présent du fait unique (*als er ankommt* = au moment d'arriver) opposé au fait répété (*jedesmal wenn er kommt* = chaque fois qu'il vient) ou au présent d'habitude (*Er kommt immer um fünf Uhr.* Il arrive toujours à cinq heures.),

– le présent de vérité générale (*Die Erde dreht sich um die Sonne.* La terre tourne autour du soleil.) opposé au présent de narration historique (*1821 stirbt Napoleon auf Sankt Helena.* En 1821 Napoléon meurt à Saint-Hélène.),

– le présent à venir (*Er kommt gleich.* Il arrivera bientôt.) et divers autres présents liés aux différents types de textes (présent scénique, journalistique, de l'acte qui se réalise au moment où l'on parle : *Ich eröffne die Sitzung.* J'ouvre la séance.).

Bref, le présent comme forme risque d'exprimer, suivant le verbe et le contexte, tous les temps chronologiques possibles, aussi bien l'actuel (délimité, non délimité, répété, généralisé) que le passé révolu (présent historique) ou que l'avenir : *Er kommt in zwei Tagen.* Il viendra dans deux jours.

B Les formes du passé ou prétérit

Elles signalent que la conscience du locuteur envisage le procès en **rupture** par rapport à sa conscience d'actualité.

• Cette rupture peut concerner la dimension temporelle : le prétérit date alors la conscience qui se situe dans le **révolu** ou dans une **antériorité distancée**. C'est l'emploi actuel le plus courant du prétérit indicatif (rendu en français par l'imparfait ou le passé simple).

• Mais la rupture ou distanciation peut aussi concerner la **réalité** de la conscience d'actualité : on a alors la forme dite du présent du subjonctif II. Le **radical du prétérit** sert donc à exprimer la rupture ou distanciation modale par rapport à la réalité : il assure ainsi le même rôle qu'en français la terminaison en « -ais, -ait, -ions, iez, -aient » dans le conditionnel :

Ein Wort mehr und er war verloren (= wäre verloren gewesen).
Un mot de plus et il était perdu.

Voir aussi l'emploi conditionnel de l'imparfait en français dans :

Si j'étais riche... *Wenn ich reich wäre...*

Au subjonctif I et II, la distanciation dans l'antériorité est marquée par les **formes composées** du **parfait**. Mais celles-ci peuvent être ambiguës du point de vue de l'aspect, ce que montrent les diverses traductions possibles :

Der Mann kam die Straße herunter.
L'homme descendit / descendait la rue.

Er erzählte, der Mann sei die Straße heruntergekommen.
Il raconta / racontait que l'homme descendait / avait descendu la rue.

Wenn sie hier die Straße heruntergekommen wären...
S'ils étaient descendus par cette rue-ci...

C L'expression de l'ultériorité

Si les présents marquent la conscience d'actualité de l'énonciateur et le prétérit sa conscience de révolu dans l'antériorité ou dans la non-actualisation, l'allemand ne dispose pas de forme verbale qui exprime sans équivoque la conscience se situant dans une **ultériorité distancée**. À ce titre, le nom de futur donné aux périphrases *werden* + infinitif est encore plus trompeur que ceux de présent ou de passé. En réalité, l'avenir et l'ultériorité ne sont en tout état de cause que « pronostiqués ».

1. Pour exprimer une conscience d'**ultériorité** prolongeant l'actualité ou **non distancée** de l'actualité, l'allemand emploie les formes du présent à valeur d'ultériorité, le plus souvent accompagnées de compléments de temps :

Er kommt heute Abend. Il vient / viendra / va venir ce soir.

Ich komme gleich / bald.
Je viens tout de suite. Je vais venir / Je viendrai bientôt.

Grüßen Sie bitte Ihre Mutter. Vous saluerez bien votre mère.

2. Pour exprimer la **prospection**, on emploie aussi fréquemment un verbe de modalité avec un groupe infinitif :

Ich will dir sagen... Je vais te dire...

Sollen wir gehen? On y va ?

3. L'auxiliaire ***werden*** à l'**indicatif présent** + **groupe infinitif** (forme dite du futur) sert à exprimer un « pronostic » plus ou moins certain, vérifiable par une conscience d'ultériorité distancée:

Er wird [sicher/ wahrscheinlich/ vielleicht] durchfallen.
Il échouera sans doute/ vraisemblablement/ peut-être.

Er wird sich noch wundern.
Il aura de quoi s'étonner. = Il ne perd rien pour attendre.

Ce *werden* est en réalité un verbe du « pronostic » pas très différent du verbe de modalisation que l'on a dans les exemples suivants :

Jetzt wird er wohl schon in Hamburg angekommen sein. (groupe infinitif accompli)
En ce moment même, il est sans doute déjà arrivé à Hambourg.

Nun wirst du aber nicht behaupten, du hättest das nicht gewusst.
Maintenant tu ne vas tout de même pas affirmer que tu n'en savais rien!

4. Au subjonctif I (discours indirect) et II (non réalité), ce « pronostic » s'exprime par la forme ***werde/ würde*** + **groupe infinitif** (simple ou composé). La forme ***würde*** + **groupe infinitif** ne diffère pas de celle que l'on trouve dans les récits distancés et qui exprime une ultériorité par rapport à un passé distancé et que le français rend par un conditionnel-temps :

Schon wusste ich, dass sie nicht mitkommen würde.
Je savais déjà qu'elle ne m'accompagnerait pas.

Les verbes de modalité peuvent rendre les mêmes services tout en ajoutant leur sens particulier :

Schon wusste ich, dass sie nicht mitkommen könnte/ wollte/ sollte.
Je savais déjà qu'elle ne pourrait/ voulait/ n'allait pas m'accompagner.

D Les parfaits

Les deux formes du présent et du prétérit se retrouvent sur l'auxiliaire *haben* ou *sein* et s'ajoutent au participe II du lexème verbal pour former les **temps du parfait** : le parfait et le plus-que-parfait.

Au subjonctif I et II, cette forme composée du parfait se réduit à une seule appelée souvent passé. On trouve aussi, rarement, des formes surcomposées du type : *ich habe/ hatte/ hätte das gemacht gehabt*. (comparer avec le français méridional : j'ai eu fait).

Sur le plan du sens, l'opposition formes simples / formes composées est souvent décrite en termes d'**aspects-phases** :

– les formes simples présenteraient le procès ou l'état en cours comme « cursif, processuel, non accompli »,

– les formes composées présenteraient le procès ou l'état comme « accompli, perspective résultative, perspective de bilan ».

En réalité, l'opposition est trop tranchée, car suivant le contexte, une même forme de parfait indicatif, par exemple, peut indiquer soit l'accompli à partir de la conscience d'actualité, soit le processuel à partir de la conscience d'antériorité :

Gestern hat er sein ganzes Geld verspielt.
Hier il a perdu/ perdait/ perdit tout son argent au jeu.

opposé à :

Jetzt hat er sein ganzes Geld verspielt.
Maintenant, il est sans le sou, car il vient de perdre tout son argent au jeu.

Gestern hat es geschneit. Heute scheint die Sonne.
Hier il neigeait. Aujourd'hui le soleil brille.

opposé également à la forme complexe marquant une rétrospective de bilan :

Jetzt hat er endlich verstanden. Maintenant, il a enfin compris.

ou à :

Morgen um drei haben wir es geschafft. Demain à trois heures, ce sera fait.

Toutes ces formes composées avec *haben/ sein* + participe II impliquent une **rétrospective** à partir d'un temps subjectif indiqué par l'auxiliaire.

E Tableau récapitulatif du sens des temps verbaux

1. Processuel	Subjonctif I	Indicatif	Subjonctif II
Actualité	*er singe/ komme* *er lerne*	*er singt/ kommt* *er lernt*	*er sänge/ käme* *er lernte* *[er würde singen/ kommen/ lernen]*
Antériorité (prétérit)		*er sang/ kam* *er lernte*	
2. Rétrospective	**Subjonctif I**	**Indicatif**	**Subjonctif II**
Actualité	*er habe gesungen/ gelernt* *er sei gekommen*	*er hat gesungen/ gelernt* *er ist gekommen*	*er hätte gesungen/ gelernt* *er wäre gekommen*
Antériorité (plus-que-parfait)		*er hatte gesungen/ gelernt* *er war gekommen*	

3. Double rétrospective (formes très rares)	Subjonctif I	Indicatif	Subjonctif II
Actualité	*er habe gesungen gehabt* *er habe gelernt gehabt* *er sei gekommen gewesen*	*er hat gesungen gehabt* *er hat gelernt gehabt* *er ist gekommen gewesen*	*er hätte gesungen gehabt* *er hätte gelernt gehabt* *er wäre gekommen gewesen*
Antériorité		*er hatte gesungen gehabt* *er hatte gelernt gehabt* *er war gekommen gewesen*	

2 Les temps verbaux en contexte

En contexte et en situation de communication, d'autres critères de fonctionnement des groupes verbaux peuvent donner lieu à des interprétations plus particulières des formes verbales. Parmi ces critères, les plus importants sont :

- le cadre de l'**énonciation**,
- l'**acte de langage**,
- le **type de texte** et/ou le **genre littéraire**.

A Le temps de l'**énonciation** : **temps absolus** et **temps relatifs**

Dans la production du langage, c'est l'**acte d'énonciation** qui constitue objectivement le présent, c'est-à-dire le moment où un « je » locuteur s'adresse à un « tu » allocuté pour lui communiquer une information. Le temps de l'énonciation est donc le présent et c'est par rapport à ce présent que l'on peut établir la valeur temporelle « réelle » des formes verbales.

Cette valeur est :

– **absolue**, dès lors qu'elle est établie en fonction du temps de l'énonciation. On parle aussi dans ce cas de présent, passé et futur :

Eben kommt er. Il est justement en train d'arriver.

Gestern war er noch in Wien. Hier encore, il était à Vienne.

[Morgen] wird er nach Heidelberg fahren. [Demain] il se rendra à Heidelberg.

– **relative**, quand elle est établie en fonction d'une autre indication temporelle. On parle dans ce cas plutôt de simultanéité, d'antériorité et/ou d'ultériorité :

*Er wollte ausgehen, **als** es klingelte.*
Il voulait sortir quand on sonna. (simultanéité)

*Gestern kam er nach Hause; **vorgestern** hatte er noch Verwandte besucht.*
Hier, il rentra à la maison; avant-hier, il avait encore rendu visite à des membres de sa famille.

Sie schrieb mir, sie würde bald in die Vereinigten Staaten fahren.
Elle m'écrivait qu'elle se rendrait bientôt aux États-Unis.

B Le temps des **actes de langage**

La valeur temporelle d'une forme verbale peut être évaluée en fonction de l'acte de parole ou de l'**acte de langage** posé grâce à l'énoncé verbal. Ainsi le présent actuel par excellence (on dit prototypique) est celui de l'acte dit **performatif** : un « je » (énonciateur) dans un « ici » (lieu) et un « maintenant » (temps) pose un acte en même temps qu'il l'énonce :

Ich taufe dich Hans. Je te baptise Jean.

Ich frage Sie, wie viel Zeugen kommen?
Je vous le demande, combien de témoins viendront?

Le changement de l'intention de parole qui justifie l'emploi d'énoncé verbal peut changer la valeur temporelle de ce dernier. Ainsi, quand un locuteur déclare, en même temps qu'il a le verre à la main - *Ich erhebe mein Glas.* Je lève mon verre - , il pose l'acte qu'il énonce par exemple à l'occasion d'un toast (acte performatif). Sinon la valeur temporelle du présent visera plutôt l'ultériorité : Je vais boire ce verre. Notons en revanche que le fait de changer de personne grammaticale fait de l'énoncé une injonction. L'énoncé *Du trinkst das Glas.* (Tu bois ce verre.) cache le plus souvent un ordre.

En combinant les intentions de paroles (on dit aussi les illocutions) et les valeurs temporelles des énoncés verbaux, on peut faire la différence entre les emplois déictiques des formes verbales dont la valeur vient du cadre étroit de l'énonciation et de l'interlocution, et leurs emplois non-déictiques, c'est-à-dire non directement dépendants de l'interaction entre communicants.

C Le temps du **type de texte**

La distinction faite de ce point de vue est celle qui oppose :

– une sphère du **discours** ou du commentaire avec un ensemble de genres textuels qui s'y rapportent,

– et une **sphère** du récit.

Le **discours** a comme centre de référence le présent actuel de l'énonciation, le **récit distancé** a comme centre de référence le prétérit distancé alors que le récit peut aussi être du moins en partie actualisé ou non distancé : le reportage ou un certain type de récit historique relève par exemple de ce récit actualisé. De même, quand on parle de présent indicatif employé pour les indications scéniques ou pour les commentaires de type journalistique ou pour les articles d'encyclopédie, c'est à ce critère textuel qu'on fait appel pour justifier l'emploi des formes verbales. Il en va de même quand il est question du prétérit dans le discours indirect libre ou en français de l'opposition entre le passé simple, justifié comme temps du récit distancé à l'écrit (le temps de la trame), et l'imparfait, temps du décor décrit.

27 Les verbes : formation et classements

À savoir

Définition du verbe

Le verbe est **une unité lexicale** qui constitue la base conjugable d'un groupe verbal. Dans cette base, on distingue ce qui relève des **éléments simples** ou **complexes du lexique** (c'est-à-dire des éléments relevant du dictionnaire) et ce qui constitue l'ensemble des **marques de catégories** (les éléments, voire les indices grammaticaux).

Ainsi dans :

*Er **kommt** morgen früh.* Il viendra demain matin.

la base du groupe verbal est constituée du lexème simple ***komm-*** et de la marque de catégorie ***-t***, indice du présent de l'indicatif actif à la 3e personne du singulier.

► Les marques du groupe verbal sont présentées au chapitre 7.

Nous nous limiterons, dans ce chapitre, à présenter les classes les plus importantes des bases lexicales verbales.

Verbes et locutions verbales

Du point de vue de la forme, on distingue :

• Les bases lexicales qui sont des **verbes simples** ou **complexes** et dont le tableau ci-dessous regroupe des exemples.

• Des **locutions verbales** qui sont polylexicales (c'est-à-dire constituées de plusieurs mots), mais qui représentent une unité du point de vue du sens (voir dans ce chapitre les locutions verbales, pages 332-333).

Le verbe comme base lexicale du groupe verbal peut être :

• simple ou complexe	écrit en un mot	*mach[-t], geh[-e], geb[-en], wand**er** [-n], läch**l**[-e], **ver**geh[-t], **ent**scheid[-et], **zer**reiß[-t],*
• dérivé avec ou sans suffixe		***er**leb[t], **be**gib[-t],**er**röt[-et], bl**ätter**[-n],protest**ier**[en], exempli**fizier**[-en]*
• une verbalisation		*frühstück[-st], beauftrag[-en], übernacht[-et]*

• constitué d'une particule accentuée : – verbe modifié – verbe amalgamé – verbe composé	suivant l'emploi : écrit en un ou plusieurs mots	***an**halt[-en] : Wir halten den Bus an.* Nous arrêtons le bus. ***ein**schlaf[-en] : Das Kind schläft nicht sofort ein.* L'enfant ne s'endort pas immédiatement. *sich **heraus**stell[-en] : Es hat sich herausgestellt, dass ...* Il est apparu que... ***an**ruf[-en] : Ruft sofort an!* Appelez tout de suite ! / ***statt**find[en]* *kennen lern[en] :* *Ich habe ihn gestern kennen gelernt.* J'ai fait sa connaissance hier.

A savoir

1 Les verbes simples et les verbalisations

A Les verbes simples sont constitués d'un **radical sans préfixe ni suffixe lexical**. La marque ***-(e)n*** avec laquelle ils sont cités habituellement dans les dictionnaires est celle de l'infinitif ou du groupe infinitif :
mach-en : faire / *geb-en :* donner / *wander-n :* faire des randonnées.

On classe les verbes simples surtout d'après :

– leur sens : verbes d'action *(tun),* d'état *(sein),* de modalité *(können...),*

– les caractéristiques de leur conjugaison : verbes faibles et forts, réguliers et irréguliers, auxiliaires...

Cependant, beaucoup de ces bases verbales peuvent être rapprochées de mots lexicaux de la même famille appartenant à d'autres classes : on peut parler, dans ce cas, de **verbalisations** qui ont toujours une **conjugaison faible**. Ainsi les adjectifs *grün* (vert) et *reif* (mûr) sont verbalisés en *grün-en* (verdir) et *reif-en* (mûrir). De même, les onomatopées *knips, tick, miau* donnent lieu aux verbes *knips-en* (photographier), *tick-en* (faire tic-tac), *miau-en* (miauler). Des noms comme *Lynch* (le premier personnage à avoir été lynché) et *Röntgen* (l'inventeur des rayons X) ont fourni le radical des bases verbales *lynch-en* (lyncher) et *röntg-en* (radiographier).

1. La plupart des verbalisations sont complexes et présentent en comparaison avec le radical lexical de départ :

• Des modifications sonores.

offen → *öffnen* : ouvert → ouvrir
Regen → *regnen* : pluie → pleuvoir.

• Et/ou des préfixes/suffixes.

ruhig → *beruhigen* : tranquille → tranquilliser
[das] Geleit → *begleiten* : l'escorte → escorter.

2. Il existe aussi des verbalisations à partir de radicaux complexes :

• Des noms **complexes**.

'frühstücken : prendre son petit-déjeuner (→ *das Frühstück*)
'langweilen : ennuyer (→ *die Langeweile*)
be'antragen : déposer un dossier/ une demande (→ *der Antrag*)
be'vollmächtigen : donner pouvoir à (→ *die Vollmacht*)
ohrfeigen : gifler (→ *die Ohrfeige*)

• Des **amalgames syntaxiques**, c'est-à-dire des structures syntaxiques condensées ou réduites.

über Nacht → *übernachten* : passer la nuit
[in der] Hand haben → *handhaben* : manipuler
auftischen → *auf den Tisch* : servir (à table).

Noter la place de la marque ***ge-*** dans les participes II de ces verbalisations complexes :

ge*frühstückt,* ***ge****handhabt,* ***ge****ohrfeigt,* mais : *auf****ge****tischt...*

B En allemand, il existe des **verbes simples dérivés historiquement d'autres verbes simples** dont ils se distinguent par le sens et la construction, mais que l'apprenant a tendance à confondre. Par exemple : *setzen* (verbe faible : asseoir) comparé avec *sitzen* (verbe fort : être assis).

Il s'agit, pour l'essentiel, de verbes **causatifs** faibles et transitifs qui amènent (= causent/ font faire) l'action/ l'état exprimé par le verbe - le plus souvent fort et intransitif - dont ils sont issus :

X erschreckt Y. X effraie Y -> *X erschrickt (a, o).* X prend peur.

X löscht das Licht. X éteint la lumière. -> *Das Licht erlischt (o, o).* La lumière s'éteint.

X führt Y. X conduit/ guide Y. → *X fährt (u, a) nach Spanien/ mit dem Auto.* X va en Espagne/ conduit la voiture.

senken ↔ sinken (a, u) :
Die Regierung ***senkt*** *die Steuern.* Le gouvernement baisse les impôts.
↔ *Die Sonne* ***sinkt*** *am Horizont.* Le soleil sombre/ baisse à l'horizon.

legen ↔ liegen (lag, gelegen) :
X ***legt*** *den Teppich auf den Boden.* X met le tapis au sol.
↔ *Der Teppich* ***liegt*** *auf dem Boden.* Le tapis est au sol.

hängen ↔ hängen (hing, gehangen – anciennement : *hangen) :*
Er hängt das Bild an ***die*** *Wand.* Il suspend le tableau au mur.
↔ *Das Bild hängt an* ***der*** *Wand.* Le tableau est au mur.

setzen ↔ sitzen (saß, gesessen) :
Er ***setzt*** *sich auf einen Stuhl.* Il s'asseoit sur une chaise.
↔ *Er* ***sitzt*** *auf einem Stuhl.* Il est assis sur une chaise.

stellen ↔ stehen (stand, gestanden) :
Sie ***stellt*** *die Gläser auf den Tisch.* Elle pose les verres sur la table.
↔ *Die Gläser* ***stehen*** *auf dem Tisch.* Les verres sont sur la table.

2 Les verbes dérivés avec suffixe

Ces bases lexicales, verbes et verbalisations, sont complexes parce qu'elles sont constituées des suffixes lexicaux ***-el-, -ig-, -sch-, -z-, -[is]ier- / -ifizier-***, combinés avec un changement sonore ou non, avec un préfixe ou non :

der Tropfen : la goutte → *tröpfeln :* goutter / *krank :* malade → *kränkeln :* être maladif / *der Herr* → *herrschen :* régner / *die Nachricht :* la nouvelle → *benachrichtigen :* informer / *du :* tu → *duzen :* tutoyer / *das Exempel :* l'exemple → *exemplifizieren :* illustrer par un exemple…

3 Les verbes dérivés avec un préfixe inséparable

Les **préfixes inséparables** (dénomination préférable à celle de préverbes inséparables ou de particules verbales inséparables, car il s'agit toujours d'éléments «fixés devant le verbe») sont **atones**, c'est-à-dire **non accentués**.

EMP-, GE-, VOLL-, HINTER-, WIDER-, WIEDER-, MISS-

Ces préfixes sont relativement **rares** :

– *emp- : empfangen* (recevoir), *empfehlen* (recommander), *empfinden* (ressentir)

– *ge- : gefallen* (plaire), *gehören* (appartenir à), *geschehen* (se produire), *gewinnen* (gagner)...

– *voll- : vollbringen, vollenden, vollführen, vollstrecken, vollziehen* (Ces cinq verbes ont tous le sens d'achever/ exécuter.)

– *hinter- :* les verbes transitifs *hintergehen* (tromper qqn), *hinterlassen* (laisser derrière soi)

– *wider-* (contre/ contraire : hostilité par rapport au complément au datif) : *Das widerspricht dem gesunden Menschenverstand.* (C'est contraire au bon sens.) ou inversion du procès *Das alles widerlegt deine These.* (Tout cela contredit ta thèse.)

– *wieder-* dans le seul verbe *wiederholen* (répéter)

– *miss-* (dé-, mé-, mal) *: missfallen* (déplaire), *misslingen* (mal réussir) qui n'est jamais séparable, même s'il peut être accentué ou être suivi, au participe II, d'un *-ge- : ˊmissverstehen* (mal comprendre), *ˊmissgestaltet* (malformé), *ˊmissgelaunt* (mal luné)...

BE-, ENT-, ER-, VER-, ZER-

Bien plus fréquents sont les préfixes non accentués ***be-, ent-, er-, ver-, zer-***. Leur fonction est de **modifier** le radical lexical ou le verbe qui est à la base du dérivé. La modification peut porter sur le plan syntaxique et/ou du sens.

A Le préfixe non accentué contribue, par exemple, à **verbaliser** (c'est-à-dire à faire passer dans la classe des verbes) un élément d'une autre classe :

gegen : contre → *be'gegnen* (+ dat.) : renconter qqn

[der] °Glückwunsch : [les] félicitations →
be'glückwünschen (+ acc.) : féliciter

[das] Gift : [le] poison → *ver'giften :* empoisonner et → *ent'giften* : désintoxiquer

frisch : frais → *er'frischen* : rafraîchir

kleiner : plus petit → *zer'kleinern* : morceler.

B Le préfixe **modifie la construction** de la base radicale si celle-ci est un verbe :

stehen : être debout (intransitif)

→ *be'stehen* (par exemple *eine Prüfung)* : réussir (un examen)

→ *be'stehen in/ aus* (+ dat.) : consister en/ constituer de

gehen → ver'gehen/ be'gehen/ ent'gehen/ er'gehen/ zer'gehen...

C Pour ce qui est du **sens**, le verbe simple de base peut être modifié de deux façons :

• Le préfixe apporte un reste de signification d'un élément ou de plusieurs éléments **historiques** aujourd'hui confondus :

– ***ent-*** marque un éloignement (*entfernen :* éloigner / *entkernen :* enlever le noyau), un surgissement (*entflammen :* enflammer) ou une entrée (*entschlafen :* s'endormir),

– ***er-*** marque le surgissement ou l'obtention d'un résultat : *er'blassen :* blêmir / *er'ringen :* conquérir,

– ***ver-*** marque une mutation, disparition ou erreur : *ver'gehen :* passer (pour le temps) /*ver'ändern :* changer /*ver'spielen :* perdre au jeu / *sich ver'laufen :* se tromper de route (à pied),

– ***zer-*** marque la division, destruction ou dispersion : *zer'teilen :* diviser *zer'fallen :* tomber en ruines...

• Le préfixe n'indique plus que le **stade** (initial, duratif, ponctuel, final, terminatif...) d'un processus général de la réalité ou de l'expérience extralinguistique. On dit que, dans ce cas, il marque l'**aspect** ou l'***Aktionsart*** du procès :

einschlafen : s'endormir / *schlafen :* dormir / *erwachen :* se réveiller / *ausschlafen :* faire la grasse matinée...

> Dans l'expression de cette fonction aspectuelle, les préfixes inséparables sont parfois concurrencés par des particules séparables. Comparer *er'wachen* (s'éveiller) plus abstrait que *'aufwachen* (se réveiller).

4 Les verbes à particule séparable

Ces bases verbales sont constituées de deux parties :

– une particule **accentuée** et **séparable** (appelée aussi **préverbe** séparable),

– le reste du radical.

Ces deux parties peuvent être écrites en un mot (***auf****stehen* : se lever) ou en plusieurs mots (***gefangen*** *nehmen* : faire prisonnier / ***Maschine*** *schreiben* : dactylographier) .

Le fonctionnement syntaxique de ces bases verbales à élément séparable est double :

• Les deux parties qui les constituent sont **côte à côte dans un ordre donné** quand le verbe ou la locution verbale est à l'infinitif, aux participes I et II ou bien base d'un groupe verbal avec forme variable du verbe en position finale.

***auf**stehen / **auf**zustehen / **auf**stehend / **auf**gestanden / Wenn er früh **auf**steht…*

• En revanche, les deux parties sont séparées et leur ordre est inversé dans les groupes verbaux qui ont la forme variable du verbe en 2e position.

*Er **steht / stand / stehe / stünde auf.***
*Ø **Stehe auf!** Ø **Steht** er **auf?***

La dénomination de particule verbale séparable, par exemple pour ***auf***, est préférable à celle de préverbe. En effet, quand la forme variable du verbe est en 2e position, la particule verbale est placée « après » le verbe. Si on retient le terme de « préverbe », il faut parler alors de **préverbe postposé**, ce qui est contradictoire.

Le tableau suivant permet de comparer à l'écrit le fonctionnement des verbes à particules séparables et celui des locutions verbales :

Verbes à particules séparables	Locutions verbales
La base verbale est écrite **à l'infinitif en un mot**.	La base verbale est écrite **à l'infinitif en plusieurs mots**.
auf**stehen* : se lever *Er sollte früh °**auf**stehen.* Il devrait se lever tôt. *Er wünscht früh °**aufzustehen. Il souhaite se lever tôt. *Er ist früh °**aufgestanden**.* Il s'est levé tôt. *Wenn er früh °**aufsteht**…,* S'il se lève tôt… mais : ***Steht / Stand** er früh °**auf**?* Se lève-t-il/ leva-t-il tôt ?	***gefangen** nehmen* : faire prisonnier *Sie sollten ihn **ge°fangen nehmen**.* Ils devraient l'arrêter. *Sie wünschen ihn ge°fangen zu nehmen.* Ils souhaitent l'arrêter. *Er ist **ge°fangen genommen** worden.* Il a été arrêté. *Wenn sie ihn **ge°fangen nehmen**…* Quand ils le feront prisonnier/ l'arrêteront… mais : *Sie **nehmen / nahmen** ihn **ge°fangen**.* Ils l'arrêtent/ l'arrêtèrent.

Les verbes à particule séparable et les locutions verbales diffèrent des verbalisations de bases lexicales complexes jamais séparables :

'frühstücken : prendre son petit déjeuner

'maßregeln : prendre des mesures disciplinaires.

Weißt du, ob man im Hotel frühstückt?

Sais-tu si on prend le petit-déjeuner à l'hôtel ?

> *Man frühstückt gewöhnlich um 8.*
> Le petit-déjeuner est habituellement à 8 heures.
> *Alle wünschten sofort zu frühstücken.*
> Tous souhaitèrent prendre le petit-déjeuner sans attendre.
> *Es wurde immer in der Küche gefrühstückt.*
> On prenait toujours le petit-déjeuner dans la cuisine.

Parmi les lexèmes verbaux, les règles de l'orthographe réformée distinguent :

A Des composés du type *maßregeln* (prendre des mesures disciplinaires) et *langweilen* (ennuyer ← *die Langeweile* : l'ennui). En réalité, il s'agit de verbalisations à partir de bases nominales complexes (comme *frühstücken*) ou de complexes verbaux qui ne sont employés qu'à l'infinitif, et/ ou aux participes I et II :

bergsteigen : faire de l'escalade / *brustschwimmen* : nager la brasse
kopfrechnen : calculer de tête / *notlanden* : faire un atterrissage forcé
sonnenbaden : prendre des bains de soleil…

Ces verbalisations restent **toujours inséparables**, même quand elles ont ***ge-*** au participe II. Elles s'écrivent donc toujours en un mot et dans le même ordre : *not**ge**landet (*verbalisation d'un complexe *[in der Not] landen)* - ***ge**frühstückt* (verbalisation d'une base lexicale ; *frühstückt*).

B Des composés séparables qui s'écrivent **en un mot** à l'infinitif, aux participes et en position finale d'un groupe verbal, mais qui sont **séparables**, c'est-à-dire subdivisibles en plusieurs mots **dans un ordre différent** quand la forme variable du verbe est en 2e position :

hin'zukommen : ajouter / *'fehlgehen* : se fourvoyer / *be'reithalten* : tenir prêt
'wundernehmen : étonner.

Le critère décisif pour l'orthographe inséparable est que le premier terme n'ait pas en tant que tel d'existence autonome dans la langue. Par exemple :

'abändern : changer / *'kundgeben* : annoncer.

D'autre part, ce premier terme n'est plus apte à recevoir des expansions, c'est-à-dire qu'il ne peut plus constituer la base d'un groupe, comme par exemple dans :

'fernsehen : regarder la télévision / *'schwarzarbeiten* : travailler au noir
'gutschreiben : mettre au crédit de.

Avec un membre du groupe adjectival, il est incorrect de dire *sehr fernsehen*, *sehr schwarzarbeiten* ; quant à *sehr gut schreiben*, l'expression existe, mais elle veut dire « écrire très bien », et non pas « mettre au crédit de ».

Parmi ces formations inséparables à l'infinitif, on trouve aussi comme constituants quelques **noms figés** qui ne peuvent plus être base de groupe :

heim- → *'heimkehren* : rentrer à la maison / *irre-* → *'irreführen* : égarer
preis- → *'preisgeben* : abandonner / *stand-* → *'standhalten* : résister
teil- → *'teilnehmen* : prendre part / *wett-* → *'wettmachen* : compenser qqch.
wunder- → *'wundernehmen* : étonner.

C L'orthographe traditionnelle écrit en un mot, à l'infinitif, de très nombreux composés séparables. Elle considère en effet que **ces expressions constituent une unité sémantique**. Telle n'est plus la conception de l'orthographe réformée qui voit dans ces expressions des **groupes de mots séparés**. Par exemple :

– *bei°seite legen* : mettre de côté / *°überhand nehmen* : prendre le dessus *zu°nichte machen* : réduire à néant / *anein°ander denken* : penser l'un à l'autre / *ausein°ander laufen* : se séparer / *°auswendig lernen* : apprendre par coeur / *°frei sprechen* : improviser (un discours),

– les expressions constituées d'un adjectif en ***-ig, -isch, -lich*** et d'une base verbale :

°übrig bleiben : rester après soustraction / *°lästig fallen* : agacer,

– les groupes nom + verbe *°Auto/ °Rad fahren* (faire de la voiture/ du vélo), participe + verbe (*ver°loren gehen* : se perdre), infinitif + verbe (*°kennen lernen* : faire connaissance, *°sitzen bleiben* : rester assis/ redoubler une classe).

Ces changements dans les règles orthographiques ont réduit, en allemand, le nombre d'éléments classés parmi les particules séparables accentuées.

5 Les principales particules séparables

Quand une particule est combinée avec un autre élément, l'accent est sur le second terme :

he'rab, he'ran, hi'nauf, hin'unter, vo'raus, vor'bei, zu'vor, um'her...

Du point de vue de leur fonction, les particules accentuées modifient rarement la classe de l'élément radical comme par exemple ***an*** dans ***'anfertigen*** (confectionner), qui permet de verbaliser l'adjectif ***fertig*** (= *bereit*).

En revanche, leur rôle de modificateur de construction et/ ou de sens est très important. On ne retient ici que les plus importantes avec leurs significations principales concrète (spatiale, temporelle) ou abstraite (figurée, notionnelle, aspectuelle).

A ***Her-*** ↔ ***hin-*** précisent dans l'espace l'orientation du procès exprimé par le verbe.

• ***Her-*** marque la direction vers un point de repère qui coïncide avec la position de l'observateur qui parle ou dont on parle.

• ***Hin-*** marque l'orientation (et pas seulement un éloignement) vers un autre repère.

Komm her! Viens ici ! *Leg das Paket hierher/ hierhin!* Pose le paquet ici !
Geh hin! Vas-y !

• Combinées avec un deuxième élément, ***her-/hin-*** fournissent un **paramètre spatial** que le français traduit le plus souvent sans préciser le point de vue de l'observateur : monter, entrer, sortir. Mais l'ensemble peut aussi avoir un sens figuré (voir par exemple *her'zu/ hin'zu/ da'zu-kommen* : s'ajouter).

hinauf-/ herauf- : montée ↔	***hinunter-/ herunter-*** : descente ***hinab-/ herab-*** : descente, et pour ***herab-*** : diminution, abaissement
hinein-/ herein- : entrée ↔	***hinaus-/ heraus-*** : sortie, et pour ***heraus-/ raus-*** : simple origine : *Sie kam aus dem Wald heraus.* Elle sortit de la forêt. *Wie kommt man hier raus?* Comment peut-on sortir d'ici ?
hinan- (rare) / ***heran-*** : contact, et pour ***heran-*** : rapprochement ***herbei-*** : rapprochement ***hinzu-, herzu-*** ou ***dazu-*** : adjonction, accroissement ***umher-*** : parcours sans ordre dans un espace	***hinüber-/ herüber-/ hinweg-*** : franchissement d'une limite ***hindurch-/ herdurch-*** : franchissement par l'intérieur ***hervor-*** : apparition, surgissement ***herum-*** : en cercle, en rond, contournement

B ***Da-*** est l'élément qui, par excellence, met un contenu dans un contexte « sous les yeux des participants ». Il figure dans nombre de particules verbales accentuées :

***da**sein, -bleiben, -sitzen, -stehen* : être/ rester/ être assis/ être debout là ***dafür**sein, -halten* : être/ tenir pour	***dar**bieten, -bringen, -legen, -stellen, -tun* : présenter/ offrir/ décrire

***daher**gehen, -kommen, -eilen, -rühren* : s'en aller/ « s'en venir »/ se déplacer en hâte/ venir de ***dahin**gehen, -eilen, -gehören, -sterben* : y aller/ s'y rendre à la hâte/ être à sa place/ « se mourir » ***d(a)ran**gehen, -bleiben, -kommen* : s'y mettre/ ne pas zapper (à la télévision)/ y arriver *sich **d(a)ran**machen* : se mettre à ***da(r)nieder**liegen* : déposer ***davon**bleiben, -kommen, -laufen, -tragen* : ne pas y toucher/ ne pas pouvoir se séparer de/ s'en aller au pas de course/ emporter ***dazu**geben, -gehören, -schreiben, -tun* : y joindre/ faire partie de/ y ajouter (par écrit) ***drauf**gehen* : s'y précipiter ***drin**bleiben* : rester dedans	***dabei**sein, -bleiben* : être en train de/ en rester là ***dagegen**halten* : opposer/ objecter ***daneben**hauen* : taper à côté ***darauf**zählen, -halten, -geben, -folgen, -schlagen* : compter sur/ tenir à/ miser sur/ suivre/ taper ***darum**bringen, -legen* : enlever/ mettre autour ***dawider**halten* : objecter ***dazwischen**kommen, -rufen, -treten* : intervenir/ interpeller/ s'interposer ***drauflos**gehen, -hauen, -reden* : se précipiter/ se lancer/ frapper tant qu'on peut/ parler sans s'arrêter ***d(a)rein**geben, -mischen, -reden, -willigen* : y ajouter/ mélanger/ interrompre (parole)/ donner son accord (acquiescer)

C Les autres particules simples, parfois combinables, ont des sens multiples qui peuvent aussi s'exprimer par des préfixes inséparables ou des particules séparables concurrents. Le plus souvent, elles fournissent des **paramètres spatiaux sans point de vue de l'observateur**. Dans un contexte non spatial, elles ont un **sens figuré** ou **aspectuel** (renvoyant à un stade du procès ou processus).

ZU- ↔ BEI-

Zu- est le simple directif et s'oppose au simple locatif ***bei***.

• Le directif ***zu-*** marque l'orientation vers un repère non nommé ou fourni au datif ou par un groupe prépositionnel ***auf*** (+ acc.).

Greifen Sie zu! Allez-y, servez-vous !

Sie sieht ihm zu. Elle le regarde faire.

Das Kind lief auf die Mutter zu. L'enfant courut vers sa mère.

Zu- a une valeur métaphorique (figurée) dans le sens de la fermeture :

die Tür zumachen ↔ aufmachen : ouvrir ↔ fermer la porte,

et dans le sens augmentatif :

zunehmen ↔ abnehmen : grossir/ augmenter ↔ maigrir/ diminuer.

• ***Bei-*** exprime la coprésence, l'adjonction et, au figuré, l'assistance par rapport à un repère souvent nommé au datif.

[Dem Brief] Beiliegend, die Fahrkarte! Ci-joint, le billet !

Sie sind der Partei beigetreten. Ils ont pris la carte du parti.

Viele Freunde standen ihr bei. Beaucoup d'amis l'assistèrent.

AN- ↔ AB-

Directif avec **contact** du repère, ***an-*** s'oppose à ***ab-*** (***weg-, los-, fort-***) pour la séparation plus ou moins brusque et l'éloignement (plus ou moins prolongé : ***fort-, weiter-***) du repère :

ankommen : arriver ↔ *abfahren* : partir

anschauen : regarder ↔ *abschauen* : copier

wegfahren/ losfahren : partir / *fortfahren* : partir ou continuer *(weiterfahren).*

• ***An-*** est métaphorisé dans le sens du stade initial.

das Feuer anmachen ↔ *ausmachen* : allumer ↔ éteindre le feu.

• ***Ab-*** l'est dans le sens de la diminution, réduction, disparition.

absteigen : descendre /*abnehmen* : maigrir / *abtragen* : user / *abschaffen* : supprimer.

AUF-

• Suivant le contexte spatial, ***auf-***, expression du simple directif, indique la montée.

*Die Sonne geht **auf**.* Le soleil se lève.

*Der Sturm weht den Sand **auf/ hoch**.* La tempête soulève le sable.

ou la descente :

*Die Sonne geht **unter**.* Le soleil se couche.

*Setzen Sie den Hut **auf**!* ↔ *Nehmen Sie den Hut **ab**.*
Mettez votre chapeau. ↔ Enlevez votre chapeau.

***auf-** und **ab**gehen* : monter et descendre/ faire les cents pas

*Er schlägt ihn **nieder**.* Il l'abat.

*Das Löschblatt saugt die Tinte **auf/ ein**.* Le buvard aspire l'encre.

*Hänge deinen Mantel **auf** [den Ständer].* Suspends ton manteau.

*Sie ist mit dem Kopf hart **auf** [den Boden] gefallen.*
Elle est tombée lourdement./ Sa tête a durement heurté le sol.

• Dans un sens métaphorique, ***auf-*** peut marquer :

– l'ouverture : ***auf-*** ↔ ***zu-*** :

aufmachen : ouvrir ↔ *zumachen* : fermer,

– le début d'un processus :

aufblühen : éclore, fleurir / *aufregen* : énerver / *aufleuchten* : éclairer,

– le stade terminal d'un procès :

aufhören : arrêter / *aufgeben* : abandonner / *aufessen* : manger tout jusqu'au bout,

– d'autres nuances :

Er fällt ja immer auf! Il faut toujours qu'il se fasse remarquer !

Er passt ja nie auf! Il ne fait jamais attention !

LES PARTICULES DE L'ESPACE ORIENTÉ

Dans un espace orienté, les particules suivantes sont directives. Elles ont souvent un sens figuré ou métaphorique :

• ***Auf- / empor-*** (direction de bas en haut, y compris pour la promotion sociale : *sich emporarbeiten*) ↔ ***nieder-*** (direction de haut en bas, y compris pour la régression sociale), ***unter- / ab-*** (descente).

• ***Ein-*** (entrée, incorporation et début d'un procès) qui s'oppose à ***aus-*** marque de l'origine, de la sortie, du procès mené jusqu'au bout, voire de la disparition :

eintreten ↔ *austreten* : entrer ↔ sortir

ein- und ausatmen : inspirer et expirer.

• ***Vor[an/ auf]-*** ↔ ***zurück-*** expriment l'avant et l'arrière. Elles sont souvent employées comme métaphores et ont alors le sens de la mise en évidence (présentation publique : *vorstellen* / *vortragen* : présenter / *vorlesen* : lire en public) ou du retrait, de la diminution.

Das Wasser geht zurück. L'eau se retire.

LES PARTICULES D'UN MONDE À « DEUX PARTICIPANTS »

Dans un monde qui présuppose au moins deux repères ou deux participants, on retient surtout :

• L'expression de la structure du « devant » par rapport à un « suivant » : ***vor*** ↔ ***nach*** :

vorgehen : précéder / *vormachen* : montrer ↔ *nachgehen* : suivre / *nachmachen* : imiter.

• La situation du « précédant » par rapport à celui qui est « en tête » : ***vo'raus-*** ↔ ***vo'ran-.***

vorausschicken **:** expédier à l'avance / *vorangehen* **:** marcher en tête.

• Le « passage devant » (« auprès de ») marqué par ***an* + dat. *vorbei-*** / ***vorüber-*** (également dans le domaine temporel) et le « longement » à l'intérieur comme à l'extérieur :

die Straße [acc.] *entlanggehen* : longer/ suivre la rue / *am Gebäude entlanggehen* : longer l'immeuble.

• La rencontre (*ihm* ***entgegen****kommen* : aller au-devant de lui), la prévenance (*ihm* ***zuvor****kommen* : prévenir ses désirs), la prédiction (*etwas* ***vo'raus****sagen*), l'association ***zusammen-*** et l'accompagnement ***mit-*** (*mitfahren* : accompagner / *mit einbeziehen* : inclure / *mit einstimmen* : entonner en commun).

Souvent les énoncés qui comprennent un verbe à particule séparable expriment une **structure résultative**. La particule indique le résultat et le radical verbal le moyen ou la manière par lesquels ce résultat est atteint :

Er macht die Tür zu. Il ferme la porte. (→ *Am Ende ist die Tür zu*.)
Sie fährt den Wagen [in die Garage] hinein.
Elle rentre la voiture au garage. (→ *Am Ende ist der Wagen in der Garage*.)

Dans ce cas, le français opère souvent un chassé-croisé : le résultat passe au premier plan (il est rendu le plus souvent par le verbe) et le moyen passe au second rang :

Mit Aspirin plus C trinken sie ihre Schmerzen weg.
En buvant l'aspirine contenant de la vitamine C, vous supprimez vos douleurs.
Er hat alle seine Freunde zusammengetrommelt.
Il a rameuté tous ses amis.
Der Polizist winkte mich durch. Le policier me fit signe de passer.
Er hat sich heiser geschrien. Il s'est enroué à force de crier (locution : *sich heiser schreien*).

6 *Durch-, um-, über-, unter-* : inséparable ou séparable ?

Ces quatre éléments peuvent être soit préfixe inséparable, soit particule séparable.

DURCH

A ***Durch-*** est **non accentué et inséparable** quand **l'intérieur du repère** (spatial, temporel, notionnel) est concerné par l'action ou l'état décrit par le verbe.

Wir durchwanderten die Gegend.
Nous avons fait des randonnées dans la région.

Meine Schuhe sind durchlöchert.
Mes chaussures sont trouées/ pleines de trous.

Er hat alle Abteilungen des Betriebs durchlaufen.
Il a parcouru tous les services de l'entreprise.

B ***Durch-* directif** est **accentué** et **séparable** dès lors qu'est envisagé le **franchissement** d'**une** ou **des limites** du **repère** ou un **procès mené jusqu'au bout**.

Wir sind bis nach Rom durchgefahren.
Nous sommes allés à Rome sans nous arrêter.

Sie haben Tag und Nacht durchgearbeitet.
Ils ont travaillé sans arrêt jour et nuit.

Ich komme nicht durch.
Je n'arrive pas à passer (au téléphone, à l'examen, devant un obstacle).

Er wird sich schon durch [das Leben] [durch] schlagen.
Il finira par se débrouiller/ par survivre.

UM

A ***Um-*** est le plus souvent **séparable**. En tant que membre **accentué** déterminant le verbe, il peut être :

- Une réduction d'un groupe prépositionnel.

Er ist um[s Leben] gekommen. Il s'est tué accidentellement.

- Un membre adverbial à valeur directionnelle souvent centrifuge (vers un ou tout côté).

Er sah sich um. Il regarda autour de lui.

Wir wurden umgeleitet. Nous fûmes déviés.

Wirf mich nicht um! Ne me fais pas tomber !

• Un membre adverbial aspectuel marquant une transformation.

Das musst du umbauen. Il faudra transformer/ changer le bâtiment.

Das A wird umgelautet. Le A est infléchi.

B ***Um-* non accentué** et **inséparable** est le préfixe de verbes **transitifs** présentant l'idée d'**entourer**, de **cerner** ou de **contourner**.

Umschriebener Schmerz ist halb überwunden.
Une douleur circonscrite est à demi vaincue.

Er umging die Frage. Il éluda la question.

ÜBER ET *UNTER*

A ***Über-*** et ***unter-*** sont le plus souvent **non accentués** et **inséparables** avec divers sens non spatiaux (figurés, métaphoriques) :

übertreiben : exagérer / *überfordern* : trop exiger / *übersetzen* : traduire
überholen : dépasser / *überzeugen* : convaincre / *unterlassen* : ne pas poursuivre, omettre
unternehmen : entreprendre / *unterhalten* : entretenir / *unterstreichen* : souligner.

B Membres accentués, ***über*** et ***unter*** sont **séparables** quand il s'agit de :

• Groupes prépositionnels réduits.

'unter [Dach] stellen : mettre à l'abri / *über [den Rand] fließen* : déborder

• Membres adverbiaux directifs en contexte spatial.

Die Sonne geht [am Horizont] unter. Le soleil se couche [à l'horizon].

Lauf [zu den Nachbarn] hinüber. Cours chez les voisins.

Er kippt über. Il tombe en avant.

• Membres adverbiaux aspectuels.

auf ein anderes Thema °übergehen : passer à un autre sujet

'unterordnen : subordonner.

Comme *miss-*, *über-* et *unter-* peuvent être accentués devant un autre préfixe atone sans pour autant être séparables. Cela concerne surtout les participes II :

'überernährt : suralimenté / *'unterernährt* : sous-alimenté

'überbesteuert : surimposé / *'unterbeschäftigt* : sous-employé.

7 Les locutions verbales

Les énoncés allemands ont souvent comme **noyau sémantique une locution verbale**, c'est-à-dire une structure polylexicale (en plusieurs mots lexicaux). Celle-ci est formée d'une **base verbale** simple ou complexe et d'au moins **un autre groupe membre**. Ces locutions écrites en plusieurs mots peuvent être plus ou moins figées et s'opposent ainsi aux unions de discours. On peut distinguer plusieurs types de locutions verbales.

A Les expressions dont le verbe a un sens réduit et combiné à un **membre nominal** ou à un **groupe prépositionnel** plus ou moins figé dans sa forme. Ces locutions sont fréquentes dans les langues de spécialité. C'est l'élément nominal, souvent un dérivé de verbe, qui apporte le sens principal à l'ensemble de la locution. Celle-ci, dans son ensemble, pallie l'inexistence d'un verbe ou précise, par rapport au verbe existant, une perspective proche de la voix ou de l'aspect.

Ainsi *sich in Gefahr begeben* (s'exposer à un danger) est dynamique et actif alors que *sich in Gefahr befinden* (être en danger) est statique ; *in Brand stecken* (mettre le feu) est causatif, *in Brand geraten* (prendre feu) marque le stade initial non causatif ; *in Brand stehen / sein* (être en feu) ou tout simplement *brennen* (brûler) sont duratifs ; *einen Auftrag bekommen / erhalten* (recevoir une mission) n'est évidemment pas la même chose que *einen Auftrag geben / erteilen* (donner une mission). En français, « prendre peur », « avoir peur » et « faire peur » n'expriment pas le même stade du processus.

B Les **verbes d'attribution** avec les groupes adjectivaux ou nominaux en fonction d'**attributs** du sujet et de l'objet constituent aussi des locutions. Dans ce cas, c'est le verbe d'attribution qui est la base syntaxique, mais pas le noyau sémantique :

Es wird dunkel. Il se fait sombre.

Er findet das Lied schön. Il trouve la chanson belle.

Es ist aber auch gar nicht so übel. Ce n'est pas si mal que cela.

Sie heißt Anna und ist Krankenschwester.
Elle s'appelle Anna et elle est infirmière.

C **L'expression polylexicale idiomatique** est une locution le plus souvent entièrement figée, figurée et non motivée, c'est-à-dire plus ou moins opaque. Par exemple en français, « prendre la mouche », « prendre une (belle) veste », « tirer le diable par la queue ». Le figement de l'expression idiomatique est une caractéristique essentielle ; elle est liée au sens. Ainsi en français, les locutions verbales « prendre pied » et « prendre son pied » ont des sens très éloignés loin de l'autre. Toutefois, si on fait abstraction du phénomène des amalgames, ces expressions idiomatiques sont, du point de vue de la syntaxe, correctement formées et parfaitement analysables. Simplement, leur sens, comme celui des proverbes, n'est, le plus souvent, compréhensible que sur fond de pratique sociale ou de savoir socio-culturel :

jm ins Wort fallen : couper la parole à quelqu'un / *Hand und Fuß haben* : se tenir, avoir queue et tête / *einen Korb geben / bekommen* : refuser / être refusé en mariage / *etwas an die große Glocke hängen* : crier qqch. sur les toits...

8 Les verbes auxiliaires et semi-auxiliaires

À la limite des unions de discours et des locutions verbales qui relèvent du « préfabriqué », l'allemand dispose, comme le français, de toute une série de verbes qui, s'alliant à un groupe infinitif complément, entrent dans un rôle d'**auxiliaire** ou de **semi-auxiliaire**. Ces bases **verbales auxiliaires** permettent d'exprimer divers aspects d'un procès ou d'un processus. Il faut alors bien distinguer la base verbale autonome, la base **lexicale** et l'**auxiliaire** qui n'est plus tout à fait autonome. Ainsi ***sein*** peut être le verbe d'existence, ***werden*** le verbe du devenir, ***haben*** le verbe de possession, ***bekommen*** le verbe de la réception. Mais ***sein*** et ***haben*** peuvent être aussi auxiliaires des formes du parfait, ***werden*** et ***bekommen*** auxiliaires des formes du passif.

Ce genre de structure constituée d'un auxiliaire se rencontre surtout en corrélation avec un groupe infinitif complément avec ou sans ***zu*** (voir le chapitre 17, pages 193 et suivantes) ; il pose alors notamment le problème du sens apporté par les **verbes de modalité**, quand ils sont construits avec un groupe infinitif.

LES VERBES DE L'ASPECT (*AKTIONSART*)

• À côté des auxiliaires proprement dits des formes verbales composées et grammaticalisées (c'est-à-dire ***werden*** pour le futur et le passif, ***bekommen*** et ***sein*** pour le passif, ***haben*** et ***sein*** pour les formes du parfait), un certain nombre de bases verbales expriment un stade du procès et donc un aspect - ***Aktionsart***.

Ainsi, par exemple :

– le stade qui précède le procès est exprimé par ***gehen*** dans :

*schlafen/ einkaufen/ spazieren **gehen** :*
aller (s'apprêter à) dormir/ faire ses courses/ se promener

– le stade **initial** est exprimé par diverses bases verbales dans :

*kennen **lernen*** : faire connaissance / *zu essen **beginnen*** : se mettre à manger / *auf das Thema zu sprechen **kommen*** : en arriver à parler du sujet

– le stade **final** est exprimé dans :

*zu essen **aufhören*** : cesser de manger

– la **causativité** (= faire faire) dans :

*zu verstehen **geben*** : faire compendre / *glauben **machen*** : faire croire
*kommen **lassen*** : faire venir

– la **répétition** et l'**habitude** dans :

*Sie **[be]liebt/ pflegt** es zu tun.* Elle le fait habituellement (et volontiers)...

• D'autres bases verbales expriment des nuances proches d'une **modalité** (c'est-à-dire d'une situation dans laquelle se trouve le sujet grammatical). Ainsi :

Er lässt sich die Haare schneiden. Il se fait couper les cheveux. (*Er will/ lässt zu, dass man ihm die Haare schneidet.* = Il veut/ permet...)

Er vermag das zu tun. Il est capable de faire/ réussir cela.

Er versteht sich / weiß sich zu benehmen. Il sait se tenir.

Die Brücke droht einzustürzen. Le pont risque de s'écrouler.

Das verspricht schön zu werden. Cela promet d'être beau.

Er gedachte / suchte abzufahren. (= Er wollte...). Il pensait/ cherchait à partir.

Das ist zu tun, das habe ich zu tun, das bleibt zu tun. C'est à faire, c'est ce que j'ai à faire, c'est ce qu'il reste à faire.

LES VERBES MODAUX

• Les plus fréquents sont ***können, dürfen, müssen, sollen, wollen, mögen*** (surtout sous la forme de ***möchte***). On peut les regrouper deux par deux et décrire grossièrement leur sens en disant que trois d'entre eux expriment sans restriction la modalité fondamentale de :

– la **possibilité** et de l'**impossibilité** : *können / nicht können,*

– l'**obligation** et la **non-obligation** : *müssen / nicht müssen / nicht brauchen,*

– la **volonté** et la **non-volonté** : *wollen / nicht wollen.*

Dans les mêmes modalités de base, les trois autres verbes de modalité couvrent un domaine plus restreint :

– la possibilité référée à une tierce instance (pouvoir humain, risque, autorisation…) : *dürfen / nicht dürfen,*

– l'obligation référée à une tierce instance (devoir imposé par la société, le destin, l'histoire, le cours des choses…) : *sollen / nicht sollen,*

– la volonté dans la mesure où, tenant compte d'une tierce instance, elle adoucit son expression (règles sociales) : *ich möchte* (je voudrais) plutôt que *ich will* (je veux) :

Ich mag keine Suppe (leiden).
Je ne peux pas supporter la soupe. = Je n'aime pas la soupe.

Ce sens fondamental étant dégagé, les verbes modaux ont des emplois différents selon la **source de la modalité**.

• **La modalité concerne le sujet grammatical** dont l'énonciateur dit qu'il est dans une situation de possibilité, obligation ou volonté référée ou non à une tierce instance. On parle dans ce cas de **verbe(s) de modalité(s)**.

Peter ***kann*** *schwimmen.* Pierre sait / peut nager.

Du ***brauchst*** *dich* ***nicht*** *zu entschuldigen, weil du kein Bier trinken* ***willst/ möchtest/ magst.***
Tu n'as pas besoin de t'excuser parce que tu ne veux pas/ tu n'as pas envie de boire de la bière.

Das Kleid ***darf nicht*** *über 60 Grad gewaschen werden.*
Cette robe ne doit pas être lavée à plus de 60 degrés. (sous peine de risques)

Du ***soll[te]st*** *nicht rauchen.*
Tu ne dois / devrais pas fumer. (forte recommandation)

• La modalité émane directement, comme une sorte de pronostic ou de jugement de vérité, de l'**énonciateur sur l'information qu'il transmet** : on a dans ce cas un **verbe de modalisation**, c'est-à-dire l'expression subjective d'une plus ou moins grande nécessité, vraisemblance ou possibilité logique, et donc l'expression d'une plus ou moins grande certitude, voire assurance. Dans ce cas, le verbe de modalisation ne fonctionne, en règle générale, qu'aux **temps simples** :

Il a pu se cacher.

Si l'on interprète « pouvoir » comme verbe de **modalité**, on traduira par :

Er ***hat*** *sich verstecken* ***können****. / Er* ***konnte*** *sich verstecken.*
Il a eu la possibilité de se cacher.

S'il faut l'interpréter comme verbe de **modalisation**, on traduira par :

Er kann sich versteckt haben.
Il s'est peut-être caché. / Il est possible qu'il se soit caché.

On notera que le verbe de modalisation nécessite la présence d'un groupe infinitif qui représente l'expression de l'information virtuelle attribuée au sujet grammatical :

*Er **muss** zu Hause sein.* (degré de **certitude** : je déduis de certaines données qu'il est très vraisemblablement à la maison.)

*Er **dürfte/ könnte** zu Hause sein.* (degré de **vraisemblance** : des indices m'autorisent/ rendent possible/ vraisemblable ma déduction qu'il est à la maison.)

*Er **kann** zu Hause sein.* Il est possible qu'il soit à la maison.

*Er **mag** zu Hause sein.*
Il n'est pas impossible / Je veux bien admettre qu'il soit à la maison.

*Er **wird** zu Hause sein.*
Il doit être à la maison. (au sens de « j'émets le pronostic… »

• Certains verbes modaux servent aussi à l'énonciateur pour exprimer d'autres **types d'appréciation**.

Ainsi ***sollen*** et ***wollen*** (comme l'anglais *shall* et *will*) servent à exprimer une **prospection de l'avenir** :

Sollen/ Wollen wir gehen? On y va ?

Wir wollten ausgehen als es klingelte. Nous allions sortir quand on sonna.

Er sollte nach zwei Jahren wieder zurück sein.
Il était prévu (et cela s'est réalisé) qu'il soit de retour après deux ans.

Cette prospection de type temporel doit être distinguée de celle qui signale par ***sollen*** et ***wollen*** une information rapportée :

Er will nichts davon gewusst haben. Il prétend n'en avoir rien su.

Die Frau wollte von vielen Einwohnern gesehen worden sein.
Beaucoup d'habitants prétendaient avoir vu cette femme.

Er soll sehr reich sein.
Le bruit court qu'il est très riche./ Il serait très riche, dit-on/ paraît-il/ semble-t-il.

1. Tous les emplois des verbes modaux, qu'ils soient de modalité, de modalisation ou signal d'information rapportée permettent une **prise de position** sur la relation entre le prédicat (qui apparaît sous forme de groupe infinitif) et le sujet grammatical. Celui-ci peut être placé par rapport au procès dans une situation objective, ou faire l'objet d'une prospection ou d'une autre appréciation, voire d'un autre type de jugement comme la négation. Dans ce dernier cas, *nicht*, même quand il porte sur le verbe de modalité, est inséré dans le groupe infinitif :

Das kann man ***nicht*** *verhüten.* Cela, on ne peut pas l'éviter.
Du sollst beim Arbeiten ***nicht*** *so viel rauchen.*
Tu ne devrais pas fumer autant quand tu travailles.

2. En français, on emploie très fréquemment les locutions indéterminées « il faut que, il se peut que, il est impossible que, on peut supposer que... » À ces paraphrases, l'allemand préfère **l'intervention plus directe** sur la relation sujet/ prédicat, sous la forme d'un verbe modal plutôt que d'un adverbe modalisateur :

Il faut que je parte. *Ich* ***muss*** *jetzt weg.*
Il doit [déjà] être à la maison. *Jetzt* ***muss*** *er [schon] zu Hause sein.*

Attention de ne pas traduire systématiquement les verbes modaux allemands par « pouvoir », « devoir » et « vouloir » :
Soll *ich das Buch kaufen?* Veux-tu que j'achète ce livre ?

plutôt que :

Dois-je acheter ce livre ?

28 Les voix active et passive

A savoir

Les voix

Les voix sont des formes et des structures verbales qui permettent de présenter les relations entre le sujet et l'éventuel objet sous des angles différents en fonction des nécessités de la communication et du contexte. Ainsi on distingue :

• La voix **pronominale**. Elle comprend obligatoirement un pronom réfléchi et présuppose que le sujet et l'objet grammatical renvoient à la même réalité.

Er schämt sich. (verbe toujours pronominal) Il a honte.

Er wäscht sich mit warmem Wasser. (verbe réfléchi : un autre objet est possible) Il se lave à l'eau chaude.

Die Tür öffnet sich. (verbe réfléchi occasionnel) La porte s'ouvre.

• La voix **impersonnelle**. Elle présente le sujet de façon indéterminée sous la forme d'un ***es*** impersonnel.

Es regnet. Il pleut.

Es gießt in Strömen. Il pleut à torrents.

Es klopft. On frappe à la porte.

• La voix **active**. Le sujet grammatical, à propos duquel on donne une information, est en même temps présenté comme **agent**, c'est-à-dire comme l'être à l'origine du procès.

Klaus schreibt den Brief. Klaus écrit la lettre.

• La voix **passive**. Dans l'exemple suivant, le sujet grammatical n'est pas l'agent à l'origine du procès, mais ***der Brief*** (la lettre écrite). Toutefois, celui qui écrit, en l'occurrence ***Klaus***, peut, mais ce n'est pas obligatoire, être mentionné dans l'énoncé verbal comme complément d'agent.

Der Brief wird [von Klaus] geschrieben. La lettre est en cours de rédaction.

C'est Klaus qui écrit (ou écrira) la lettre.

La voix passive

Dans ce chapitre, il ne sera question que du passif allemand. D'un emploi plus fréquent que le passif français, il permet surtout de ne pas exprimer l'agent logique d'une action et évite de fournir des éléments d'information jugés inutiles que l'on préfère taire, ou tout simplement inconnus.

Er wird nächstes Jahr befördert. Il sera promu l'an prochain (par les services compétents).

Der Verkehr ist umgeleitet worden. La circulation a été déviée (peu importe par qui : ce qui compte, c'est le fait, l'action elle-même).

La double condition du passif

Le terme de **voix** désignait autrefois le genre du verbe. Il pourrait être remplacé aujourd'hui par celui de **voie**, car, quand l'énonciateur a le choix, il emprunte des chemins différents pour exprimer des points de vue différents sur une action.
Ce chemin, cependant, passe nécessairement par des **formes verbales**. Pour qu'il y ait passif, il faut que soient remplies deux conditions :

• Le groupe verbal doit être constitué au minimum de la forme composée ***werden/ sein*** **+ participe II**.

L'énoncé verbal : *Die Tür öffnet sich leicht*. (La porte s'ouvre facilement.) ne contient pas de passif, même si on peut paraphraser son sens par : *Die Tür kann leicht geöffnet werden*. (La porte peut être ouverte facilement.)

• **Le sujet grammatical ne doit pas être l'agent**, c'est-à-dire le sujet logique à l'origine du procès.

Dans les exemples suivants, les sujets grammaticaux ***die Kasse*** et ***die dritte Klasse*** ne sont pas les sujets logiques « on » et « Madame Müller ».

Die Kasse wird um neun Uhr geöffnet.
La caisse ouvre à neuf heures. / On ouvre la caisse à neuf heures.
Die dritte Klasse wird von Frau Müller unterrichtet.
La classe du CE2 a comme enseignante Madame Müller.

Le passif processuel : *werden* + participe II

On distingue :

• **Le passif personnel**. Cette structure avec un sujet grammatical exprimé ne représente pas l'agent logique à l'origine de l'action.

Das Konzert (sujet grammatical) *wird vom ZDF* (agent) *(Zweiten Deutschen Fernsehen) übertragen.*

Le concert est retransmis par la deuxième chaîne de la télévision allemande.

• **Le passif dit impersonnel**. Il n'a pas de sujet grammatical et ne fonctionne donc qu'à la 3e personne du singulier.

Auf dem Schiff ***wurde*** *die ganze Nacht hindurch gesungen und getanzt.*
Sur le bateau, durant toute la nuit, il y eut des danses et des chants.

Cet énoncé n'a ni sujet grammatical, ni sujet logique exprimés : « **on** dansa et chanta ! »

• **Le passif personnel** comme **le passif impersonnel** ont la forme verbale : ***werden*** **+ participe II**.

Le participe II de l'auxiliaire prend lui-même la forme ***worden*** propre au passif et non ***geworden*** comme c'est normalement le cas avec le verbe ***werden***. Comparer :

Er ist geduldiger ***geworden***. Il est devenu plus patient. (verbe ***werden***)
Das Haus ist schon verkauft ***worden***.
La maison a déjà été vendue. (***werden*** auxiliaire du passif)

Rappel des formes verbales du passif

Temps		Forme verbale
Présent		*Das Konzert wird übertragen*
Prétérit		*Das Konzert wurde übertragen*
Parfait		*Das Konzert ist übertragen worden*
Plus-que-parfait		*Das Konzert war übertragen worden*
Futur I		*Das Konzert wird übertragen werden*
Futur II (antérieur)		*Das Konzert wird übertragen worden sein*
Présent	Subj. I	*Das Konzert werde übertragen*
	Subj. II	*Das Konzert würde übertragen*
Passé	Subj. I	*Das Konzert sei übertragen worden*
	Subj. II	*Das Konzert wäre übertragen worden*
Futur I	Subj. I	*Das Konzert werde übertragen werden*
	Subj. II	*Das Konzert würde übertragen werden*
Futur II	Subj. I	*Das Konzert werde übertragen worden sein*
	Subj. II	*Das Konzert würde übertragen worden sein*

LE PASSIF PERSONNEL

A Le passif personnel est une structure avec un sujet grammatical et une base verbale transitive. Cette structure est susceptible d'avoir à l'actif un complément d'objet à l'accusatif :

- À l'actif.

Thomas	*bereitet*	*das Fest*	*vor.*	Thomas prépare la fête.
sujet gram. agent logique	verbe transitif	objet à l'acc.		

Das ZDF	*überträgt*	*das Konzert.*	La chaîne ZDF retransmet le concert.
sujet gram. agent logique	verbe transitif	objet à l'acc.	

- Au passif.

Das Fest	*wird [von Thomas]*	*vorbereitet.*	La fête est préparée par Thomas.
sujet gram.	agent logique	verbe transitif	

Das Konzert	*wird [vom ZDF]*	*übertragen.*
sujet gram.	agent logique	verbe transitif

Le concert est retransmis par la chaîne ZDF.

Le passif personnel se forme à l'aide du **participe II** de la base verbale transitive + ***werden***. C'est **une sorte de caméra** avec laquelle le locuteur filme une action ou un état **en cours** :

Bitte, haben Sie etwas Geduld, das Programm wird geladen.
Ayez, s'il vous plaît, un peu de patience, le programme est en cours de chargement / va être changé. (avec une interprétation de futur)

Im letzten Krieg war das Viertel zerstört worden.
Pendant la dernière guerre, le quartier avait été détruit.

Die Gefangenen waren bewacht worden. Les prisonniers avaient été gardés.

Bien qu'il puisse décrire des états en cours, on appelle souvent ce passif, passif **action**. En réalité, c'est un passif **processuel** (= procès ou état en cours) quelle que soit la scène, dynamique ou statique, filmée par la caméra.

B Dans une structure du passif processuel personnel (rarement du passif impersonnel), le complément d'agent, lorsqu'il est exprimé, prend la forme d'un groupe prépositionnel. La préposition peut varier, mais garde son sens courant :

- ***Von*** introduit le sujet logique, personne ou non, qui est à l'origine du procès ou, plus rarement, de l'état.

Dieser Schüler wurde ***von*** *der Lehrerin gelobt.*
L'institutrice fit l'éloge de cet élève.
Das Museum wird hauptsächlich ***von*** *Schülern besucht.*
Le musée est visité principalement par des élèves.
Die Kinder werden ***von*** *jungen Leuten beaufsichtigt.*
Ces enfants sont gardés par des jeunes gens.

• ***Durch*** introduit un sujet logique ou une cause secondaire, intermédiaire ou un moyen.

*Der Unfall wurde **durch** abgefahrene Reifen verursacht.*
L'accident fut causé par des pneus usés.
*Er war **durch** einen Kollegen/ von einem Kollegen informiert worden.*
Il avait été informé par un collègue.

• ***Mit*** et d'autres prépositions signalent d'autres sujets logiques comme moyens, instruments, ou autres circonstances. Ce ne sont pas de véritables agents.

*Sie wurden **mit** zwei Jahren Gefängnis bestraft.* → *Zwei Jahre Gefängnis bestraften sie* → *Man bestrafte sie mit zwei Jahren Gerfängnis*. Ils furent condamnés à deux ans de prison.
*Das wurde **vonseiten** der Kanzlei berichtet.* → *Die Kanzlei berichtete das* → *Man berichtete das **vonseiten** der Kanzlei*. Voilà le rapport fourni par/ du côté de la chancellerie.
Bei *Mozart werden auch solche Instrumente gebraucht.* → *Mozart braucht auch solche Instrumente*. Mozart aussi utilise ce genre d'instruments.

LE PASSIF IMPERSONNEL

A **Le passif impersonnel**, comme le passif personnel, est un passif **processuel**. Mais il n'a pas de sujet grammatical et contient une base verbale **intransitive** ou employée comme telle.

• **À l'actif.**

Alle	*halfen*	*ihm*. Tous l'ont aidé.
sujet gram. agent logique	verbe intransitif	datif

Man	*sang*	*die ganze Nacht hindurch*. On chanta toute la nuit.
sujet gram. agent logique	verbe employé intransitivement	

• **Au passif.**

Ihm	*wurde [von allen]*	*geholfen.*
datif	agent logique	verbe intransitif

Die ganze Nacht hindurch wurde gesungen.
(wurde gesungen : verbe intransitif)

Le passif impersonnel ne fonctionne qu'à la **3e personne du singulier**. Pour le traduire, le français a recours à une structure active avec sujet grammatical, le plus souvent « on », ou à une autre structure qui met en avant le procès.

Ihm wurde viel geholfen. Il reçut beaucoup d'aide.
Im Urlaub wird viel fotografiert.
Quand on est en congé, on prend beaucoup de photos.
Im Klassenzimmer wird nicht geraucht. On ne fume pas en classe. / Il est interdit de fumer en classe.

Was uns das Auto alles kostet, *wird zu wenig bedacht*. On ne réfléchit pas assez à tous les frais occasionnés par la voiture/ à tout ce que la voiture nous coûte.

B Beaucoup d'énoncés au passif impersonnel commencent pour **es** qui est, dans ce cas, explétif : il n'apparaît qu'en première position, ou plus précisément, il disparaît quand il n'est pas en première position.
Es *wurde ihm viel geholfen*. ***Ihm*** *wurde viel geholfen*.
Es *wird im Urlaub viel fotografiert*. ***Im Urlaub*** *wird viel fotografiert*.
Es *wird im Klassenzimmer nicht geraucht*. ***Im Klassenzimmer*** *wird nicht geraucht*.
Es *wird zu wenig bedacht*, *was uns das Auto alles kostet*. ***Zu wenig*** *wird bedacht, was uns das Auto kostet*

Les verbes de **modalité** ne se mettent guère au passif. En revanche, ils sont souvent construits **avec un groupe infinitif au passif** :

Der Gartenzaun muss gestrichen werden. Il faut peindre la clôture du jardin.

Hier darf nicht geparkt werden./ ***Es*** *darf hier nicht geparkt werden*. Il est interdit de stationner ici.

Er konnte sofort operiert werden. On put l'opérer tout de suite.

2 Le passif bilan : *sein* + participe II

Le passif de la perspective du bilan est une **structure attributive** à base verbale ***sein***. On ne peut l'envisager que pour des bases verbales transitives dont le parfait se forme à l'actif avec ***haben.*** Par exemple :

- **À l'actif** (indicatif présent).

Wir	***decken***	*den Tisch* → *Wir haben den Tisch gedeckt.*
sujet gram. agent logique	verbe transitif	objet à l'acc.

Nous mettons la table. → Nous avons mis la table.

- Au passif **processuel personnel** (indicatif présent).

Der Tisch ***wird*** *[von uns]* ***gedeckt***. La table est mise [par nous].
sujet gram. — agent

- Au passif de la **perspective du bilan** (indicatif présent).

Der Tisch ist ***gedeckt***. La table est mise.
sujet gram. — attribut du sujet

Le passif de la perspective du bilan est bien un passif, car son sujet grammatical n'est en aucun cas l'agent logique. Mais au lieu d'exprimer une perspective de l'acte ou de l'état en cours, il marque le point de vue du **bilan**.

Dans l'exemple donné, il exprime, en opposition au passif processuel, un **résultat** :

Der Tisch wird gedeckt. → *Der Tisch ist gedeckt.*
acte en cours — résultat

La table est en train d'être mise. → La table est mise.
*Die Panne **wird** behoben.* → *Die Panne **ist** behoben.*
La panne est en cours de réparation. → La panne est réparée.

Dans d'autres cas, avec des verbes qui ne décrivent pas une transformation, mais un état, le passif bilan n'exprime pas un résultat :

Die Gefangenen wurden bewacht. → *Die Gefangenen waren bewacht.*
Les prisonniers étaient [en train d'être] gardés. → Les prisonniers étaient gardés.

Alle Verwandten wurden zur Hochzeit eingeladen. → *Alle Verwandten waren zur Hochzeit eingeladen.* Tous les parents furent invités au mariage. → Tous les parents étaient invités au mariage.

Qu'il s'agisse d'un énoncé où il est question d'une action (par exemple *den Tisch decken*) ou d'un énoncé où est décrit un état (par exemple *Gefangene bewachen*), le passif en ***sein* + participe II** n'attribue pas toujours un résultat à un sujet grammatical. La structure est comme **un appareil de photo qui fait une seule photo fixe** là où la caméra du passif processuel filme une suite d'images (sans que le sujet photographié ou filmé représente nécessairement une transformation).

Teppiche behängen die Wände. (actif)
→ *Die Wände werden mit Teppichen behängt.* (passif processuel)
→ *Die Wände sind mit Teppichen behängt.* (passif bilan)
Des tapis couvrent les murs. (actif) → Les murs sont [en train d'être] couverts de tapis (film)
→ Les murs sont couverts de tapis. (photo fixe)

Junge Leute beaufsichtigen die Kinder. (actif)
→ *Die Kinder werden von jungen Leuten beaufsichtigt.* (passif processuel)
→ *Die Kinder sind von jungen Leuten beaufsichtigt.* (passif bilan)
Les enfants sont en train d'être gardés par des jeunes gens. (film)→
Les enfants sont [en train d'être] gardés par des jeunes gens. (photo unique)
→ Les enfants sont gardés par des jeunes gens. (photo fixe)

Verpackung und Transport sind in den Preis eingeschlossen.
L'emballage et le transport sont compris dans le prix.

Der Garten ist von der Wiese durch eine Hecke getrennt.
Le jardin est séparé de la prairie par une haie.

Jetzt ist er gelobt!
Le voilà félicité !

1. Ne pas confondre ces structures du passif bilan avec les formes de l'accompli à l'actif :

Die Temperatur ist gesunken. La température a baissé.
(Pas de véritable agent : l'énoncé *X hat die Temperatur gesunken* n'est pas possible.)

Das Geschäft ist seitdem geschlossen geblieben.
Le magasin est resté fermé depuis lors.

Das Rad war verschwunden. Le vélo avait disparu.

2. Ne pas confondre non plus les structures du passif ***werden/ sein* + participe II** avec d'autres moyens fournis par la langue qui expriment une perspective proche du passif comme :

• ***sein* + groupe infinitif avec *zu*** qui inclut une modalité de pouvoir ou de devoir.

Der Gartenzaun ist zu streichen.
= La clôture du jardin est à peindre/ doit être peinte.

• Certaines locutions verbales, tournures avec ***bekommen*** ou des adjectifs suffixés.

Sein Traum ging in Erfüllung. = Sein Traum wurde erfüllt.
Son rêve finit par se réaliser.

*Er **bekam** sein Essen vorgesetzt = Sein Essen wurde ihm vorgesetzt.*
Son repas lui fut servi./ On lui servit son repas. (passif de la personne concernée)

*Dieser Wein lässt sich trinken/ ist trink**bar**.* Ce vin se laisse boire. (Il est buvable/ est très bon !)

Viel bleibt zu tun. = Viel muss/ kann noch getan werden.
Beaucoup reste à faire.

Annexes

1 L'accord dans le groupe nominal (chapitre 2)

Tableau récapitulatif

	Singulier			Pluriel
	masculin	**neutre**	**féminin**	
nom.	*Stoff* *der Stoff* *leichter Stoff* *ein leichter Stoff* *der leicht**e** Stoff*	*Leder* *das Leder* *echtes Leder* *ein echtes Leder* *das echt**e** Leder*	*Seide* *die Seide* *reine Seide* *ein**e** reine Seide* *di**e** reine Seide*	*Kleider* *die Kleider* *schöne Kleider* *die schön**en** Kleider* *keine schön**en** Kleider*
acc.	*Stoff* *den Stoff* *leichten Stoff* *einen leicht**en** Stoff* *den leicht**en** Stoff*	*Leder* *das Leder* *echtes Leder* *ein echtes Leder* *das echt**e** Leder*	*Seide* *die Seide* *reine Seide* *eine rein**e** Seide* *die rein**e** Seide*	*Kleider* *die Kleider* *schöne Kleider* *die schön**en** Kleider* *keine schön**en** Kleider*
dat.	*Stoff* *dem Stoff* *leichtem Stoff* *einem leicht**en** Stoff* *dem leicht**en** Stoff*	*Leder* *dem Leder* *echtem Leder* *einem echt**en** Leder* *dem echt**en** Leder*	*Seide* *der Seide* *reiner Seide* *einer rein**en** Seide* *der rein**en** Seide*	*Kleider* *den Kleidern* *schönen Kleidern* *den schön**en** Kleidern* *keinen schön**en** Kleidern*
gén.	*des Stoffs* *leichten Stoffs* *eines leicht**en** Stoffs* *des leicht**en** Stoffs*	*des Leders* *echten Leders* *eines echt**en** Leders* *des echt**en** Leders*	*der Seide* *reiner Seide* *einer rein**en** Seide* *der rein**en** Seide*	*der Kleider* *schöner Kleider* *der schön**en** Kleider* *keiner schön**en** Kleider*

2 Tableaux de conjugaisons des bases verbales (chapitre 7)

1 Les auxiliaires

	SEIN	HABEN	WERDEN
Indicatif			
Présent	*ich bin*	*ich habe*	*ich werde*
	du bist	*du hast*	*du wirst*
	er/es/sie ist	*er/es/sie hat*	*er/es/sie wird*
	wir sind	*wir haben*	*wir werden*
	ihr seid	*ihr habt*	*ihr werdet*
	sie/Sie sind	*sie/Sie haben*	*sie/Sie werden*
Prétérit	*ich war*	*ich hatte*	*ich wurde*
	du warst	*du hattest*	*du wurdest*
	er/es/sie war	*er/es/sie hatte*	*er/es/sie wurde*
	wir waren	*wir hatten*	*wir wurden*
	ihr wart	*ihr hattet*	*ihr wurdet*
	sie/Sie waren	*sie/Sie hatten*	*sie/Sie wurden*
Parfait	*ich bin gewesen*	*ich habe gehabt*	*ich bin geworden*
	du bist gewesen	*du hast gehabt*	*du bist geworden*
	er/es/sie ist gewesen	*er/es/sie hat gehabt*	*er/es/sie ist geworden*
	wir sind gewesen	*wir haben gehabt*	*wir sind geworden*
	ihr seid gewesen	*ihr habt gehabt*	*ihr seid geworden*
	sie/Sie sind gewesen	*sie/Sie haben gehabt*	*sie/Sie sind geworden*
Plus-que-parfait	*ich war gewesen*	*ich hatte gehabt*	*ich war geworden*
	du warst gewesen	*du hattest gehabt*	*du warst geworden*
	er/es/sie war gewesen	*er/es/sie hatte gehabt*	*er/es/sie war geworden*
	wir waren gewesen	*wir hatten gehabt*	*wir waren geworden*
	ihr wart gewesen	*ihr hattet gehabt*	*ihr wart geworden*
	sie/Sie waren gewesen	*sie/Sie hatten gehabt*	*sie/Sie waren geworden*
Futur 1	*ich werde sein*	*ich werde haben*	*ich werde werden*
	du wirst sein	*du wirst haben*	*du wirst werden*
	er/es/sie wird sein	*er/es/sie wird haben*	*er/es/sie wird werden*
	wir werden sein	*wir werden haben*	*wir werden werden*
	ihr werdet sein	*ihr werdet haben*	*ihr werdet werden*
	sie/Sie werden sein	*sie/Sie werden haben*	*sie/Sie werden werden*

	SEIN	HABEN	WERDEN
Indicatif			
Futur 2	*ich werde gewesen sein*	*ich werde gehabt haben*	*ich werde geworden sein*
	du wirst gewesen sein	*du wirst gehabt haben*	*du wirst geworden sein*
	er/es/sie wird gewesen sein	*er/es/sie wird gehabt haben*	*er/es/sie wird geworden sein*
	wir werden gewesen sein	*wir werden gehabt haben*	*wir werden geworden sein*
	ihr werdet gewesen sein	*ihr werdet gehabt haben*	*ihr werdet geworden sein*
	sie/Sie werden gewesen sein	*sie/Sie werden gehabt haben*	*sie/Sie werden geworden sein*
Subjonctif I			
Présent	*ich sei*	*ich habe*	*ich werde*
	du seist	*du habest*	*du werdest*
	er/es/sie sei	*er/es/sie habe*	*er/es/sie werde*
	wir seien	*wir haben*	*wir werden*
	ihr seiet	*ihr habet*	*ihr werdet*
	sie/Sie seien	*sie/Sie haben*	*sie/Sie werden*
Passé	*ich sei gewesen*	*ich habe gehabt*	*ich sei geworden*
	du seist gewesen	*du habest gehabt*	*du seist geworden*
	er/es/sie sei gewesen	*er/es/sie habe gehabt*	*er/es/sie sei geworden*
	wir seien gewesen	*wir haben gehabt*	*wir seien geworden*
	ihr seiet gewesen	*ihr habet gehabt*	*ihr seiet geworden*
	sie/Sie seien gewesen	*sie/Sie haben gehabt*	*sie/Sie seien geworden*
Futur	*ich werde sein*	*ich werde haben*	*ich werde werden*
	du werdest sein	*du werdest haben*	*du werdest werden*
	er/es/sie werde sein	*er/es/sie werde haben*	*er/es/sie werde werden*
	wir werden sein	*wir werden haben*	*wir werden werden*
	ihr werdet sein	*ihr werdet haben*	*ihr werdet werden*
	sie/Sie werden sein	*sie/Sie werden haben*	*sie/Sie werden werden*
Subjonctif II			
Présent	*ich wäre (wär')*	*ich hätte (hätt')*	*ich würde*
	du wärest (wärst)	*du hättest*	*du würdest*
	er/es/sie wäre (wär')	*er/es/sie hätte (hätt')*	*er/es/sie würde*
	wir wären	*wir hätten*	*wir würden*
	ihr wäret (wärt)	*ihr hättet*	*ihr würdet*
	sie/Sie wären	*sie/Sie hätten*	*sie/Sie würden*

	SEIN	HABEN	WERDEN
Subjonctif II			
Passé	*ich wäre gewesen*	*ich hätte gehabt*	*ich wäre geworden*
	du wärest gewesen	*du hättest gehabt*	*du wärest geworden*
	er/es/sie wäre gewesen	*er/es/sie hätte gehabt*	*er/es/sie wäre geworden*
	wir wären gewesen	*wir hätten gehabt*	*wir wären geworden*
	ihr wäret gewesen	*ihr hättet gehabt*	*ihr wäret geworden*
	sie/Sie wären gewesen	*sie/Sie hätten gehabt*	*sie/Sie wären geworden*
Futur	*ich würde sein*	*ich würde haben*	*ich würde werden*
	du würdest sein	*du würdest haben*	*du würdest werden*
	er/es/sie würde sein	*er/es/sie würde haben*	*er/es/sie würde werden*
	wir würden sein	*wir würden haben*	*wir würden werden*
	ihr würdet sein	*ihr würdet haben*	*ihr würdet werden*
	sie/Sie würden sein	*sie/Sie würden haben*	*sie/Sie würden werden*
Impératif			
2e pers. du singulier	*sei...!*	*hab(e)...!*	*werde...!*
1re pers.du pluriel	*seien wir…!*	*haben wir…!*	*werden wir…!*
2e pers. du pluriel	*seid...!*	*habt...!*	*werdet...!*
2e pers. pluriel politesse	*seien Sie...!*	*haben Sie...!*	*werden Sie...!*
Infinitif			
Inf. 1	*sein*	*haben*	*werden*
Inf. 2	*gewesen sein*	*gehabt haben*	*geworden sein*
Participe			
Part. 1	*seiend*	*habend*	*werdend*
Part. 2	*gewesen*	*gehabt*	*geworden*

2 Les verbes de modalité

Wissen n'est pas un verbe de modalité mais suit la même conjugaison qu'eux (prétérito-présents). *Bedürfen* se conjugue comme *dürfen* et *vermögen* comme *mögen.*

	KÖNNEN	DÜRFEN
Indicatif		
Présent	*ich kann*	*ich darf*
	du kannst	*du darfst*
	er/es/sie kann	*er/es/sie darf*
	wir können	*wir dürfen*
	ihr könnt	*ihr dürft*
	sie/Sie können	*sie/Sie dürfen*
Prétérit	*ich konnte*	*ich durfte*
	du konntest	*du durftest*
	er/es/sie konnte	*er/es/sie durfte*
	wir konnten	*wir durften*
	ihr konntet	*ihr durftet*
	sie/Sie konnten	*sie/Sie durften*
Participe II		
	können	*dürfen*
	gekonnt	*gedurft*

	MÜSSEN	SOLLEN	WOLLEN
Indicatif			
Présent	*ich muss*	*ich soll*	*ich will*
	du musst	*du sollst*	*du willst*
	er/es/sie muss	*er/es/sie soll*	*er/es/sie will*
	wir müssen	*wir sollen*	*wir wollen*
	ihr müsst	*ihr sollt*	*ihr wollt*
	sie/Sie müssen	*sie/Sie sollen*	*sie/Sie wollen*
Prétérit	*ich musste*	*ich sollte*	*ich wollte*
	du musstest	*du solltest*	*du wolltest*
	er/es/sie musste	*er/es/sie sollte*	*er/es/sie wollte*
	wir mussten	*wir sollten*	*wir wollten*
	ihr musstet	*ihr solltet*	*ihr wolltet*
	sie/Sie mussten	*sie/Sie sollten*	*sie/Sie wollten*
Participe II			
	müssen	*sollen*	*wollen*
	gemusst	*gesollt*	*gewollt*

	MÖGEN	WISSEN
Indicatif		
Présent	*ich mag* *du magst* *er/es/sie mag* *wir mögen* *ihr mögt* *sie/Sie mögen*	*ich weiß* *du weißt* *er/es/sie weiß* *wir wissen* *ihr wisst* *sie/Sie wissen*
Prétérit	*ich mochte* *du mochtest* *er/es/sie mochte* *wir mochten* *ihr mochtet* *sie/Sie mochten*	*ich wusste* *du wusstest* *er/es/sie wusste* *wir wussten* *ihr wusstet* *sie/Sie wussten*
Participe II		
	mögen *gemocht*	*gewusst*

L'infinitif constitue une deuxième forme, la plus fréquente du participe II des verbes de modalité : *Er hat das gekonnt*, mais : *Er hat das tun können.*

de même :

Er hat das tun dürfen, er hat das tun müssen, er hat das tun sollen, er hat das tun wollen, er hat das tun mögen.

	KÖNNEN	DÜRFEN	MÜSSEN	SOLLEN
Subjonctif I				
Présent	*ich könne*	*ich dürfe*	*ich müsse*	*ich solle*
Subjonctif II				
Présent	*ich könnte*	*ich dürfte*	*ich müsste*	*ich sollte*

	WOLLEN	MÖGEN	WISSEN
Subjonctif I			
Présent	*ich wolle*	*ich möge*	*ich wisse*
Subjonctif II			
Présent	*ich wollte*	*ich möchte*	*ich wüsste*

3 Les verbes faibles (exemple : *fragen*, demander)

INDICATIF	PRÉSENT	PRÉTERIT	PARFAIT
	ich frage	*ich fragte*	*ich habe gefragt*
	du fragst	*du fragtest*	*du hast gefragt*
	er/es/sie fragt	*er/es/sie fragte*	*er/es/sie hat gefragt*
	wir fragen	*wir fragten*	*wir haben gefragt*
	ihr fragt	*ihr fragtet*	*ihr habt gefragt*
	sie/Sie fragen	*sie/Sie fragten*	*sie/Sie haben gefragt*
	PLUS-QUE-PARFAIT	**FUTUR 1**	**FUTUR 2**
	ich hatte gefragt	*ich werde fragen*	*ich werde gefragt haben*
	du hattest gefragt	*du wirst fragen*	*du wirst gefragt haben*
	er/es/sie hatte gefragt	*er/es/sie wird fragen*	*er/es/sie wird gefragt haben*
	wir hatten gefragt	*wir werden fragen*	*wir werden gefragt haben*
	ihr hattet gefragt	*ihr werdet fragen*	*ihr werdet gefragt haben*
	sie/Sie hatten gefragt	*sie/Sie werden fragen*	*sie/Sie werden gefragt haben*
IMPÉRATIF			
2e pers. du singulier		*frag(e)!*	
1re pers. du pluriel		*fragen wir!*	
2e pers. du pluriel		*fragt!*	
2e pers. pluriel politesse		*fragen Sie!*	
SUBJONCTIF I	**PRÉSENT**	**PASSÉ**	**FUTUR**
	ich frage	*ich habe gefragt*	*ich werde fragen*
	du fragest	*du habest gefragt*	*du werdest fragen*
	er/es/sie frage	*er/es/sie habe gefragt*	*er/es/sie werde fragen*
	wir fragen	*wir haben gefragt*	*wir werden fragen*
	ihr fraget	*ihr habet gefragt*	*ihr werdet fragen*
	sie/Sie fragen	*sie/Sie haben gefragt*	*sie/Sie werden fragen*
SUBJONCTIF II	**PRÉSENT**	**PASSÉ**	**FUTUR**
	ich fragte	*ich hätte gefragt*	*ich würde fragen*
	du fragtest	*du hättest gefragt*	*du würdest fragen*
	er/es/sie fragte	*er/es/sie hätte gefragt*	*er/es/sie würde fragen*
	wir fragten	*wir hätten gefragt*	*wir würden fragen*
	ihr fragtet	*ihr hättet gefragt*	*ihr würdet fragen*
	sie/Sie fragten	*sie/Sie hätten gefragt*	*sie/Sie würden fragen*
	IMPÉRATIF	**INFINITIF**	**PARTICIPE**
	frag(e)!	Inf. 1 *fragen*	Part. 1 *fragend*
	fragt!	Inf. 2 *gefragt haben*	Part. 2 *gefragt*
	fragen Sie!		

4 Les verbes faibles irréguliers

Infinitif	Prétérit	Participe 2	
bringen	*brachte*	*gebracht*	apporter
denken	*dachte*	*gedacht*	penser
brennen	*brannte*	*gebrannt*	brûler
kennen	*kannte*	*gekannt*	connaître
nennen	*nannte*	*genannt*	nommer
rennen	***rannte***	***gerannt***	courir
senden	*sandte (sendete)*	*gesandt (gesendet)*	envoyer
wenden	*wandte (wendete)*	*gewandt (gewendet)*	tourner

5 Les verbes forts (exemple : *geben*, donner)

Indicatif	Présent	Prétérit	Parfait
	ich gebe	*ich gab*	*ich habe gegeben*
	du gibst	*du gabst*	*du hast gegeben*
	er/es/sie gibt	*er/es/sie gab*	*er/es/sie hat gegeben*
	wir geben	*wir gaben*	*wir haben gegeben*
	ihr gebt	*ihr gabt*	*ihr habt gegeben*
	sie/Sie geben	*sie/Sie gaben*	*sie/Sie haben gegeben*
	Plus-que-parfait	**Futur 1**	**Futur 2**
	ich hatte gegeben	*ich werde geben*	*ich werde gegeben haben*
	du hattest gegeben	*du wirst geben*	*du wirst gegeben haben*
	er/es/sie hatte gegeben	*er/es/sie wird geben*	*er/es/sie wird gegeben haben*
	wir hatten gegeben	*wir werden geben*	*wir werden gegeben haben*
	ihr hattet gegeben	*ihr werdet geben*	*ihr werdet gegeben haben*
	sie/Sie hatten gegeben	*sie/Sie werden geben*	*sie/Sie werden gegeben haben*
Subjonctif I	**Présent**	**Passé**	**Futur**
	ich gebe	*ich habe gegeben*	*ich werde geben*
	du gebest	*du habest gegeben*	*du werdest geben*
	er/es/sie gebe	*er/es/sie habe gegeben*	*er/es/sie werde geben*
	wir geben	*wir haben gegeben*	*wir werden geben*
	ihr gebet	*ihr habet gegeben*	*ihr werdet geben*
	sie/Sie geben	*sie/Sie haben gegeben*	*sie/Sie werden geben*

SUBJONCTIF II	PRÉSENT	PASSÉ	FUTUR
	ich gäbe *du gäbest* *er/es/sie gäbe* *wir gäben* *ihr gäbet* *sie/Sie gäben*	*ich hätte gegeben* *du hättest gegeben* *er/es/sie hätte gegeben* *wir hätten gegeben* *ihr hättet gegeben* *sie/Sie hätten gegeben*	*ich würde geben* *du würdest geben* *er/es/sie würde geben* *wir würden geben* *ihr würdet geben* *sie/Sie würden geben*
	IMPÉRATIF	**INFINITIF**	**PARTICIPE**
	gib! *gebt!* *geben Sie!*	Inf. 1 *geben* Inf. 2 *gegeben haben*	Part. 1 *gebend* Part. 2 *gegeben*

 Le passif du verbe *fragen*

INDICATIF	PRÉSENT	PRÉTERIT	PARFAIT
	ich werde gefragt *du wirst gefragt* *er/es/sie wird gefragt* *wir werden gefragt* *ihr werdet gefragt* *sie/Sie werden gefragt*	*ich wurde gefragt* *du wurdest gefragt* *er/es/sie wurde gefragt* *wir wurden gefragt* *ihr wurdet gefragt* *sie/Sie wurden gefragt*	*ich bin gefragt worden* *du bist gefragt worden* *er/es/sie ist gefragt worden* *wir sind gefragt worden* *ihr seid gefragt worden* *sie/Sie sind gefragt worden*
	PLUS-QUE-PARFAIT	**FUTUR 1**	**FUTUR 2**
	ich war gefragt worden *du warst gefragt worden* *er/es/sie war gefragt worden* *wir waren gefragt worden* *ihr wart gefragt worden* *sie/Sie waren gefragt worden*	*ich werde gefragt werden* *du wirst gefragt werden* *er/es/sie wird gefragt werden* *wir werden gefragt werden* *ihr werdet gefragt werden* *sie/Sie werden gefragt werden*	*ich werde gefragt worden sein* *du wirst gefragt worden sein* *er/es/sie wird gefragt worden sein* *wir werden gefragt worden sein* *ihr werdet gefragt worden sein* *sie/Sie werden gefragt worden sein*

SUBJONCTIF I	PRÉSENT	PASSÉ
	ich werde gefragt *du werdest gefragt* *er/es/sie werde gefragt* *wir werden gefragt* *ihr werdet gefragt* *sie/Sie werden gefragt*	*ich sei gefragt worden* *du seist gefragt worden* *er/es/sie sei gefragt worden* *wir seien gefragt worden* *ihr seiet gefragt worden* *sie/Sie seien gefragt worden*
	FUTUR 1	**FUTUR 2**
	ich werde gefragt werden *du werdest gefragt werden*	*ich werde gefragt worden sein* *du werdest gefragt worden sein*

	er/es/sie werde gefragt werden	er/es/sie werde gefragt worden sein
	wir werden gefragt werden	wir werden gefragt worden sein
	ihr werdet gefragt werden	ihr werdet gefragt worden sein
	sie/Sie werden gefragt werden	sie/Sie werden gefragt worden sein
SUBJONCTIF II	**PRÉSENT**	**PASSÉ**
	ich würde gefragt	ich wäre gefragt worden
	du würdest gefragt	du wärest gefragt worden
	er/es/sie würde gefragt	er/es/sie wäre gefragt worden
	wir würden gefragt	wir wären gefragt worden
	ihr würdet gefragt	ihr wäret gefragt worden
	sie/Sie würden gefragt	sie/Sie wären gefragt worden
	FUTUR 1	**FUTUR 2**
	ich werde gefragt werden	ich würde gefragt worden sein
	du werdest gefragt werden	du würdest gefragt worden sein
	er/es/sie werde gefragt werden	er/es/sie würde gefragt worden sein
	wir werden gefragt werden	wir würden gefragt worden sein
	ihr werdet gefragt werden	ihr würdet gefragt worden sein
	sie/Sie werden gefragt werden	sie/Sie würden gefragt worden sein
INFINITIF		
Inf. 1	gefragt werden	
Inf. 2	gefragt worden sein	

7 Les verbes forts

Les verbes en italiques gras se conjuguent avec *sein*.

La quatrième colonne donne la 2e et la 3e personne du singulier du présent quand il y a changement de voyelle du radical. Les particularités orthographiques sont indiquées.

b = voyelle brève ; l = voyelle longue

a, i, a, ä	INFINITIF	PRÉTÉRIT 1e/3e SG	
	fangen b	*fing* b	attraper
	hängen[1] *(hangen)* b	*hing* b	être suspendu
	PARTICIPE 2	**PRÉSENT 2e/3e SG**	
	gefangen b	*er fängt* b	attraper
	gehangen b	*er hängt* b	être suspendu

1. La forme faible existe aussi (sens différent).

a, ie, a, ä	Infinitif	Prétérit 1e/3e sg	
	blasen l	*blies* l	souffler
	braten l	*briet* l	rôtir
	fallen b	***fiel*** l	tomber
	halten b	*hielt* l	tenir
	lassen b	*ließ* l	laisser
	raten l	*riet* l	conseiller, deviner
	schlafen l	*schlief* l	dormir
	Participe 2	**Présent 2e/3e sg**	
	geblasen l	*er bläst* l	souffler
	gebraten l	*du brätst, er brät* l	rôtir
	gefallen b	*er fällt* b	tomber
	gehalten b	*du hältst, er hält* b	tenir
	gelassen b	*du lässt, er lässt* b	laisser
	geraten l	*du rätst, er rät* l	conseiller, deviner
	geschlafen l	*er schläft* l	dormir

a, u, a, ä	Infinitif	Prétérit 1e/3e sg	
	backen b	*backte* b *(buk)* l	cuire (au four)
	fahren l	***fuhr*** l	conduire, rouler
	graben l	*grub* l	creuser
	laden l	*lud* l	charger
	schaffen b	*schuf* l	créer
	schlagen l	*schlug* l	frapper, battre
	tragen l	*trug* l	porter
	wachsen b	*wuchs* l	croître
	waschen b	*wusch* l	laver
	Participe 2	**Présent 2e/3e sg**	
	gebacken b	*er bäckt* b	cuire (au four)
	gefahren l	*er fährt* l	conduire, rouler
	gegraben l	*er gräbt* l	creuser
	geladen l	*du lädst, er lädt / du ladest, er ladet*	charger
	geschaffen b	*er schafft* b	créer
	geschlagen l	*er schlägt* l	frapper, battre
	getragen l	*er trägt* l	porter
	gewachsen b	*er wächst* b	croître
	gewaschen b	*er wäscht* b	laver

e, a, e, i	Infinitif	Prétérit 1e/3e sg	
	essen b	*aß* l	manger
	fressen b	*fraß* l	manger (animal)
	geben l	*gab* l	donner
	messen b	*maß* l	mesurer

	treten l	***trat*** l	poser le pied, appuyer (pédale)
	vergessen b	*vergaß* l	oublier
	PARTICIPE 2	**PRÉSENT 2e/3e SG**	
	gegessen b	*du isst, er isst* b	manger
	gefressen b	*du frisst, er frisst* b	manger (animal)
	gegeben l	*er gibt* b	donner
	gemessen b	*er misst* b	mesurer
	getreten l	*du trittst, er tritt* b	poser le pied, appuyer (pédale)
	vergessen b	*er vergisst* b	oublier
e, a, e, ie	**INFINITIF**	**PRÉTÉRIT 1e/3e SG**	
	geschehen l	***geschah*** l	se passer, arriver
	lesen l	*las* l	lire
	sehen l	*sah* l	voir
	PARTICIPE 2	**PRÉSENT 2e/3e SG**	
	geschehen l	*es geschieht* l	se passer, arriver
	gelesen l	*er liest* l	lire
	gesehen l	*er sieht* l	voir
e, a, o, i	**INFINITIF**	**PRÉTÉRIT 1e/3e SG**	
	bergen b	*barg* b	cacher, sauver
	bersten b	*barst* b	éclater
	brechen b	*brach* l	briser
	erschrecken[3] b	***erschrak*** l	s'effrayer
	gelten b	*galt* b	valoir
	helfen b	*half* b	aider
	nehmen	*nahm* l	prendre
	schelten b	*schalt* l	gronder
	sprechen b	*sprach* l	parler
	stechen b	*stach* l	piquer
	sterben b	*starb* b	mourir
	treffen b	*traf* l	atteindre, rencontrer
	verderben[2] b	***verdarb*** b	se gâter, pourrir
	werben b	*warb* b	briguer, faire de la pub
	werfen b	*warf* b	lancer, jeter
	PARTICIPE 2	**PRÉSENT 2e/3e SG**	
	geborgen b	*er birgt* b	cacher, sauver
	geborsten b	*du birst, er birst* b	éclater

2. Se conjuge aussi avec *haben* (sens différent).

3. Se conjuge aussi avec *haben*, comme verbe faible (sens différent).

	gebrochen b	*er bricht* b	briser
	erschrocken b	*er erschrickt* b	s'effrayer
	gegolten b	*er gilt* b	valoir
	geholfen b	*er hilft* b	aider
	genommen b	*er nimmt* b	prendre
	gescholten b	*er schilt* b	gronder
	gesprochen b	*er spricht* b	parler
	gestochen b	*er sticht* b	piquer
	gestorben b	*er stirbt* b	mourir
	getroffen b	*er trifft* b	atteindre, rencontrer
	verdorben b	*er verdirbt* b	se gâter, pourrir
	geworben b	*er wirbt* b	briguer, faire de la pub
	geworfen b	*er wirft* b	lancer, jeter
e, a, o, ie	**INFINITIF**	**PRÉTÉRIT 1e/3e SG**	
	befehlen I	*befahl* I	ordonner (donner ordre)
	empfehlen I	*empfahl* I	recommander
	stehlen I	*stahl* I	voler, dérober
	PARTICIPE 2	**PRÉSENT 2e/3e SG**	
	befohlen I	*er befiehlt* I	ordonner (donner ordre)
	empfohlen I	*er empfiehlt* I	recommander
	gestohlen I	*er stiehlt* I	voler, dérober
e, o, o, i ou (e)	**INFINITIF**	**PRÉTÉRIT 1e/3e SG**	
	bewegen I[1]	*bewog* I	amener à, convaincre
	dreschen b	*drosch* b	battre (le grain)
	fechten b	*focht* b	faire de l'escrime
	flechten b	*flocht* b	tresser
	heben I	*hob* I	soulever
	melken b	*molk* b *(melkte)*	traire
	quellen b	***quoll*** b	jaillir, sourdre
	scheren I	*schor* I	tondre
	schmelzen[4] b	***schmolz*** b	fondre
	schwellen[2] b	***schwoll*** b	enfler
	weben I	*wob* I *(webte)*	tisser

1. La forme faible existe aussi (sens différent).

2. Se conjuge aussi avec *haben* (sens différent).

4. Se conjugue aussi avec *haben* (sens différent) et comme verbe faible accusatif (avec *haben*).

	Participe 2	**Présent 2e/3e sg**	
	bewogen l	*er bewegt* l	amener à, convaincre
	gedroschen b	*er drischt* b	battre (le grain)
	gefochten b	*er ficht* b	faire de l'escrime
	geflochten b	*er flicht* b	tresser
	gehoben l	*er hebt* l	soulever
	gemolken b	*er melkt* b	traire
	gequollen b	*er quillt* b	jaillir, sourdre
	geschoren l	*er schert* l	tondre
	geschmolzen b	*er schmilzt* b	fondre
	geschwollen b	*er schwillt* b	enfler
	gewoben l *(gewebt)*	*er webt* l	tisser
ei, i, i	**Infinitif**	**Prétérit 1e/3e sg**	
	beißen l	*biss b*	mordre
	erbleichen l	*erblich b*	palir
	gleichen l	*glich b*	ressemble
	gleiten[5] l	***glitt*** *b*	glisser
	greifen l	*griff b*	saisir
	kneifen l	*kniff* b	pincer
	leiden l	*litt* b	souffrir
	pfeifen l	*pfiff* b	siffler
	reißen l	*riss* b	arracher, se déchirer
	reiten l	***ritt*** b	faire du cheval
	schleichen l	***schlich*** b	se faufiler, se glisser
	schleifen[1] l	*schliff* b	aiguiser
	schmeißen l	*schmiss* b	lancer, jeter
	schneiden l	*schnitt* b	couper
	schreiten l	***schritt*** b	marcher, avancer
	streichen l	*strich* b	enduire, passer
	streiten l	*stritt* b	combattre, être en conflit
	verschleißen l	*verschliss* b	user
	weichen l	***wich*** b	céder, se retirer
	Participe 2	**Présent 2e/3e sg**	
	gebissen b	*du beißt, er beißt* l	mordre
	erblichen b		palir
	geglichen b		ressembler
	geglitten b		glisser

1. La forme faible existe aussi (sens différent).

5. *Begleiten*, qui n'est pas un composé de *gleiten*, est faible.

	gegriffen b		saisir
	gekniffen b		pincer
	gelitten b		souffrir
	gepfiffen b		siffler
	gerissen b	*du reißt, er reißt* l	arracher, se déchirer
	geritten b		faire du cheval
	geschlichen b		se faufiler, se glisser
	geschliffen b		aiguiser
	geschmissen b	*du schmeißt, er schmeißt* l	lancer, jeter
	geschnitten b		couper
	geschritten b		marcher, avancer
	gestrichen b		enduire, passer
	gestritten b		combattre, être en conflit
	verschlissen b		user
	gewichen b		céder, se retirer
e, ie, ie	**INFINITIF**	**PRÉTÉRIT 1e/3e SG**	
	bleiben l	***blieb*** l	rester
	leihen l	*lieh* l	prêter
	meiden l	*mied* l	éviter
	preisen l	*pries* l	louer (louange)
	reiben l	*rieb* l	frotter
	scheiden[6] l	*schied* l	séparer
	scheinen l	*schien* l	sembler, briller
	schreiben l	*schrieb* l	écrire
	schreien l	*schrie* l	crier
	schweigen l	*schwieg* l	se taire
	speien l	*spie* l	cracher
	steigen l	***stieg*** l	monter
	treiben l	*trieb* l	pousser
	verzeihen l	*verzieh* l	pardonner
	weisen l	*wies* l	montrer
	PARTICIPE 2	**PRÉSENT 2e/3e SG**	
	geblieben l		rester
	geliehen l		prêter
	gemieden l		éviter
	gepriesen l	*du preist, er preist* l	louer (louange)
	gerieben l		frotter
	geschieden l		séparer

6. Se conjugue aussi avec *sein* (sens différent).

	geschienen l		sembler, briller
	geschrieben l		écrire
	geschrien l		crier
	gestiegen l		monter
	gespie(e)n l		cracher
	geschwiegen l		se taire
	getrieben l		pousser
	verziehen l		pardonner
	gewiesen l	*du weist, er weist* l	montrer
i, a, e	**INFINITIF**	**PRÉTÉRIT 1e/3e SG**	
	bitten, b	*bat* l	demander, prier
	liegen l	*lag* l	être étendu
	sitzen b	*saß* l	être assis
	PARTICIPE 2	**PRÉSENT 2e/3e SG**	
	gebeten l	*er bittet* b	demander, prier
	gelegen l		être étendu
	gesessen b	*du sitzt, er sitzt* b	être assis
i, a, o (+ nn / mm)	**INFINITIF**	**PRÉTÉRIT 1e/3e SG**	
	beginnen b	*begann* b	commencer
	gewinnen b	*gewann* b	gagner, vaincre
	rinnen b	***rann*** b	couler
	schwimmen b	***schwamm*** b	nager
	sinnen b	*sann* b	méditer, songer
	PARTICIPE 2	**PRÉSENT 2e/3e SG**	
	begonnen b		commencer
	gewonnen b		gagner, vaincre
	geronnen b		couler
	geschwommen b		nager
	gesonnen b		méditer, songer
i, a, u (+ nd / ng / nk)	**INFINITIF**	**PRÉTÉRIT 1e/3e SG**	
	binden b	*band* b	attacher, lier
	dringen b	***drang*** b	pénétrer
	finden b	*fand* b	trouver
	gelingen b	*gelang* b	réussir
	klingen b	*klang* b	sonner
	schlingen b	*schlang* b	engloutir, avaler
	schwingen b	*schwang* b	brandir
	singen b	*sang* b	chanter
	sinken b	*sank* b	sombrer, couler
	springen b	***sprang*** b	sauter
	stinken b	*stank* b	puer
	trinken b	*trank* b	boire

	verschwinden b	***verschwand*** b	disparaître
	winden b	*wand* b	tordre
	wringen b	*wrang* b	essorer
	zwingen b	*zwang* b	obliger, contraindre
	PARTICIPE 2	**PRÉSENT 2e/3e SG**	
	gebunden b		attacher, lier
	gedrungen b		pénétrer
	gefunden b		trouver
	gelungen b	*es gelingt* b	réussir
	geklungen b		sonner
	geschlungen b		engloutir, avaler
	geschwunden b		brandir
	gesungen b		chanter
	gesunken b		sombrer, couler
	gesprungen b		sauter
	gestunken b		puer
	getrunken b		boire
	verschwunden b		disparaître
	gewunden b		tordre
	gewrungen b		essorer
	gezwungen b		obliger, contraindre
i, o, o	**INFINITIF**	**PRÉTÉRIT 1e/3e SG**	
	glimmen b	*glomm* b	rougeoyer, luire
	klimmen b	***klomm*** b	grimper, se hisser
	PARTICIPE 2	**PRÉSENT 2e/3e SG**	
	geglommen b		rougeoyer, luire
	geklommen (geklimmt) l		grimper, se hisser
ie, o, o	**INFINITIF**	**PRÉTÉRIT 1e/3e SG**	
	biegen l	*bog* l	plier, tordre
	bieten l	*bot* l	offrir
	fliegen l	***flog*** l	voler (en l'air)
	fliehen l	***floh*** l	fuir
	fließen l	***floss*** b	couler
	frieren l	*fror* l	geler, être transi
	genießen l	*genoss* b	savourer, jouir de
	gießen l	*goss* b	verser, arroser
	kriechen l	*kroch* b	ramper

	riechen l	*roch* b	sentir
	schießen l	*schoss* b	tirer (arme, football)
	schieben l	*schob* l	pousser
	schließen l	*schloss* b	fermer
	sieden l	*sott* b *(siedete)* l	bouillir
	verbieten l	*verbot* l	interdire
	verlieren l	*verlor* l	perdre
	wiegen[1] l	*wog* l	peser
	ziehen[2] l	***zog*** l	tirer
	PARTICIPE 2	**PRÉSENT 2e/3e SG**	
	gebogen l		plier, tordre
	geboten l		offrir
	geflogen l		voler (en l'air)
	geflohen l		fuir
	geflossen b		couler
	gefroren l		geler, être transi
	genossen b	*du genießt, er genießt* l	savourer, jouir de
	gegossen b		verser, arroser
	gekrochen b		ramper
	gerochen b		sentir
	geschossen b	*du schießt, er schießt* l	tirer (arme, football)
	geschoben l		pousser
	geschlossen b	*du schließt, er schließt* l	fermer
	gesotten b *(gesiedet)* l		bouillir
	verboten l		interdire
	verloren l		perdre
	gewogen l		peser
	gezogen l		tirer
au/ä/ö/u, o, o	**INFINITIF**	**PRÉTÉRIT 1e/3e SG**	
	saufen l	*soff* b	boire (animal)
	saugen l	*sog* l *(saugte)* l	sucer
	gären l	*gor* l *(gärte)*	fermenter
	erlöschen b	*erlosch* b	s'éteindre
	schwören l	*schwor* l	jurer
	lügen l	*log* l	mentir
	trügen l	*trog* l	tromper, abuser
	PARTICIPE 2	**PRÉSENT 2e/3e SG**	
	gesoffen b	*er säuft*	boire (animal)
	gesogen (gesaugt) l	*er saugt*	sucer

1. La forme faible existe aussi (sens différent).

2. Se conjuge aussi avec *haben* (sens différent).

gegoren l *(gegärt)*	*er gärt*	fermenter
erloschen b	*er erlischt* b	s'éteindre
geschworen l	*er schwört* l	jurer
gelogen l	*er lügt* l	mentir
getrogen l	*er trügt* l	tromper, abuser

VERBES IRRÉGULIERS HORS SÉRIE

INFINITIF	PRÉTÉRIT 1e/3e SG	
gebären l	*gebar* l	mettre au monde
gehen l	***ging*** b	aller
haben l	*hatte* b	avoir
hauen l	*hieb* l	frapper, cogner
heißen l	*hieß* l	s'appeler
kommen b	***kam*** l	venir
laufen l	***lief*** l	courir
sein l	*war* l	être
rufen l	*rief* l	appeler
stehen l	*stand* b	se tenir debout
stoßen l	*stieß* l	pousser, heurter
tun l	*tat* l	faire
werden l	*wurde* b	devenir
wissen b	*wusste* b	savoir

PARTICIPE 2	PRÉSENT 2e/3e SG	
geboren l	·	mettre au monde
gegangen b		aller
gehabt b	*er hat* b	avoir
gehauen l	*er haut* l	frapper, cogner
geheißen l	*du heißt, er heißt* l	s'appeler
gekommen b	*er kommt* b	venir
gelaufen l	*er läuft* l	courir
gewesen l	*er ist* b	être
gerufen l	*er ruft* l	appeler
gestanden b	*er steht* l	se tenir debout
gestoßen l	*du stößt, er stößt* l	pousser, heurter
getan l	*er tut* l	faire
geworden b	*er wird* b	devenir
gewusst b	*er weiß* l	savoir

3 Les bases des groupes conjonctionnels ou conjonctions de subordination (chapitre 12)

Base du gr.conj.	Exemple	Fonction	
als	*Sie ist jünger als er [ist].* Elle est plus jeune que lui. *Als ich klein war, weinte ich oft.* Quand j'étais petit, je pleurais souvent.	comparaison temps	plus / moins que (comparatif) quand, lorsque
als ob	*Tu so, als ob ich es nicht wüsste / wisse.* Fais comme si je ne le savais pas.	comparaison irréelle	comme si
als wenn	*Tu so, als wenn ich es nicht wüsste.* Fais comme si je ne le savais pas.	comparaison irréelle	comme si
als + V	*Du tust, als wüsste / wisse ich es nicht.* Tu fais comme si je ne le savais pas.	comparaison irréelle	comme si
[an]statt dass	*Anstatt dass der Präsident uns besuchte, kam sein Vertreter.* À la place du président, c'est son représentant qui nous rendit visite.	substitution	au lieu que (à la place de)
[an]statt + G.inf.	*Er machte den Weg zu Fuß, anstatt mit der Straßenbahn zu fahren.* Il fit la route à pied au lieu de prendre le tramway.	substitution	au lieu de (G.prép.)
bevor	*Bevor er sich an die Arbeit macht, nimmt er ein kräftiges Frühstück ein.* Avant de se mettre au travail, il prend un solide petit déjeuner.	antériorité	avant que / avant de (pas possible : *bevor* + G.inf.)
bis [dass]	*Ich warte, bis [dass] der Regen aufhört.* J'attends jusqu'à ce que la pluie s'arrête.	terme visé	jusqu'à ce que
da	*Da er krank war, konnte er nicht kommen.* Comme il était malade, il ne put venir.	cause évidente	étant donné que, puisque, comme

Base du gr. conj.	Exemple	Fonction	
damit	Er macht alles, damit es besser geht. Il fait tout pour que cela aille mieux. (GV à l'indicatif; possibilité de *um … zu* + G.inf.)	finalité	afin que / pour que, afin de /pour + G.inf.
dass	Ich glaube, dass er Recht hat. Je crois qu'il a raison.		que (complétive)
- so dass	*Sprich laut, dass sie es auch hört.* Parle fort, afin qu'elle l'entende.	finalité	= *so dass* / *auf dass* (afin que / pour que)
	Er war heiser, dass er nicht sprechen konnte. Il était aphone, de sorte qu'il ne pouvait pas parler.	conséquence	= *so dass* (si bien que, de sorte que)
es sei denn [dass]	*Ich werde kommen, es sei denn, dass es zu viel regnet. / Ich werde kommen, es sei denn, es regnet zu viel.* Je viendrai, à moins qu'il ne pleuve trop.	restriction	à moins que
ehe	*Ehe er nach Hause geht, kauft er die Zeitung.* Avant de rentrer, il achète le journal.	temps (antériorité)	avant que / avant de (pas : *ehe* + G.inf.)
falls	*Falls es regnet, bleiben wir zu Hause.* Au cas où / s'il pleut, nous resterons à la maison.	hypothèse	au cas où
indem	Indem wir üben, lernen wir. En nous exerçant, nous apprenons.	instrumental	tandis que / en + part. 1
je (+ ¨er)… - desto /	*Je schneller du läufst, desto / um so schneller kommst du an.* Plus vite tu cours, plus vite tu arrives.	comparaison	plus… plus
um so	*Je weniger er isst, um so dünner wird er.* Moins il mange, plus il maigrit.	comparaison	moins… moins
je nachdem ob / wann	*Je nachdem ob er arbeitet oder nicht.* Suivant qu'il travaille ou non.		selon / suivant que
nachdem	*Nachdem er das gesagt hatte, ging er ins Bett.* Après avoir dit cela, il alla au lit.	temps (ultériorité)	après que / après (pas : *nachdem* + G.inf.)
ob	*Die Frage, ob er kommt* La question (de savoir) s'il vient	interrogatif	si
ob… oder	*Ob er kommt oder [ob er] nicht kommt* Qu'il vienne ou non	alternative	que… [ou] que…

Base du gr. conj.	Exemple	Fonction	
obgleich / obschon / obwohl	*Er kennt sich nicht in der Stadt aus, obschon er dort wohnt.* Il ne connaît pas la ville, bien qu'il y habite / quoiqu'il y habite.	opposition / concession / argumentatif	bien que / quoique
ohne dass	*Ich tat es, ohne dass mich jemand darum gebeten hätte.* Je le fis sans que l'on m'en ait prié.		sans que
seit / seitdem	*Seit[dem] er da ist, geht es besser.* Depuis qu'il est là, ça va mieux.	temps	depuis que
selbst... wenn	*Selbst wenn er zuverlässig ist, sollen wir das Risiko nicht eingehen.* Même s'il est fiable, il ne faut pas prendre le risque.	restriction / concession	même si
sobald / sowie	*Sobald / sowie er da ist, hole ich ihn ab.* Dès qu'il sera là, j'irai le chercher.	temps	dès que
sofern	*[in]sofern es dir passt* pour qutant que cela te convienne	restriction	dans la mesure où / pour autant que
solange	*Ich werde dich lieben, solange ich lebe.* Je t'aimerai tant que je vivrai.	temps	tant que
sooft	*Sooft ist Gelegenheit habe, rufe ich an.* À chaque occasion / Aussi souvent que j'en ai l'occasion, je t'appelle(erai).	temps	aussi souvent que
soviel	*Soviel ich weiß, ist er zu Hause.* Autant que je sache, il est à la maison.	proportion	autant que
soweit	*Die Grünen sind wichtig, [in]soweit [als] sie in der Koalition sind.* Les Verts sont importants pour autant qu'ils font partie de la coalition.	restriction	[pour] autant que
um so -̈er, als	*Ich mache das um so lieber, als er mein Freund ist.* Je fais cela d'autant plus volontiers qu'il est mon ami.	comparaison	d'autant plus / d'autant moins que
während	*Während er sprach, spielten die Kinder weiter.* Pendant qu'il parlait, les enfants continuaient de jouer.	temps	pendant que / tandis que
	Während er Gedichte schreibt, gibt sie Romane heraus. Alors qu'il écrit des poèmes, elle publie des romans.	argumentatif	alors que

Base du gr. conj.	Exemple	Fonction	
weil	*Er kommt später, weil er noch Arbeit hat.* Il viendra plus tard parce qu'il a encore du travail.	cause	parce que / du fait que
wenn	*Wenn die Sonne scheint, fahren wir.* Quand le soleil brille / brillera, nous partons / partirons.	temps	quand / lorsque
	Wenn die Sonne schien, fuhren wir. Quand / chaque fois que le soleil brillait, nous partions.	itération	chaque fois que
	Wenn wir doch nur ein Auto hätten! Si seulement nous avions une voiture !	hypothèse	si
	Wenn er wirklich kommt… S'il vient vraiment…	hypothèse	si
wenn… auch	*Ich glaube ihm nicht, wenn er auch die Wahrheit sagt.* Je ne le crois pas, même s'il dit la vérité.	restriction	même si
wie	*Ich weiß nicht, wie das war.* Je ne sais pas comment c'était.	manière	comment
	Nimm das Leben [so], wie es kommt. Prends la vie comme elle est.	comparaison	comme / tel[le] que
	Ich sehe, wie er läuft. Je le vois courir.	complétive	
wie… auch	*Ich kann nicht bleiben, wie das Wetter auch sein wird.* Je ne peux pas rester, quel que soit le temps.		quel[le] que
wo… doch	*Das ist unglaubbar, wo er doch noch neulich das Gegenteil behauptet hat.* C'est incroyable, d'autant plus qu'il a affirmé récemment le contraire.	argumentatif (justification)	alors que / d'autant plus que
zu… als dass	*Er war zu müde, als dass er den Koffer hätte tragen können.* Il était trop fatigué pour porter la valise.	conséquence / finalité	trop… pour
zumal	*Ich kann nicht nein sagen, zumal sie immer so nett ist.* Je ne peux pas dire non, d'autant plus qu'elle est toujours si gentille.	argumentatif	d'autant plus que

4 Les bases des groupes prépositionnels (chapitre 15)

A = accusatif, D = datif, G = génitif, ← = préposé, → = postposé, ← / → = préposé et postposé.
Les traductions proposées sont évidemment non exhaustives !

à + A (vieilli)	à
ab + A/D	à partir de
'abseits + G	à l'écart de
'abzüglich + G/D	non compris / exclus
als (sans cas)	en tant que / comme
an + A/D	(au contact de)
'anfangs + A sans article / G avec article	au début de
'angesichts + G	face à
an'hand /-Hand + G	à l'aide de
'anlässlich + G	à l'occasion de
an'statt + G/D	au lieu de
an'stelle + G	à la place de
auf + A/D	(directif ou contact de surface)
auf'grund + G	en raison de
aus + D	(provenance)
'ausgangs + A sans art. / G avec art.	à la fin de
'ausgenommen + A ← / →	exclus
'außer + D (rare: G/A)	hormis / excepté
'außerhalb + G/D	à l'extérieur de
'ausschließlich + G/D	excepté / exclus
'ausweichlich + G	(évitement)
be'hufs +G (rare)	à cause de
bei + D	(coexistence)
'beiderseits + G	des deux côtés de
be'treffend + A ← / →	concernant
be'treffs + G	concernant
be'züglich + G	relatif / quant à
'binnen + G/D	dans le délai de
bis + A	jusqu'à
contra / kontra + A	contre
dank + G/D	grâce à

'diesseits + G	de ce côté de
durch + A	(passage)
'eingangs + G	à l'entrée de
'einbegriffen + A ← / →	inclus
'eingedenk + G ← / →	en se souvenant de
'einschließlich + G/D	inclus
ent'gegen + D ← / →	à la rencontre / à l'encontre de
ent'lang + G → / + A ← / + D ← / →	le long de
ent'sprechend + D ← / →	correspondant à
fern + D ← / →	loin de
fern'ab + G	à l'écart de
frei + N/A	libre de
für + A	pour
'gegen + A	contre
gegen'über + D ← / →	vis-à-vis de / face à
ge'legentlich + G	à l'occasion de
ge'mäß + D ← / →	conformément à
'halber + G →	à cause de / pour raison de
'hinsichtlich + G	quant à / concernant
'hinter + A/D	derrière
in + A/D	dans / en
in'folge + G	par suite de
inklu'sive + G/D	inclus
in'mitten + G	au milieu de
'innerhalb + G/D	à l'intérieur de
je + A/N	le [mètre] / par [mètre]
'jenseits + G	de l'autre côté de
kraft + G/D	grâce à / en vertu de
längs + G/D	le long de
längsseits + G	le long de (côté)
laut + G/D	selon / d'après
links + G	à gauche de
'mangels + G/D	par manque de
'minus + N/A/D/G	moins
mit + D	avec
mithilfe/-Hilfe + G	à l'aide de
mitsamt + D	joint à (total)
mittels + G/D	au moyen de
nach + D ← / →	après / d'après / selon
nächst + D	en plus de
nahe + D	près de
'namens + G	nommé
'neben + A/D	à côté de / en plus de
nebst + G	en plus de
ob (rare) + G/D	à cause de (G) / sur (D)
'oberhalb + G	en amont de

'ohne + A	sans
per + A	per / à
plus + N/A/D/G	plus
pro + A	pour (proportion)
rechts + G	à droite de
samt + D	avec / y compris
seit + D	depuis
'seitens + G	du côté de
'seitlich + G	du côté de
statt + G	au lieu de
trotz + G/D	en dépit de
'über + A/D	(sur / par dessus)
um + A	autour de / à
um + G + *willen*	pour l'amour de
(')unbe'schadet + G	sans préjudice de
'unfern + G/D	non loin de
(')uner'achtet + G	sans compter
(')unge'achtet + G ← / →	sans tenir compte de
'unter + A/D	sous / parmi
'unterhalb + G	en aval de
'unweit + G/D	non loin de
ver'mittels + G/D	par l'intermédiaire de
ver'möge (rare) + G	en vertu de / grâce à
'via + A	par (passage)
vis-à-'vis + D/G	vis-à-vis / par rapport à
von + D	de
von + D + *ab*	à partir de (départ)
von + D + *an*	à partir de (début)
von + G + *'wegen*	en raison de / selon
vor + A/D	devant / par / de (cause)
'vorbehaltlich + G	sauf / sous réserve de
'während + G/D	tandis que / alors que
'wegen + G/D	à cause / en raison de
'wider + A	contre
wie (sans cas)	comme
zeit + G	au / du temps de
zu + D ← / →	(directif ou statique)
zu'folge + G ← / + D →	suite à
zu'gunsten + G/D	en faveur de
zu'ungunsten + G/D	en défaveur de
zu'liebe + D →	pour l'amour de
zu'wider + D →	à l'encontre de / contre
'zuzüglich + A/G/D	en plus / en sus
zwecks + G/D	dans le but de
'zwischen + A/D	entre (deux)

Index

A

B

C

D

E

F

G

O

P

Q

V

W

Achevé d'imprimer sur les presses de

LA TIPOGRAFICA VARESE
Società per Azioni
Italie

Dépôt légal n° 18829 - Septembre 2003